D1198777

ALTIN
KİTAPLAR

YAYIN HAKLARI
© CANAN TAN
ALTIN KİTAPLAR YAYINEVİ
VE TİCARET AŞ

KAPAK
SELÇUK ÖZDOĞAN

BASKI
1. BASIM/EKİM 2003/İSTANBUL (3000 Adet)
2-4. BASIM/2004/İSTANBUL(9000 Adet)
5-6. BASIM/2005/İSTANBUL(6000 Adet)
7-8. BASIM/2006/İSTANBUL(6000 Adet)
9-19. BASIM/2007/İSTANBUL (33.000 Adet)
20-27. BASIM/2008/İSTANBUL (24.000 Adet)
28-32. BASIM/2009/İSTANBUL (15.000 Adet)
33-34. BASIM/2010/İSTANBUL (6000 Adet)
35-37. BASIM/2011/İSTANBUL (9000 Adet)
38-39. BASIM 2012/İSTANBUL (6000 Adet)
40. BASIM/ŞUBAT 2013/İSTANBUL (3000 Adet)
41. BASIM/HAZİRAN 2013/İSTANBUL (3000 Adet)
42. BASIM/KASIM 2013/İSTANBUL (3000 Adet)
ALTIN KİTAPLAR YAYINEVİ
VE TİCARET AŞ
Göztepe Mah. Kazım Karabekir Cad.
No: 32 Mahmutbey - Bağcılar / İstanbul
Matbaa Sertifika No: 10766

ISBN 978 - 975 - 21 - 0392 - 4

ALTIN KİTAPLAR YAYINEVİ
Göztepe Mah. Kazım Karabekir Cad.
No: 32 Mahmutbey - Bağcılar / İstanbul
Yayınevi Sertifika No: 10766

Tel: 0.212.446 38 88 pbx
Faks: 0.212.446 38 90

http://www.altinkitaplar.com.tr
info@altinkitaplar.com.tr

CANAN TAN

Piraye

Yaşamımda unutulmaz izler bırakan Diyarbakır'a; orada bulunduğum zaman dilimi içinde beni kendilerinden biri olarak kabullenen Diyarbakır'ın güzel insanlarına teşekkür ve sevgilerimle...

"...uzak bir şehir ve şarkı vardı
...şarkı nihaventti."

NÂZIM HİKMET

Birinci Bölüm

1

Umarsız bir boyun eğişle yürümeye zorlandığım, bana son derece yavan ve çorak görünen bu yolun başında, ilk adımımı atmaya hazırlanırken böylesine bir heyecan duyabileceğimi asla düşünemezdim.

Yüreğimin gölgeli, kuytu bir köşesinde; kendi seçtiğim yolda yürüyor olsaydım, bu heyecana bambaşka coşkuların eşlik edeceğini söyleyen, duymamaya gayret ettiğim, gittikçe cılızlaşan bir ses var.

Evet, artık çok geç!

Bugün üniversiteye başlıyorum. Marmara Üniversitesi Dişhekimliği Fakültesi'ne.

Bu, tüm duygu ve düşüncelerime zıt seçim bana ait değildi.

Ama haksızlık etmemeliyim. Son karar bana bırakılmıştı. Öne sürdüğüm seçeneklerin üstleri çeşitli nedenlerle çizildikten sonra, elim kolum bağlı, kendi tercihimi kendim yapmıştım.

Ben de, belli kuralların dışına çıkamayan, hatta bazı konularda tutucu sayılabilecek aileme inat edercesine, hiç de onaylanmayacak istekler sıralamıştım ama...

Toplum içinde saygın bir yere sahip, örnek insan, yirmi beş yıllık diş doktoru bir baba; kızının, konservatuvarın tiyatro bölümüne gitmesini nasıl kabul edebilirdi?

Ah babacığım! Tiyatronun nasıl farklı bir dünya olduğunu bilebilseydin... Sahnenin karşısında, seyirci konumunda oturmanın ötesine geçmek için, neler verebileceğimi bir görseydin.

Sen ne düşünürsen düşün, benim dünyam orası!

Kimi zaman, "Nerelere gittin gene Piraye?" dersin ya... Kısa bir kaçamak yapmışımdır dünyama. Kendi yazdığım senaryonun bir parçası oluvermişimdir. Bazen bir Ortaçağ prensesi, bazen sıradan bir Anadolu kadını, bazen de haşarı bir genç kız vardır karşında. Ama sen bunları nereden bileceksin ki?

Kütüphanedeki kitaplarıma göz attın mı hiç? Yaşıtlarım aşk romanı okurken; benim kızım nelere sardırmış, diye merak ettin mi?

Shakespeare'in Fırtına'*sını satır satır ezberlediğimi söylesem inanır mısın? Bir olumsuzluk karşısında, "Bizi o saat neden öldürmediler?" diye sesimi yükselttiğimde, karşındakinin Miranda olduğunu nasıl ayrımsamadın?*

Neyse, dedim ya, artık çok geç.

Ama bilin ki, herkes bilsin ki, karşınızda Piraye olarak gördüğünüz ben, farklı kimliklerle aranızda dolanıp durmayı sürdüreceğim...

Tiyatroculuğun toplumumuzda hâlâ bir uç nokta olarak görüldüğünün ben de, içim kanayarak da olsa, ayrımındaydım. Ama Edebiyat, Gazetecilik, Radyo-Televizyon bölümleri için neden aynı katı tepkiyle karşılaştığımı bilemiyordum.

Ablamın liseden sonra, erkencecik evlenip gitmesi, ailenin tüm beklentilerini benim omuzlarıma yüklemişti galiba.

"Muayenehane de hazır," demişti babam. "Beraber çalışırız. Bir süre sonra da ben çekilirim, tümüyle sana kalır. Bu arada, bol bol okuyup yazma fırsatı da bulabilirsin."

İşin içinde belirgin bir bencillik kokusu olduğunu, rahat emeklilik sürme uğruna, piyon gibi öne sürüldüğümü, çok sonraları anlayacaktım.

Ama o zaman, bunu düşünmek bile büyük saygısızlıktı. Benim gibi iyi yetiştirilmiş bir aile kızına ise hiç mi hiç yakışmazdı...

Oysa babacığım, beynimin ve yüreğimin kıvrımlarındaki edebiyat tutkusunu, hatta tiyatro aşkını, bir bakıma sen yaratmıştın.

Bana koyduğun *Piraye* adıyla...

Önce anneme sormuştum. Ablamın Hatice, benim Piraye olmamın özel bir anlamı var mı diye.

"Babanın marifeti," diye kayıtsızca omuz silkmişti. "Daha doğmadan hazırdı adlarınız. Kendisi farklı hikâyeler anlatsa da, eski takıntıları olduğunu sanıyorum."

Bu kadar yavan, bu kadar basite indirgenmiş bir açıklamayla yetinemezdim. Gerçeği ilk ağızdan duymalıydım.

Bu inatçı çabamın, beni bambaşka bir dünyaya taşıyacağını; önümde, göz kamaştırıcı bir aydınlığa uzanan pencerenin kanatlarını sonsuza dek açacağını nereden bilebilirdim?

Doğduğum günden beri genlerimde taşıdığıma inandığım edebiyat ve şiir tohumları, filiz vermek için, babamla adım konusunda yapacağım o eşsiz konuşmayı bekliyormuş meğer...

"Piraye, Nâzım Hikmet'in karısı. Tam adı Hatice Piraye'dir. Nâzım Hikmet'in onun için yazdığı şiirler ve mektuplar, edebiyatımızın gerçek yüz aklarıdır."

İlk tepkim şaşkınlık oldu.

Babam elinden kitap düşmeyen, aydın bir insandı. Ama onun, kızlarına bir şairin -hem de yasaklı bir şairin- karısının adını verecek kadar edebiyat tutkunu olduğunu yeni keşfediyordum.

"Şiiri gerçek yüzüyle tanımak istiyorsan, Nâzım'ı okumalısın! Kitaplığımdan istediğin kitabı alabilirsin."

Bir şaşkınlıktan diğerine sürükleniyordum. Nâzım Hikmet'in tabu olmaktan henüz kurtulamadığı günlerde; babam, onu okumaya ve tanımaya yönlendiriyordu beni.

Konuşmamızın sonunda, farklı bir Piraye vardı karşısında. Bu adı taşımaya yüreklendirilmiş, ama gerçek Piraye hakkında hiçbir fikri olmayan bir yeniyetme...

İşin bir başka boyutu da; babamın, beni Nâzım Hikmet'in kızıl güllerle bezeli Şiiristan'ına taşırken, sonraki yıllarda benliğime egemen olacak sol görüşlere de uygun bir ortam yaratmasıydı.

Lise yıllarındaki kompozisyon derslerinde, verilen konu ne olursa olsun, sözü hep özgürlük ve eşitliğe getirip, elimde olmadan aşırıya kaçarak yazdığım yazıların geri dönüşlerini heyecanla bekleyişim...

Her seferinde, içimi saran disipline gitme korkusunu, "gizli kahraman" edalarıyla keyfe dönüştürüşüm... Bundan duyduğum o garip, o çılgınca zevk...

Hepsinin başlangıcı işte bu konuşmaydı!

Karıcığım,
Hasretliğin on ikinci yılı bu
on ikinci yılı
Gönül ağzına kadar dolu
Sen diyorum İstanbul geliyor aklıma
İstanbul diyorum sen
Sen şehrim kadar güzelsin
şehrim senin kadar acılı.

Demir parmaklıkların gerisinde Nâzım Hikmet. Piraye dışarıda; Nâzım'a ve aşkına tutsak. Tam on iki yıl beklemiş onu. Kendisi için yazılan, özlem yüklü, aşk kokulu şiirleri hak etmek istercesine...

Kızıl saçlıymış Piraye.

Kendimi, keşke ben de kızıl saçlı olsaydım, diye hayıflanırken yakaladım kaç kez...

Okudukça, dizelerin arasına dalıp kendimden geçtikçe, tehlikeli bir biçimde özdeşleşiyordum Piraye'yle.

Tiyatro sahnemde, bundan sonraki rolüm belliydi artık. Nâzım Hikmet'in Pirayesi rolünü oynamak...

Peki, bana eşlik edecek oyuncu kim olacaktı? Bunu düşünmek anlamsızdı; karşımda Nâzım vardı ya...

Bahardı sevgilim bahardı
ve bahtiyar olmak için
toprakta, havada, suda, her şey vardı sevgilim,
her şey hazırdı,
her şey vardı.

Baharın coşkusunu bile sevgiliyle paylaşan,

Kimbilir belki bu kadar sevmezdik birbirimizi
uzaktan seyretmeseydik ruhunu birbirimizin.
Kimbilir felek ayırmasaydı bizi birbirimizden
belki bu kadar yakın olamazdık birbirimize...

en yakıcı, en kavurgan, en amansız ayrılıktan bile, sevdiğine bir yakınlık payı çıkarabilen eşsiz şair... Bir ikincisini bulabilmek olanaksız!

Ya Nâzım gibi bir sevgili?

Ne kadar ulaşılmaz bir hayal!...

En yakınlarım bile ayrımında değildi ama, bambaşka bir iklimin insanıydım artık ben.

Annemin, geleceğim hakkındaki yönlendirici düşünceleri de iç dünyamın duvarları dışında kalmaya mahkûmdu haliyle...

Babamla aralarında tutkulu bir aşk yaşanmasa da, uzun yıllara yetecek yoğunlukta; sevgi, saygı ve sıcaklık olduğu kesindi. Bu kadarının bana da yeteceğini sanıyordu anlaşılan.

"Yeni bir sayfa açılıyor önünde... Bizler çağdaş düşünceli insanlarız. Hayat arkadaşını tabii ki sen seçeceksin. En büyük yol göstericin, kendi aklın... Üniversite çok farklı bir ortam. Kütüphanede, kantinde; ders çalışırken, arkadaşlar arasında sohbet ederken... Anlaşabileceğini düşündüğün biri çıkabilir karşına. Aile yapımıza, yaşam tarzımıza uyarsa, neden olmasın?"

Ablamın ailece onaylanmayan bir evlilik yapması, genç yaşta iki çocukla bezgin bir ev kadını haline dönüşmesi gözünü korkutmuştu annemin. Ama daha yolun başında, bu tür şartlandırıcı konuşmalar dinlemeye de hiç niyetim yoktu doğrusu.

Benden olumlu bir yanıt, rahatlatıcı bir onaylama bekleyen annemin gözlerine baktım.

"Ama benim şartlarım ağır," dedim. "Bana şiir yazmalı o insan! Tüm duygularını dizelerle anlatmalı..."

"Deli kız," diye güldü annem. Onun şaka olarak nitelendirdiği gerçekliğin, tüm hücrelerime nasıl sinmiş olduğunu bilmeden...

Gülkurusu pembe kupon kumaştan döpiyesimi Terzi Numan'a diktirdik. İçindeki, siyah üzerine pembe çiçeklerle desenlenmiş, devrik yaka bluzu da.

Terzi işi, ciddi görünümlü ilk giysim oluyordu bu. Bence gereksizdi. Ama annem öyle istemişti. Okulun açılış gününde, işin resmiyetine uygun tarzda giyinmeliydim.

Hiç alışık olmadığım ince çoraplar, kısa ökçeli, bilekten bağlı siyah süet ayakkabılar, omzuma attığım süet çanta; babamın not almam için armağan ettiği deri kaplı bloknot, kenarına takılı şık bir dolmakalem...

Bana kalsa yüzümü yıkayıp; uzun, düz saçlarımı şöyle bir tarayıp, çıkar giderdim. Ancak, annemin yönlendirmesiyle, yanaklarımı hafif bir allıkla renklendirmek zorunda kaldım. Dudaklarıma renksiz parlatıcı, gözlerime bir iki dokunuşluk rimel...

Hazırdım.

Karşısında alışılmışın dışında bir Piraye gören babam, gözlerinden taşan hayranlık ve gururla bir süre süzdü beni. Sonra sımsıkı sarıldı.

"Seni ben bırakayım istersen..."

Gerek yoktu. Evimiz Nişantaşı'ndaydı. Okulum da Marmara Üniversitesi Nişantaşı Kampusu'nda.

Annem, gözleri dolu dolu, kucakladı beni.

"Yolun açık olsun yavrum."

Kapıdan çıkarken, istemeden kabullendiğim yeni bir okula, yepyeni bir döneme adım atma heyecanının, gitgide artan bir sevinç dalgası halinde her yanımı sardığını hayretle duyumsadım.

Annemin son sözlerini tekrarladım içimden...

"Yolun açık olsun Piraye!..."

2

İlkokulun birinci sınıfına yeni başlayan çocukların ürkek, ağlamaklı hallerini şimdi daha iyi anlıyorum. Hangi yaşta olursa olsun, yeni bir çevrenin bireyi konumundaki insanın, benzer ürkeklikleri göstermesinin kaçınılmazlığını kendimde yaşıyorum çünkü.

Eski öğrenciler rahat... Kampusun bahçesinde; otoparkla okulu birbirine bağlayan merdivenlerin üzerinde oturmuş, keyifli sohbetlere dalmışlar bile.

Öğrenci işlerinden yıllık ders programını alıp merdivenlerin en üst basamağına oturuyorum ben de. Elimde yalnız bu yılın iki sömestrinin değil, tüm öğrenim döneminin, beş yıllık dökümü var.

Enine boyuna incelemeye koyuluyorum. İlk yıl, genellikle temel bilimlere ağırlık verilmiş. Biyofizik, biyoloji, genetik, biyo-istatistik, biyokimya... Diş doktorluğuna yavaş yavaş alıştırmak için olsa gerek, birkaç saatlik de protez. İkinci ve üçüncü sınıflarda artışa geçen klinik dersleri, son iki yıl zirveye ulaşıyor. Haftada onar, yirmişer saatlik oral cerrahi, pedodonti, peridontoloji, endodondi, ortodonti adlarıyla tanışmaya çalışıyorum.

Yaptığım işe öylesine dalmışım ki, arkamdan gelen, "Piraye," çığlığı, beni yerimden hoplatmaya yetiyor.

Esin bu! Bizim kolejden.

Aynı sınıfta olmamamıza, bugüne dek merhabalaşmaktan öte bir ilişki yaşamamamıza karşın, abartılı bir coşkuyla sarmaş dolaş oluveriyoruz.

Bu iyi işte! Yalnız değilim artık.

Beraberce, kısa bir keşif turuna çıkıyoruz Esin'le.

Amfiler, laboratuvarlar, klinikler... İçimin gitgide artan bir sevinçle kabardığını, gelmemek için onca direndiğim bu yere şimdiden ısınmaya başladığımı duyumsayabiliyorum.

Bir de, aynı kampusu paylaştığımız Gazetecilik ve Radyo-Televizyon bölümlerinin binalarına baktıkça, yüreğimde canlanıveren o eski, bildik sızıyı duymasam...

Son durağımız okulun kantini oluyor. Birer çay alıp boş bir masaya oturuyoruz.

Esin çevreye şöyle bir göz gezdiriyor.

"Farkında mısın," diyor. "Çok yakışıklı oğlanlar var..."

Gülüveriyorum. Aynı kolejdeki Esin!

Daha o yıllarda inceltilmiş kaşları, herkesinkinden birkaç parmak kısa eteği, göğüslerini ortaya çıkaracak darlıkta, gerekenden bir beden küçük gömleği, ancak dikkat edilirse anlaşılabilecek gizli makyajıyla ve... sık sık değişen erkek arkadaşlarıyla benim tarzımın çok dışındaydı. Ama şimdi; açık sözlülüğü, dobralığı, böyle delidolu halleri, cıvıl cıvıl konuşmalarıyla hoşuma bile gittiğini söyleyebilirim.

Çaylarımızı içip kalkıyoruz. Birazdan gireceğimiz ilk biyofizik dersinin heyecanı var üzerimizde...

Amfi çoktan dolmuş. Gecikmiş de sayılmayız ama... Demek ki, erken gelmek ya da önceden yer tutmak gerekiyor.

Yayvan ve geniş basamakları adımlayıp, gerilere doğru yürüyoruz Esin'le. En arka sıraya oturuyoruz.

Bir süre, birbirimizle hiç konuşmadan, zaman içinde kaynaşacağımızı umduğumuz sınıf arkadaşlarımızı inceliyoruz.

Esin amfiyi enine, boyuna, çaprazına taradıktan sonra, hafifçe kolumu sıkıyor.

"Şuraya bak," diyor, bizden iki sıra önde oturan delikanlıyı göstererek.

"Ne var ki?" diyorum kayıtsızca.

"Ne kadar yakışıklı olduğunu görmüyor musun?"

İster istemez gösterdiği yere bakıyorum. Bana göre sıradan biri.

"Şirin çocuk," diyorum hatırı kalmasın diye.

Ders sonrası, tuttuğum ilk ders notlarını temize çekmek için kantine doğru yürüyorum. Bu iş için, kütüphanenin asık yüzlü havasını solumak gereksiz. Orası, sınavlara hazırlanırken, daha ciddi çalışmalar için düşünülebilir ancak...

Esin gelmiyor. Benim müsvedde yapıp, sonra temize çekmek konusunda bu denli titizlenmemle de dalga geçiyor. Derste not bile tutmayışını da bana bağlıyor.

"Arkadaşlardan birinin gayretkeş olması yeter," diyor. "Sen güzel güzel yaz Piraye'ciğim, ben sonra senden alırım."

Tam işimi bitirmek üzereyken, geliyor Esin. Kıpır kıpır, heyecanlı...

"Tanıştım onunla!"

"Kiminle?"

"Kim olacak, derste sana gösterdiğim o yakışıklıyla."

"Korkulur senden," diye gülüyorum.

"Dinle," diye sandalyeyi çekip oturuyor. "Adı Arif. Balıkesirliymiş. Burada yurtta kalıyor. Hiç kimseleri tanımıyormuş zavallıcık..."

"Dur, bir soluk al," diye araya giriyorum. "Nasıl oldu da öğrenebildin bu kadar şeyi? Yanına gidip, pat diye soruları sıralamadın herhalde..."

Saflığıma, acemiliğime uzun uzun gülüyor Esin.

"Olur mu canım? İlk karşıma çıkan, sıradan birisiymiş gibi yaklaştım yanına... 'Yakınlarda fotokopi makinesi var mı?' diye sordum. 'Arkadaşlarımdan aldığım ders notlarının kopyasını çıkaracağım da...' diye ekleyip tüm şirinliğimle gülümsedim. O da hem okulun, hem de İstanbul'un yabancısı olduğunu söyleyince laf lafı açtı; sohbet koyulaştı..."

"Aferin sana," deyip notlarımı dosyanın içine yerleştirmeye koyuluyorum.

O ise kendinden geçmiş, anlatmasını sürdürüyor.

"Biliyor musun, kömür gibi gözleri var. Suratı oyulmuş sanki... O ağız, o burun hokka gibi."

Birden sıkılıveriyorum.

"Ben öyle bebek yüzlü erkeklerden hiç hoşlanmam," diye kestirip atıyorum.

Aniden duralıyor Esin. Dikkatle yüzüme bakıyor.

"Senin hiç erkek arkadaşın olmadı mı yoksa?" diye merakla soruyor.

"Oldu," diyorum. "Ama senin kastettiğin anlamda değil. Grup içinde, herkesle eşit uzaklıktaki arkadaşlıklar..."

"Peki, hiç âşık olmadın mı?"

"Aşkın bu denli sıradan bir kavram olmadığına inanıyorum ben."

"Önce sıradanları yaşayacaksın ki, gerçek olanı anlayabilesin."

Haklı belki. Ama şu devrede, bunları düşünmeye hiç niyetim yok.

Bence aşk aranmamalı, kendi kendine gelip sahibini bulmalı...

Esin'in asla paylaşmayacağını bildiğim bu görüşümü, ona açacağıma, içimde saklamayı yeğliyorum.

Biyokimya dersinin ortaları... Çıt çıkmıyor amfide. Bölüm başkanı hocamızın tahtaya yazdığı formülleri defterlerimize geçiriyoruz.

Hayret, Esin de not tutuyor bugün!

Sessizliği bölen ayak sesleriyle gözler geriye doğru çevriliyor. Amfinin arka kapısından girip kendine yer arayan bir öğrenci: Arif!

"Bizimki," diye fısıldıyor Esin. "Geç kalmış..."

Dersin sonunda, kapıya doğru yürürken yanımıza geliyor Arif.

"Geciktim," diyor Esin'e. "Kredi almak için başvuru yapmam gerekiyordu. Neyse... Ders notlarını alabilir miyim?"

"Alamazsın," diye gülüyor Esin. "Benden not alınmaz. Bu işin ustası dururken..."

Eliyle beni gösteriyor. Noktasına, virgülüne kadar not tutmakla kalmayıp, bir de onları temize çekerek kitaplaştırdığımı, yarı alaylı bir biçimde anlatıyor.

Oradaki varlığımın gereksizliğini düşünüp aralarından sıyrılmaya çalışıyorum.

"Ha," diyor Esin. "Sizi tanıştırmayı unuttum. Arif... Ve Piraye..."

"Tanıştığın insanın gözlerine bakacaksın," der babam. "O gözlerde göreceğin ilk ışığın çekim derecesi, tanışıklığın orada kalmasını ya da gelişerek sürmesini sağlayan en iyi gösterge olacaktır."

Başımı kaldırmamla gözleriyle buluşmam bir oluyor.

Gözleri... Gerçekten de kömür karası! İnsanı içine, derinliklerine çekip orada sonsuza dek hapsedecek gibi bakıyor...

Hep beraber kantine doğru yürüyoruz. Her günkü masamız boş. Geçip oturuyoruz.

"Durun size çay getireyim," diye yerinden fırlıyor Esin.

Bense; duraksamadan, belki de o gözlerle yeniden buluşmayı önlemek güdüsüyle notlarımı çıkarıyorum.

En üstte duran dizelerin üstünü kapatmaya fırsat bulamıyorum.

Benim günlerden beklediğim kadar
Günler de benden bir şeyler bekler
Fakat heyhat
Benim günlere verdiklerimi
Onlar bana
Asla veremeyecekler

Birden sıcacık bir gülümseme yayılıyor yüzüne.

"Şiiri seviyoruz demek..."

Suçüstü yakalanmış gibi, biraz huzursuz, başımı öne eğerek gülümsüyorum ben de.

Defterini çıkarıyor. İlk sayfada, hiç ummadığım bir sürpriz bekliyor beni.

Dün Memed'i de vurdular
Yarın sıra bize gelebilir
Gelirse ölürüz
Ne var ki...

diye başlayan ve süren dizeler.

Bu kez yakalanma sırası onda.

"Devrimciyiz demek..." diye gülüyorum.

"Öyle!" diyor hafiften meydan okurcasına.

"Desenize, ortak yanımız çok."

Nasıl oluyor da bu sözcükler dudaklarımdan dökülüveriyor, anlayamıyorum.

İşte o an, kömür gözler ışıldıyor; yumuşacık bakışlar tüm yüzümü yalayıp gözlerimde düğümleniveriyor.

Esin elinde çaylarla geri döndüğünde, içimi kavuran ezinçle gözlerimi kaçırmaya çalışıyorum ondan.

Ama bir de ne göreyim? Yanında enine boyuna, yakışıklı bir delikanlı durmuyor mu?

"Tanıştırayım," diyor Esin cıvıl cıvıl bir sesle. "Volkan... Yazlık komşumuz. Gazetecilik bölümü üçüncü sınıfta."

Gazetecilik bölümü deyince, içimin eskisi kadar acımadığını hayretle ayrımsıyorum. Kendi bölümümü bu kadar kısa sürede benimsemiş olmam sevindirici.

Esin'le Volkan çaylarını içip izin istiyorlar. Beyoğlu'na, sinemaya gitmeye karar vermişler. Bize de gitmemizi teklif etmemeleri dikkatimden kaçmıyor. Umursamıyorum.

Arif'le konuşacak o kadar çok şeyimiz, konuştukça ortaya çıkan o kadar çok ortak noktamız var ki...

Gece, annem odama girdiğinde, kitap kaplarken buluyor beni. Hem de duvar takviminin kalın, iç göstermeyen yapraklarıyla.

"Ne o öyle," diyor. "Hâlâ kitap mı kaplıyorsun? Bu işin lise sıralarında kaldığını sanırdım..."

Bir tabak soyulmuş, dilimlenmiş meyveyi masanın üzerine bırakıp çıkıyor.

Nereden bilecek, kapladığımın Nâzım Hikmet'in bir şiir kitabı olduğunu... Arif'e verdiğim söz üzerine, yarın ona götüreceğimi...

Bu, karşılıklı bir kitap alışverişi aslında. O da bana kendi şiir kitaplarından getirecek.

Eskiden beri süregelen alışkanlıkla, sevdiğim dizelerin altını kırmızı kalemle çizerim. Arif'ten de, hoşuna giden yerleri siyah ya da mavi kalemle belirlemesini isteyeceğim. Bakalım beğenilerimiz, ortak bir noktada buluşacak mı?

Yoğunlaşan derslere paralel, şiir dolu günler paylaşıyoruz Arif'le.

Ne var ki, bir süre sonra işin çehresi değişiveriyor. Kendi yazdığı devrimci şiirlerin yanına, aşk kokan dizeleri de ekliyor artık Arif.

...
Gitmek,
Gözlerinde gitmek sürgüne.
Yatmak,
Gözlerinde yatmak zindanı.
Gözlerin hani?

...
İçmek,
Gözlerinde içmek ay ışığını.
Varmak,
Gözlerinde varmak can tılsımına.
Gözlerin hani?

Ancak gözlerinin aranışında olunan kişiye verilebilecek bu dizelerin bende yaratacağı ürküntüden de çekiniyor galiba.

Okuyup bitirdiğimde, kayıtsız görünmeye çalışarak, "Ahmed Arif'in *Unutamadığım* şiirinden," diyor usulca.

✣ ✣ ✣

Yoklama zorunluluğuyla girdiğimiz bazı derslerde, amfinin en arka sırasına oturuyoruz Arif'le. Bu dersler, genelde herkesin gönlünce değerlendirdiği saatler. Yanı başımızda birileri "Amiral battı" oynarken, biz şiirleşiyoruz.

Mektuplaşmak, telefonlaşmak gibi; kendi ürettiğimiz bir sözcük bu: şiirleşmek.

Birkaç dize benden, birkaç dize ondan...

Arif'ten aldığım şiirleri, dosyamın iç cebine yerleştirip, eve gidince tekrar tekrar okuduktan sonra, üzerinde *Şiir Bahçesi* yazan, kırmızı parlak kâğıtla kaplı kocaman bir kutunun içine koyuyorum.

Farklı, o güne dek hiç tatmadığım; biraz da Nâzım Hikmet'in Piraye'sini daha gerçekçi boyutlarda oynamamdan kaynaklanan bir mutluluk yaşamaktayım. Piraye gibi, Piraye için yazılan şiirler almak, gururumu okşuyor açıkçası...

Yarı yıl tatiline, Arif'in tatil için Balıkesir'e gidişine kadar, aynı çizgide sürüyor ilişkimiz.

Aramızda adı konmamış, dillenmesi şiirlere, dizelere bırakılmış sıcacık bir yakınlık oluştuğunun ayrımındayız ikimiz de. Ve şu anda ilk ayrılığımıza hazırlanıyoruz.

Arif...

Kömür gözlü şair... Devrimci.

Nâzım değil belki; ama en azından küçük bir Ahmed Arif benim için.

Onu özleyeceğim galiba.

✤✤✤

Her biri bir öncekinden hareketli geçen günlerin ardından gelen tatil; bende dinginlik yerine, belirgin bir huzursuzluk yaratıyor. Evin içindeki hırçın mı hırçın bir Piraye'nin varlığı beni bile rahatsız ediyor.

Günlerim gene şiirli... Ama Arif'siz! Bu durum umduğumdan da fazla etkiliyor beni.

Ancak, beklenmedik bir olay, bana her şeyi unutturmaya yetiyor.

Ablam iki kızının elinden tutup, "Bitti artık!" diye inci tanesi gözyaşları dökerek baba evine dönüyor.

Ahmet Enişte'min uzunca bir süredir, işyerinde beraber çalıştığı sekreteriyle beraber olduğunu öğreniyoruz ablamdan.

Annem şaşkın; kızını yatıştırmakta yetersiz, damadına kızgın, torunları için endişeli, ortalıkta dolanıp duruyor.

Bense öfke doluyum. Ablamı asla hak etmiyor bu adam. Dünyanın en şirin çocukları olduğuna inandığım Göksel'le Gökçe'yi de.

Annem de babam da ablama gereken sıcaklığı gösteriyorlar; akıllarından geçen, "Biz sana söylemiştik," yolundaki anımsatmalara yeltenmiyorlar bile.

"Hata bende," diye pişmanlığını apaçık ortaya koyan bir insanın üzerine gitmek, yakışık almaz zaten.

Üç günümüz ve üç gecemiz (geceleri de pek uyuyamıyoruz!) ablamın serzenişlerini dinlemek, çocukları konunun uzağında tutmaya çalışmak, seçenekler içinde en doğrusunu bulup çıkarmaya çabalamakla geçiyor.

"Boşanacağım," diyor ablam. "Her ne pahasına olursa olsun, boşanacağım!"

Hırsla söylenmiş sözler bunlar, belli. Nesine güveniyor ki? Annemle babamın, ona ve çocuklarına kol kanat gerecekleri kuşkusuz. Ama nereye kadar?

Ablam haykırışlarının arasında, soluk almak için duraksadığında, bana öğüt vermekten de geri kalmıyor.

"Oku kızım, oku! Benim durumum en güzel örnek sana... Öğrenimimi tamamlasam; bir mesleğim, bir işim olsa, bu hallere düşer miydim ben?"

Üçüncü günün akşamı, çıkageliyor eniştem. Elinde kocaman bir çiçek buketi, bir kutu çikolatayla.

Ablam, onu kapıda görünce, salondaki koltuklardan birine oturup, üç günlük bağırış çağırıştan yorgun düşmüşçesine, bu kez sessizce ağlamaya başlıyor.

Eniştem önce Göksel'le Gökçe'yi kucaklıyor, öpüyor. Sonra ablamın yanına yaklaşıp saçlarını okşamaya başlıyor.

Hepimiz soluklarımızı tutmuş, günlerdir afrasını tafrasını sineye çektiğimiz Hatice kızımızın kocasına nasıl bir tepki vereceğini bekliyoruz.

Umduğumuz gibi olmuyor!

Eniştem, ablamı elinden tutup ayağa kaldırıyor. Şefkatle kucaklıyor. Ablam da başını kocasının omzuna yaslayıp, ağlamasını bir süre de orada sürdürdükten sonra, üç günlük eylemine son veriyor.

Hiçbir şey olmamış gibi yenilen, hatta neşeli geçtiğini bile söyleyebileceğim yemeğin ardından, Köksal ailesini evlerine uğurluyoruz.

Fırtına geçmiş görünüyor.

Beni içine alacak asıl büyük fırtınanın ertesi gün patlayacağını bilmiyorum henüz...

✤✤✤

Tatilin sondan üçüncü günü.

Yaşadığımız olayların ardından, dinginliğe bıraktığım bedenim ve beynim, annemin öfkeden doğal tınısını yitirmiş sesiyle sarsılıyor.

Salonun ortasında durmuş, elindeki kâğıt tomarını yüzüme doğru sallıyor annem.

"Ne bunlar ha, ne bunlar?"

Önce ne olduklarını ayrımsayamıyorum; ama dikkatle bakınca, benim şiir kutumdan çıkarıldıklarını anlıyorum.

Öfkenin bulaşıcılığından mı; yoksa o anda, bana ait olan bir şeylerin hiç de doğru olmayan yollarla, yabancı bir ele geçmesini kavramanın yarattığı isyandan mıdır bilmem, aynı tonda olmasa da yüksek sesle karşı atağa geçiveriyorum.

"Ne işi var onların burada? Hem de senin elinde... Nasıl yaparsın böyle bir şeyi anne? Bana ait onlar... Özel!"

"Otur şöyle," diyor annem, konuşmamızın uzun süreceğini vurgular gibi.

Karşılıklı oturuyoruz.

Beynimden yıldırım hızıyla geçen bir kıvılcım, şiir kutumun annem tarafından her zerresine kadar tarandığını, tüm sayfaların satır satır okunduğunu, kişisel şifrelerimin çözüldüğünü, hiçbir gizimin artık bana ait olmadığını söylüyor.

İçim, her geçen saniye biraz daha artan, bastırmaya çalıştıkça devleşen bir isyanla dopdolu. Elimden geldiğince sakinleşmeye çabalayarak, onun konuşmaya başlamasını bekliyorum.

Annem biraz durulmuş gibi. Söze nereden başlayacağını kestirmeye çalışıyor. Sonunda, ilk çıkışını yineleyerek, kaldığı yerden sürdürmeye karar veriyor.

"Evet... Söyle bakalım, ne bunlar? Kim bu komünist? Burada yazılanlar ne anlama geliyor?"

Biraz durup soluklanıyor. Yanıt bekleyen bakışlarını yüzüme dikiyor.

"Sınıf arkadaşım," diyorum. "Komünist falan da değil. İlle de benzer bir sıfat arıyorsan, sol görüşlü diyebilirsin."

Üzerine basarak ekliyorum.

"Benim gibi yani... Özgürlükten ve haktan yana."

"Ya bunlar?" diye diğer şiirleri gösteriyor.

"Onlar benim özelim!" diye haykırıyorum. "Senin ne okumaya, ne de yorum yapmaya hakkın yok olmamalı...Şu anda elinde tutmansa, benim değil, senin ayıbın."

"Ben senin annenim. Okurum da, hesap da sorarım."

Kâğıtları tutan ellerinin titremesi sesine de yansıyor.

"İkinci bir Hatice istemiyorum bu evde..."

Anlaşıldı. Ablamın yürüdüğü yanlış yolun bir benzerinin, benim de önüme açılmasından korkuyor annem.

Kendince haklı belki. Ama, benim gözüm gibi sakladığım özel yazılarımı mercek altına almasını asla kabullenemem.

Biraz daha sakin annem. Bu kez arka arkaya değil, tek tek, tane tane sormaya başlıyor.

"Kim bu çocuk?"

Ben de daha yumuşak yanıtlar vermeye şartlandırıyorum kendimi.

"Dedim ya, sınıf arkadaşım, Arif."

"Nereli?"

"Balıkesirli."

"Ailesi? Babası, annesi, kardeşleri?"

"Babası memur, annesi ev kadını."

"Kardeşleri..."

Bu sorunun yanıtını vermeye çekiniyorum nedense.

"Kendinden küçük dört kardeşi var."

"Oh, oh, oh..." diye başını sallıyor. Sözcükleri dağarcığından çıkarıp uygun biçimde sıralamaya çalışarak, "Bak kızım," diyor. "Memur ailesi. Kendinden küçük dört kardeş, bakmaya yükümlü olabileceği kişiler demektir. Nasıl bir beraberliğiniz olabileceğini sen düşün artık..."

"Ne beraberliği anne?" diye haykırıyorum. "Yalnızca arkadaşız biz."

"Belli oluyor," diye alaycı bir gülüşle şiirleri gösteriyor.

Ardından yeni bir soruya atlıyor.

"Nerede kalıyor bu Arif?"

"Yurtta."

"Neyle geçiniyor? Anladığım kadarıyla, ailesinin durumu pek parlak değil..."

"Burs alıyor. Devlet bursu... Biraz da babası gönderiyor."

Bu son sözlerim, fırtınanın hortuma dönüşüp, beni içine almasına yetiyor.

"Bursla okuyor yani... Burs ne demektir, bilir misin? Daha hayata atılmadan, dünya kadar borcu olacak demektir. Öyle keyfince muayenehane açması falan hayal... Mezun olur olmaz borcunun tamamını kapatabilir mi? Hayır. Kapatacak durumu olsa, zaten burs almaz. Ne olacak o zaman? Devlet nerede iş verirse, nereye gönderirse oraya gidecek ve borcunu ödeyecek."

İşin bu yönünü hiç düşünmemiştim; çünkü beni ilgilendirmiyordu. Annemin bu kadar ayrıntılı ve ileriye dönük yorumlar yapabilmesi şaşırtıcı geliyor bana. Ama son söyledikleri, farklı bir direnç cephesi oluşturuyor içimde.

"Herkes zengin olacak diye bir şart mı var? Belki sen farkında değilsin ama; binlerce insan, hak ettiği okulda okuyabilmek için burs alıyor. Parasızlık suç mu? Onursuzluk mu? Devlet, başta sağlayamadığı fırsat eşitliğini bu yolla dengelemeye çalışıyor; fena mı?"

"Başlama gene fırsat eşitliği falan diye o sosyalist ağızlarına da, dinle beni. Birkaç şey söyleyip bu konuyu kapatacağım zaten... Biliyorsun ki, ben Hatice'den gülmedim kızım. Senin de kendini harcamana göz yummamı bekleme benden. Bu çocuk seni alır, mecburi hizmet diye, Anadolu'nun en ücra köşesine götürür. Bir de senin hasretine dayanamam..."

"Benim o çocukla hiçbir yere gittiğim yok! En azından şimdilik. Ama unutma ki, Anadolu'nun ücra köşesi dediğin yerler de bu vatanın bir parçası... Ve hizmet bekliyor."

"Yeter, sol edebiyatı yapıp durma bana! İşte sana son sözüm; eğer o solcu bozuntusuyla evlenmeye kalkarsan, beni çiğneyip geçmen gerekir, bilmiş ol!"

Son sözünü söylemenin, içindeki zehri dökmenin rahatlığıyla beni şiir yığınının ortasında bırakıp gidiyor.

Şiirlerim ve ben... Öylece kalakalıyoruz.

Akşam yemeğinde, annem de ben de göz göze gelmemeye gayret ediyoruz. Babam bir şeyler olduğunun ayrımında, ama anlamamış görünmeyi yeğliyor.

Annem eylemlerini sürdürmek için, babamla karşılıklı kahve içtikleri, evimizin en dingin saatini seçmiş.

"Piraye'den şikâyetçiyim Fikret," diye söze giriyor.

Gülüveriyor babam. Yumuşacık bakışlarla süzüyor beni.

"Anlat bakalım," diyor anneme. "Güzel kızım ne yapmış sana?"

"Bana değil, kendine yaptıkları... Şu solculuk sayfasının artık kapandığını sanıyordum. Yanılmışım. Kızın eskisinden de beter, o komünist şiirlerle sarmaş dolaş... Üstüne üstlük, kendisiyle aynı görüşteki ipsiz sapsız yandaşlarıyla yazışmaya başlamış."

"Komünist değil," diye düzeltiyorum.

"Komünist, sosyalist, solcu... Ne derseniz deyin siz. Ama bak, babası olarak sana söylüyorum; başına dert açacak bu kız. Burası üniversite... Bir kez mimlenirse, temizlenmesi zor olur."

Babamın üzerinde yarattığı etkinin derecesini ölçmek istercesine duraklıyor.

"İşte kızın, işte sen! Benden iletmesi. Ne haliniz varsa görün."

Babam, kısa bir suskunluğun ardından bana dönüyor.

"Doğru mu bunlar?"

"Eskisinden farklı bir şey yok. Senin bana okumam için verdiğin türde şiirler... Ve onları paylaştığım yeni arkadaşlarım. Hepsi bu."

Bu noktaya gelmemdeki payının bilincinde babam. Hem kendini, hem beni temize çıkaracak bir yol bulmaya çalışıyor gibi.

Annem, onun tepkisizliğine isyan edercesine, yeniden araya giriyor.

"Hani her insan on sekiz yaşına kadar komünistti de törpülene törpülene orta yolu bulurdu? Deneyimleri arttıkça gerçekleşmeyecek hayallerle gerçekleşebilecekleri ayırır, kendine ılımlı bir yol çizerdi... Kusura bakma ama, kızında bu tür olumlu bir gelişme göremiyorum ben."

Sonunda, ölçülü bir sesle konuşmaya başlıyor babam.

"Bu durum, gençlerin saf ve duyarlı dünyalarından, özgürlüğe düşkünlüklerinden, haksızlıklara karşı savaşım eğilimlerinden kaynaklanıyor. Özellikle edebiyata düşkün insanlar, hele sol edebiyatına gönül vermişlerse, bu tutkularından vazgeçmeleri zor olabiliyor..."

Biraz da kendisini anlatıyor sanki babam. Ortada bir suç varsa, ilk ortağımın kendisi olduğunu da çok iyi biliyor.

"Merak etme," diyor anneme. "Ben onun çizgisinde tehlikeli bir sapma görmüyorum. Zaman içinde her şey yoluna girecektir."

Birden yerimden fırlıyorum.

"Madem bana tanınan belli bir süre var; bırakın da gönlümce değerlendireyim bunu... Doğrularımı, yanlışlarımı deneyerek göreyim. Yüzde kaç solcu olacağıma, ne kadar solcu kalacağıma ancak ben karar verebilirim. Bu arada, eşitliği ve özgürlüğü savunmanın neden suç olduğunu da anlayamıyorum."

Annem öfke fışkıran gözlerle izliyor beni.

Aslında, babama işin yalnız bu yüzünü anlatması, alkışlanacak bir davranış. Arif'in bana yazdığı şiirlerden hiç söz etmemesi hayret verici.

Sanırım, babamla yüz göz olmamızı istemediğinden. Ya da solculuk kavramını, onaylamadığı bir beraberlikten de tehlikeli buluyor.

Arif'i bir bütün olarak algılayamaması, onun yönünden büyük hata!

Oysa; ister özgürlükçü, ister sevda kokan şiirleriyle olsun, biricik şairim o benim...

Kırmızı kurdeleyle bağlanmış şiir tomarı ve büyücek bir paket çikolata... Arif'in tatil dönüşü armağanı.

Sevinçle alıyorum elinden. Kurdeleyi çözüp, bir an önce şiirleri okumanın sabırsızlığı içindeyim.

"Dur biraz, sonra okursun," diye biraz sitemle gülüyor.

Haklı. Yazdığı şiirlerin kendinden önce gelmesi, hoşuna gitmiyor haliyle. Sıralamada yaptığım hatanın sıkıntısıyla biraz mahcup, Arif'e bakıyorum. Onu şiirlerinden soyutlarsam, benim için ne ifade edeceğini irdelemekten kendimi alamıyorum.

Şiirsiz bir Arif, benim için bugünkü değerini koruyabilir mi acaba? Bu sorunun yanıtı pek hoşuma gitmiyor doğrusu.

"Haberlerim var sana," diyor, içimdeki çalkantının ayrımında olmadan. "Bizimkilere seni anlattım. Fotoğraflarını gösterdim."

Gözleri ışıl ışıl, vereceğim tepkiyi beklemeden, coşkuyla devam ediyor.

"Çok beğendiler seni. Görmek için can atıyorlar."

Pırıl pırıl bir bahar gününde, aniden başlayıveren sağanağın ortasında kalmış gibiyim. Elimdeki şiir tomarını sıkıntıyla kucağıma bırakıyorum.

"Gerek yoktu böyle bir şeye," diye mırıldanıyorum.

"Olur mu hiç?" diye gülüyor. "Onlar da bilmeli artık."

Onlar kim? Neyi bilmeliler? Ortada bilinecek ne var?

Aslında, onu değil kendimi sorgulamam gerektiğinin ayrımındayım.

Memnun olacak, hatta sevinecek yerde, neden kurtulunması zor bir kıskacın içine düşmüş olduğumu düşünüyorum?

Bilinçaltımın; sınırsız kılmaya çabaladığım özgürlüğümün yara alacağı yolundaki uyarılarından mı? Arif'in beni ailesine anlatmasına, kendi ailemin kapılarını ona açarak karşılık veremeyeceğimden mi? Yoksa, adı konmamış, ama beni bu haliyle mutlu kılan beraberliğimizin Arif yönünden, tek taraflı olarak, farklı boyutlara taşınma çabasından duyduğum iç sıkıntısından mı?

Her ne olursa olsun; benliğimi sarmalayan o eşsiz büyünün, ince tül perdesini yırtıp beni görmekten kaçındığım gerçeklik dünyasına taşımasından hoşnut değilim.

Üstü kapalı bir evlilik önerisinin ilk adımında tökezleyiverdiğimi görmek, benim yönümden şaşırtıcı. Ama bu tür yaklaşımlara henüz hazır değilim ki...

Beraberce yaşadığımız onca güzellik arasında, geleceğe yönelik bir konuşma yaptığımızı hiç anımsamıyorum.

Yanlış bende mi acaba? İki cins arasındaki yakınlaşmanın doğal sonucunu yaşamaktayız belki de. Daha önce bu tür bir deneyimim olmadı ki bileyim...

Gene de, hazırlıksız yakalandığımın ayrımındayım. Ve bu durum, benim imgelerimde kurduğum iki kişilik dünyaya ters düşüyor. En azından bugün için...

"Bu cumartesi Sultanahmet'e gidiyoruz," diyor Esin. "Siz de gelsenize."

Esin, benim uçarı arkadaşım, kısa süreli ilişkilere noktayı koymuş; eski günlerini yadsırcasına, Volkan'la olan beraberliğini hâlâ sürdürüyor.

"Arif'e bir sorayım," diyorum.

Bunu söyler söylemez de içimi tarifsiz bir sıkıntı kaplayıveriyor. Arif'e sormak! Ona danışmadan, en sıradan bir teklifi bile değerlendirememek. Kaçınılmaz bir karar ortaklığı...

Bu duruma geldik mi biz?

Arif, Esin'in teklifini sevinçle karşılıyor. İstanbul'u o kadar az tanıyor ki...

"Turist gibi gezeceğiz İstanbul'u," diyor Volkan.

Dört kişilik neşeli bir grubuz görünürde. Esin'le Volkan uyumlu bir ikili oluşturuyorlar. Bizim cephemizde ise, benden kaynaklandığını kabul etmek zorunda olduğum, garip bir tutukluk var.

Önce Sultanahmet Camii'ni geziyoruz. Mavi Cami'yi...

Kaçıncı kez gördüğüm halde, gözlerimin çinilerde, işlemelerde, insanı bambaşka dünyalara sürükleyen "mavi"lerde kilitlenmesini önleyemiyorum. Arif ise büyülenmiş gibi.

Camiden çıkınca Volkan'la Arif fotoğraf çekme yarışına giriyorlar.

Volkan, Arif'in makinesini alıp, "Şöyle geçin," diyor. "İkinizi çekeyim."

Grup dışındaki bir "Piraye-Arif" fotoğrafı için istekli değilim. Gene de Arif'in, elini omzuma atarak verdiği pozu bozmaya kıyamıyorum.

Onlara kalsa, bu işi daha sürdürecekler; ama sabahtan beri alçalmakta olan bulutlar, ilk damlalarını göndermekte gecikmiyor. Çok geçmeden şiddetli bir sağanağa tutuluyoruz.

Nereden çıktıklarını anlayamadığımız, bir anda çevremizi sarıveren seyyar satıcılar ellerindeki kalitesiz ve ucuz şemsiyelerle yardımımıza koşuyorlar.

Volkan, Esin için kırmızı bir tane seçiyor. Bense, Arif'e fırsat vermeden, yeşil ekose desenli bir şemsiyeye yapışıyorum ve hemen parasını ödeyiveriyorum. Arif'in kısıtlı bütçesinde böyle beklenmedik harcamalara yer olmadığını çok iyi biliyorum çünkü.

Esin'le Volkan, Arif'le de ben, yeni şemsiyelerimizin altında kol kola yürümeye başlıyoruz. Onların yönünden, birbirlerine sokulmak için hoş bir fırsat; benim içinse yapay bir yakınlaşma yalnızca.

Sağanak, bardaktan boşalırcasına kıvamını bulduğunda, koşmaya başlıyoruz. Ve soluğu tarihi Sultanahmet Köftecisi'nde alıyoruz.

Birer porsiyon köfte, piyaz, ayran; ardından da irmik helvası.

Sıra hesap ödemeye gelince, Volkan cüzdanına davranıyor. Ona kalsa, hesabın tamamını ödeyecek.

Gittikleri sinema, tiyatro ya da yemeklerde Esin'e para verdirmediğini çok iyi biliyorum. Ama burada durum farklı.

"Hepimiz öğrenciyiz arkadaşlar," diye cüzdanımı çıkarıyorum. "Kimse kimsenin hesabını ödemek durumunda değil. Kendi paramı kendim veririm ben."

Bu sözlerim Arif'i rahatlatmış olmalı. Karşılığını ödeyemeyeceği bir borcun altına girmekten kurtulmanın hoşnutluğuyla payına düşen parayı çıkarıp tabağa bırakıyor.

Arif'in durumunu bilen Esin'in kaş göz işaretiyle Volkan da yalnız kendi ödemesini yapıyor. Esin, beraberliklerinin başlangıcından bu yana, belki de ilk kez yediklerinin parasını vermek zorunda kalıyor.

Aslında, işin doğrusunun da bu olduğuna inanıyorum. Arada arkadaşlık ötesinde ne var ki, birileri benim paramı ödesin?

Kantinin en kalabalık, en cıvıltılı zamanı, sabah dersleriyle öğleden sonrakiler arasındaki o bir saatlik dilim...

Esin'le beraber, biraz sonra gireceğimiz Biyokimya dersine hazırlanıyoruz. İki saat teorik, iki saat de laboratuvar dersimiz var bugün.

Çaylarımızı içerken, Turan geliyor yanımıza.

"Şu son dersin notlarını versene Piraye," diye sandalyeyi çekip oturuyor.

Defterimi uzatıyorum.

Çok neşeli bir çocuk Turan. Sınıfın kahkaha bombası. Bu yönünden bizi yoksun bırakmamak ister gibi; bir yandan notları defterine geçiriyor, bir yandan da espri dozu zirvelere ulaşan fıkralar anlatıyor bize. Öyle ki, gülmekten çene kemiklerime ağrılar saplanıyor.

O sırada kantinin kapısında Arif'i görüyorum. Gözleriyle masaları şöyle bir taradıktan sonra, yanımıza doğru yürüyor.

Gülüşlerimizin izleri hâlâ dudak kıvrımlarımızda. Arif'in yüzündeyse her zamankinden de ciddi bir ifade var. Canı bir şeye mi sıkıldı acaba, diye geçiriyorum içimden.

"Keyfinizi bozmuş olmayayım," diyor, yalnız benim duyabileceğim bir sesle.

Bakışları Turan'ın üzerinde.

İşte o an anlıyorum ki; bizim masa muhabbetimize kızmış, bozulmuş; kendince tavır koyuyor beyimiz...

Çığ gibi, önüne kattığı diğer duygularımın tümünü silecek güçte, her saniye biraz daha devleşen bir öfkeyle bakıyorum yüzüne.

Nasıl oluyor da bana ve davranışlarıma bu denli karışma hakkını kendinde görebiliyor?

Ama bu ilk değil! Yaklaşmakta olan tehlikenin uyarılarını çok önceden almamış mıydım? Alarm ışıklarının sarıdan kırmızıya dönüştüğünü göremeyen, benim kör gözlerimde bütün suç...

"Piraye, biraz kilo mu aldın; yoksa bu pantolon bir beden küçük mü sana?"

"Sen şöyle Sibel'in yanına geç, Ahmet'in yanına ben oturum."

"Dün akşam tiyatrodaydınız demek? Bensiz nasıl içine sindi? Şaka, şaka..."

"Senden ayrı olduğum saatlerde hep seni düşünüyorum; ya sen?"

Beraberliklerde oluşması doğal sayılan "sahiplenme" güdüsünün, bu derece aşırı boyutlara ulaştığını nasıl oldu da ayrımsayamadım?

O, üzerine şiirler döktürdüğü "özgürlük" kavramı nerede kaldı? Yalnız düşüncelerdeki kavramsal özgürlüğün, ne denli güdük ve inandırıcılıktan uzak kalacağının bilincinde değil mi?

Hayır, kimsenin beni bu derece sahiplenmesine; giyimime, davranışlarıma kendince yön vermeye çalışmasına izin veremem.

Kızgınlığımı anlaması, bağışlanmayı bekleyen suçlu bir çocuk gibi boynunu büküşü umurumda bile değil.

Defterlerimi toplayıp kalkmaya hazırlanırken Turan'a dönüyorum.

"Uzun zamandır bu kadar keyifli dakikalar geçirmemiştim. Fıkralar için teşekkürler. Ha... Ne zaman istersen, notlarım emrinde."

Olanları aşağı yukarı kestirebiliyor Esin. Bizi yalnız bırakmanın doğru olacağını düşünür gibi, ayağa kalkıp gitmeye davranıyor.

"Dur," diye kolundan tutuyorum. "Beraber çıkalım."

Kapıya doğru yürürken, kantinin duvarlarında yankılanan bir sesle duraklıyoruz.

"Hey millet... Müjdemi isterim!" diye haykırıyor Ömer. "Öğleden sonraki Biyokimya dersi de laboratuvar da iptal... Besim Beyin işi çıkmış."

Sınıfımızın kantindeki temsilcileri olarak, alkışlarla karşılıyoruz bu umulmadık haberi.

"Fırsat bu fırsat," diyor Arif kırık bir sesle. "Ben de gidip bursumu alayım bari."

"İyi edersin," diyorum yüzüne bile bakmadan.

Gönülsüz adımlarla kapıdan çıkışını kayıtsızca izliyorum.

"E, biz ne yapıyoruz?" diye soruyor Esin.

"Hele bir dışarı çıkalım," diyorum. "Açık havayı özgürce, doyasıya içime çekmekten başka hiçbir şey istemiyorum şu an..."

Okul binasıyla otoparkı ayıran merdivenlerin üzerinde oturuyoruz.

Hiçbir şey sormuyor bana Esin, ama sıkıntımın ayrımında.

"Şuraya bak," diyor birden. "Biz çoluk çocukla uğraşırken, millet malı götürüyor."

İster istemez, "götürülen mal"ı görebilmek için bakışlarımı gösterdiği yöne çeviriyorum.

Lacivert, son model BMW marka bir arabanın önünde, el kol hareketleriyle konuşan, belki de tartışan bir çift.

"Kim bunlar?"

"Haşim Bey ve kız arkadaşı."

Birden sinirlerim boşalıveriyor. Kahkahalarla gülmeye başlıyorum.

"Haşim Bey mi? Bey ha..."

Benim gülüşlerimi paylaşmıyor Esin, son derece ciddi.

"Evet," diyor. "Diyarbakırlı. Babası şeyh miymiş, ağa mıymış ne..."

Birkaç adım gerilerinde duran, koyu renk takım elbiseli, okul ortamına hiç uymayan tipteki iki adamı gösteriyor.

"Bunlar da korumaları."

"Ne? Korumaları mı?"

Yeni bir gülme krizine giriyorum.

"Ne var ortada? Neyi koruyorlar?"

"Haşim Bey'i! Kim bilir; belki arazi davaları, hatta kan davaları bile vardır. Düşmanı çok olur böylelerinin... Bilmezsin sen; ağalık, beylik zor iştir."

"O da beyliğini memleketinde sürdürsün. Ne işi var burada?"

"Öyle deme. Köyüm var, toprağım var diye kasılıp oturacağına, farklı bir meslek edinmeyi, okumayı yeğlemiş. Fena mı?"

"Bana ne canım..." diye omuz silkiyorum.

"Yanındaki kıza bak... Kim bilir nasıl, kraliçeler gibi yaşatıyordur onu."

Kim bilir nasıl sahiplenip, altından zincirlerle sarmalıyordur kızcağızı, diye geçiriyorum içimden.

Hiçbir ortak yanımız olmayan bu insanlarla ilgili yorumlarımızın yersizliği ortada. Haşim Bey'i de güzel tutsağını da oracıkta zihnimden siliveriyorum.

(Haşim Bey'le aynı noktada buluşup, bambaşka bir dünyaya adım atmak için; yalnızca, önümüzdeki iki yıllık zaman engelini aşmamız gerektiğini nereden bilebilirim ki?)

"Taksim'e bir iki, bir iki..."

Kulağımızın dibindeki ses, bizi içinde yaşadığımız ana taşımaya yetiyor.

Ömer bu! "Haydi kızlar toparlanın," diye bağırıyor. "Sinemaya gidiyoruz."

Elinde küçük bir bloknot, gidecekleri belirlemeye çalışıyor.

"İşte sınıfımızın Gezi ve Eğlenceden Sorumlu Devlet Bakanı geldi!" diye gülüyor Esin.

"Uzatmayın," diyor Ömer. "Gelecek misiniz, gelmeyecek misiniz; onu söyleyin. Önden gidip biletleri alacağım ben..."

Esin hemen yerinden fırlıyor.

"Ben geliyorum."

Sonra, biraz acır gibi bakıyor bana. Arif olmadan gidemeyeceğimi düşünüyor besbelli. Ama kendisi, Volkan'ın derste olduğunu, çıktığında onu arayacağını bile bile, bu öneriyi geri çevirmiyor.

Ani bir kararla doğruluyorum.

"Beni de yaz Ömer."

Ne zamandır böyle keyifli saatler geçirmemiştim. Arif'siz, ama keyifli...

Filmin sürükleyiciliğinden mi, arkadaşlarımla bir şeyler paylaşmanın hoşluğundan mı; yoksa nicedir takmadığım özgürlük kanatlarıyla uçuşa durmam mı etken bunda, bilemiyorum. Belki hepsinin karışımı; belki de bir hesap sorma, tüm kısıtlamalara baş kaldırış, kısıtlayıcıya meydan okuma...

Sorgulanma saatimi iple çekiyorum.

Fazla bekletmiyor beni Arif. Solgun bir yüzle gelip karşıma oturuyor. Ve hemen konuya giriyor.

"Ne oldu bize?" diyor sitemle. "Aramızdaki şiirselliğin gitgide yok olduğunu görebiliyor musun?"

"Demek ki farkındasın... Bu iyi işte!"

"Paylaşımlarımızdan kaçıyorsun artık. En son ne zaman şiirleştik seninle?"

"Şiirleşmek gibi; söyleşmek, fıkralaşmak, gülüşmek de var yaşamın içinde, biliyor musun?"

Hayretle bakıyor yüzüme.

“Ve ben bunları da yaşamak istiyorum artık...”

Dudakları titriyor. Ağlayacak gibi. Hemen toparlanıveriyorum.

“Bak Arif,” diyorum sesimi yumuşatarak. “Seninle çok güzel şeyleri paylaştık. Ama farklı bir boyutta beraber olamayacağımızı hissediyorum. Biraz düşünürsen, sen de bana hak vereceksin.”

“Yani,” diyor titrek bir sesle. “Bitti mi?”

“Belki de hiç başlamamıştı... Böyle sürdürmeye çalışırsak, birbirimizi kırmamız kaçınılmaz olacak. İkimiz de çok yara alacağız bu durumdan. Oysa burada bırakırsak, arkadaşlığımızı ve dostluğumuzu sürdürme şansımız olabilir.”

“Arkadaş ve dost...” diye gülümsemeye çalışıyor.

Beceremiyor.

“Öyle olsun bakalım...”

Yerinden kalkıp ivecen adımlarla yanımdan uzaklaşıyor. Benimle paylaşamadığı derin üzüntüyü, yüzünün kıvrımlarından dışarıya yansıtmayı kendine yediremiyor anlaşılan.

3

Uzun süre kafes içinde yaşamını sürdürmüş, minik bir kuş... Kanatları işlevini yitirmiş.

Ve... kafesin kapısı açılıveriyor.

Kuş ürkek, kuş şaşkın... Değil uçmak, titreyen ayaklarıyla yürüyemiyor bile.

Ama özgürlük, onun kanında var. Çarçabuk yeniyor ürkekliğini. Özlediği sonsuzluğa kanat çırpmaya başlıyor.

Benim şu andaki durumum onunla özdeş. Önce, yeniden ayaklarımın üzerinde durmanın tadını çıkarıyorum. Ardından da, kana kana özgürlüğümü içmeye koyuluyorum.

Tek başınalık, ne güzel bir ayrıcalıkmış meğer...

Esin ve Volkan'la eskisi kadar sık beraber değiliz artık. Onların ikili, benim tek oluşum, ne kadar karşı çıkarlarsa çıksınlar, her an aralarında bulunmaktan alıkoyuyor beni.

Şu anda yakın çevremde Sibel, Turan ve Ömer var.

Sibel'ler Kadıköy yakasında oturuyorlar. Hafta içi bu tarafta, teyzesinde kalıyor Sibel. Ancak hafta sonlarını ailesiyle geçirebiliyor.

Turan bizim neşe kaynağımız; yaptığı esprilerle, anlattığı fıkralarla hepimizi gülmekten kırıp geçiriyor.

Ömer ise gezmek, eğlenmek için gelmiş dünyaya sanki. Yerinde duramayan bir tip. Onun sayesinde, boş zamanlarımızda ne yaparız diye düşünmeye fırsat bile bulamıyoruz.

Yeni yaşantımdan memnunum. Tek üzüntüm Arif. Uzaktan uzağa beni izlediğini biliyorum. Kömür gözlerinden bana doğru akan hüzün; ezici, ağır bir yük gibi gelip oturuyor omuzlarıma.

Arkadaş ve dost kalalım, demiştik ya; tek paylaşımımız olan şiirlerle sürdürmeye çalışıyor bu sözümüzü.

Geçende, Ahmed Arif'in *Sevdan Beni* şiirini el yazısıyla yazıp getirmiş.

Terk etmedi sevdan beni
Aç kaldım, susuz kaldım
Hayın, karanlıktı gece
Can garip, can suskun
Can paramparça...

Ve ellerim kelepçede
Tütünsüz, uykusuz kaldım
Terk etmedi sevdan beni...
Arif

Ahmed Arif değil, *Arif* diye imzalamış şiiri. Kendi duygularını bire bir ifade ettiği için.

Çok sevdiğim bu şiiri, bir kez de Arif'in el yazısıyla okuyorum. Ve bu sevdanın en kısa zamanda onu terk etmesi için duacı oluyorum.

Üzücü bir durum belki ama, bu çırpınışların bendeki yansıması onun umduğu gibi olmuyor.

Çünkü, şiiri Ahmed Arif'ten okuyorum artık, Arif'ten değil...

✤✤✤

Baharın ılık yüzünü gösterdiği, tüm doğayla beraber içimizdeki coşkuyu da canlandırdığı ilk mayıs günleri...

Ardı ardına girip çıktığımız vizeler, gitgide ağırlaşan laboratuvar çalışmalarıyla; bizi kollarına çağıran, kucaklaşmaya can attığımız, yeşille mavinin arasında gidip geliyoruz.

"Bahar çayı düzenliyoruz arkadaşlar," diye müjdeliyor Ömer. Bizim sınıfın temsilcisi o ve Turan. Orkestra bulunması, salon düzeni, yiyecek ve içeceklerin saptanması... Zor bir iş üstlendikleri. Ama öyle keyifle koşturuyorlar ki...

O günden beri Arif konusunda hiç konuşmadık annemle.

Bahar çayı haberini verirken, “Biliyor musun, o iş bitti...” diyorum kısaca.

Yüzünde belirgin bir rahatlamayla başını sallıyor.

“Çıkıp bir şeyler alalım üstüne,” diyor, aldığı müjdenin ödülünü vermek istercesine.

Çıkıyoruz. Uzun, annemi canından bezdiren bir alışveriş gününün sonunda; siyah, evaze kısa bir etek ve kırmızı ipek bluzla eve dönüyoruz.

Geçen dönemin başındaki tanışma çayının ardından, ikinci fakülte çayım bu. İlkinde kimseyi tanımıyordum. Bu kez eğlenmeyi, eğlendirmeyi bilen harika bir grubun içindeyim...

İyi bir seçim yapmışız. Boy aynasındaki görüntüm, aldığımız giysilerin bana çok yakıştığını söylüyor. Omuzlarıma bıraktığım uzun kumral saçlarım, hafif makyajımla, çaya gitmeye hazırım artık...

Bizim sınıf için iki uzun masa hazırlanmış. Turan, Sibel'le beni ilk masanın en önüne oturtuyor. Sibel'in teyzesinin kızı da gelmiş. Işıl. Lise son sınıfta, hoş bir kız.

Ömer'le Turan görevli olduklarından, oturacak yerleri bile yok. Gün boyunca koşturup duracaklar.

Salon yavaş yavaş doluyor.

Sibel ve Işıl'la bir yandan gelenleri izleyip, bir yandan da tatlı bir sohbeti paylaşırken, Arif beliriveriyor karşımda. Hafif bir baş eğişiyle selamlıyor beni. Yakınımda bir yerleri gözüne kestirmeye çalışarak, yanındaki iki arkadaşıyla beraber tam çaprazıma yerleşiyor.

Biraz huzursuzlanıyorum. Ama, Esin'le Volkan'ın gelip yanıma, Arif'lerin karşısına oturması, zorunlu paylaşımları azaltacağı açısından, rahatlatıyor beni.

Birazdan müzik başlıyor. Esin'le Volkan, yerinden ilk fırlayanlardan...

Pistin bu kadar kısa sürede doluvermesi gerçekten şaşırtıcı.

Bakışlarımı dans edenlerden masaya çevirdiğimde; Arif'in, gözleri bende, ayağa kalktığını görüyorum. Ağır adımlarla masanın çevresinde dolanıp karşımda duruyor.

"Dans edelim mi?"

Kısa süren şaşkınlığı üzerimden atıp kalkıyorum. Piste doğru yürüyoruz Arif'le.

Onunla ilk dansımız bu. Son olacağı da kesin.

Yumuşak bir hareketle belimden tutuyor. Elimi tutan elinin titreyişini duyabiliyorum.

Yüzü, son konuştuğumuz günkü gibi, sapsarı. Kömür gözlerine hüzün çökmüş. İçime dokunuyor bu hali. Ama ne yapabilirim ki?

Dans boyunca hiç konuşmuyoruz. Onun, ağzını açacak gücü olmadığından; benimse, onu gereksiz yere umutlandırmak istemememden.

Müziğin susmasıyla, "Oturalım mı?" diyorum hemen.

Hiçbir şey söylemeden yerime kadar götürüyor beni.

"Teşekkür ederim," diye fısıldıyor kulağıma.

İşte o an, sınıfımıza ayrılan, iki masa dolusu insanın gözlerinin üzerimizde olduğunu görüyorum. Hepsi az çok biliyor aramızdaki beraberliği. Şimdi de, yeni bir başlangıç olabilir mi, sorusunun yanıtını arıyorlar davranışlarımızda.

Oturur oturmaz, masaya sırtımı vererek, sandalyemi piste doğru çeviriyorum.

Sibel'in yeğeni Işıl soru dolu gözlerle bana doğru eğiliyor.

"Neden hemen oturdunuz Piraye Abla? Ne kadar hoş çocuk... Biraz üzüldü galiba."

Yeniden başlayan müziğin sesinden yanıtımı duyuramayacağımı işaret ediyorum ve boş ver anlamına gelebilecek bir el hareketiyle geçiştiriyorum sorusunu.

O sırada Turan geliyor. Kan ter içinde... Gene de beni unutmamış.

"Gel sana bir fıkra anlatayım da yüzün gülsün," diye elimden tutup piste sürüklüyor.

Fıkra anlatmıyor ama, bir iki ince espriyle beni güldürmeyi başarıyor.

Pist çok kalabalık. Bir iki dönüp oturmalı, diye düşünürken Ömer geliyor yanımıza.

"Haydi, işinin başına! Kapıda bekleniyorsun," diye Turan'a görevini hatırlatıp, beni kolumdan tutarak sahnenin gerisine doğru götürüyor.

"Gel," diyor. "Adam başına düşen dans edilebilir alan çok azalmış burada..."

Orkestranın arkasındaki bölüme doğru yürüyoruz.

"İşte şimdi, istediğimiz gibi kurtlarımızı dökebiliriz," diye gülüyor Ömer.

Önce, belimden kavrayarak, müziğe ayak uydurmaya çalışıyor. Sonra da, asıl yapmak istediği bu değilmiş gibi, beni kendinden hafifçe uzaklaştırıp dikkatle yüzüme bakıyor.

"Ne istiyordu Arif?"

O da görmüş demek.

Beklemediğim bu sorunun karşısında biraz şaşkın, "Hiçbir şey," diyorum. "Dans ettik işte..."

Kısa bir duraksamanın ardından, "İstersen yanıt verme, ama bir şey soracağım," diyor. "Neden ayrıldınız siz?"

İçinde bulunduğumuz durumun bu tür bir konuşmaya hiç de uygun olmadığını bilsem de, yanıt vermem gerektiğini düşünüyorum.

"Zaten bir şey yoktu ki aramızda."

Yapma, der gibi bakıyor yüzüme.

"Başlamadan bitti yani," diyorum. Sonra da içimdeki ezinçle, "Başlamak üzereyken," diye düzeltiyorum.

"Neden?"

"O biraz fazla ciddiye aldı bu işi galiba," diye mırıldanıyorum. "Benim düşündüğüm, zengin paylaşımlı bir arkadaşlıktı yalnızca."

"Yani, işin renginin değişmeye yüz tutması hoşuna gitmedi..."

"Öyle de denilebilir. Beni aşan boyutta, böyle bir beraberlik için henüz çok erken."

"Dışardan bakılınca, iyi görünüyordunuz ama."

"Olabilir. İleriye dönük önerileri olduğunu sezinlediğimde, işin büyüsü bozuluverdi."

Ömer'le yakın arkadaşız. Ama, daha önce bu kadar açık yüreklilikle içimi kimselere dökmemişken, şimdi tüm gizlerimi onun önüne sermemi neye bağlayacağımı bilemiyorum.

Birden neşeleniveriyor Ömer.

"Desene, üçüncü şahıslara duyuru yapmak gerek! Kızımıza ciddi önerilerle gelinmeyecek... Aşkından ölünse de, aradaki romantizmi bozacak adımlar asla atılmayacak... İlişkiler platonik sınırlarda seyredecek. Aman ha..."

"Dalga geçme Ömer," diye sızlanıyorum.

Aslında, onun bu yüzünü seviyorum ben. Hiç ciddileşmesin. En duyarlı konularda bile, her şeyi, işte böyle hafife alsın.

Dansımızı sürdürürken, bulunduğumuz bu özel yerde yalnız olmadığımızı ayrımsıyorum. Bizimle beraber dans eden bir çift daha var. Ne zaman geldiklerini, ne zaman dansa başladıklarını fark etmediğim, loş ışığın altında sarmaş dolaş bir çift...

Ömer, merak ettiklerini öğrenmenin verdiği rahatlıkla geriye dönüyor.

"Merhaba Haşim Ağabey," diyor. "Biz, bu çayı hazırlayan emekçilerin, böyle özel bir mekânda dans etmeye hakkı olmalı; öyle değil mi?"

Evet, Haşim Bey bu! Yanındaki de Esin'le beraber, otoparkta gördüğümüz kız arkadaşı.

Başını sallayarak Ömer'i onaylıyor Haşim Bey.

O arada, garip bir şey dikkatimi çekiyor. Gözleri üzerime dikili Haşim Bey'in. Tepeden tırnağa inceliyor beni. Ya da bana öyle geliyor.

Ömer'in kız arkadaşı olduğumu düşünüyor belki de. Ondan böyle dikkatli bakıyor...

Ömer bizi tanıştırmaya gerek bile duymuyor. Kendini müziğe kaptırmış, dansımızı güzelleştirme çabasında.

"Nereden tanıyorsun Haşim Bey'i?" diye soruyorum.

"Kim tanımaz ki onu? Baksana, sen bile onun 'bey' olduğunu biliyorsun."

Başımı kaldırıp o tarafa bakacak oluyorum... Haşim Bey'in bakışları da bizden yana yoğunlaştığından, gözlerimiz buluşuveriyor. Hafifçe başımı çevirerek, bu rastlantısal buluşmayı oracıkta kesiyorum.

"Üçüncü sınıfta Haşim Ağabey," diyor Ömer.

"Ama bizden de kendi sınıfındaki arkadaşlarından da çok büyük görünüyor."

"Evet... Tıp Fakültesi'nin üçüncü sınıfından buraya geçiş yapmış. Hepimizin hem ağabeyi; hem de ağası, beyi o..."

"Aranızdaki yakınlık nereden kaynaklanıyor?"

"Öğrenci birliğinden. Ortak çalışmalarımız oldu. Bu çayı hazırlarken bile beraber terledik onunla."

Bu kadar "Haşim Bey" sohbeti yetiyor bana. Ömer de zeminini kendi hazırladığı "Arif" sohbetinin yeterliliğine inanmış olacak ki, dansımızı sonlandırıp orkestranın ön kısmına, salona geçiyoruz.

Ben masadaki yerime dönüyorum, Ömer de yiyecek içecek bölümündeki görevinin başına.

Yerime oturmamla Arif'in, hakkı olmadığını bildiği halde, başkalarıyla dans edişimin hesabını soran, yakıcı bakışlarıyla sarmalanıyorum.

Bundan etkilendiğimi söyleyemem. Çünkü ben, sahnenin gerisinde rastlantı sonucu benimkilerle buluşuveren, hiç tanımadığım o gözlerdeki gizin etkisindeyim hâlâ. Çözmeye, üzerinde kafa yormaya hiç niyetim olmasa da...

4

Birinci sınıfın bitişini müjdeleyen ilkyaz günleri...

Hava sıcaklığının iyiden iyiye artmasıyla ters orantılı olarak, yitmeye yüz tutan çalışma gücümüzün son kırıntılarıyla yıl sonu sınavlarına girip çıkıyoruz.

Teorik derslerimin yanı sıra klinik notlarımın da yüksek oluşu babamı sevindiriyor. Açıkça dile getirmese de: deneyimli, mesleğine âşık bir diş doktorunun kızına da bu yakışır, diye düşündüğünü tahmin edebiliyorum.

Protez sınavından çıktığımız gün, bahçede kutlama yapıyoruz. Yeşillikler üzerine, elimizde buz gibi içeceklerimiz, başlamak üzere olan tatili karşılıyoruz bir bakıma.

"Yazın da bir şeyler yapalım," diyor Ömer. Gezi ve eğlence düzenleme görevini yazın da sürdürmeyi düşünüyor anlaşılan.

"Beni saymayın," diyorum. "Yaz boyunca Çınarcık'tayım."

Yüzünde belli belirsiz bir gölge dolaşıyor Ömer'in.

"Ben buradayım," diyor Sibel. "Varlığım Piraye'nin yerini tutar mı bilmem ama..."

Onun, biraz da sitem kokan bu sözleri yanıtsız kalıyor.

"Sen de arada bir İstanbul'a gelirsin herhalde," diyor Turan. "Programlarımızı sana göre ayarlarız."

"Sanmam," diyorum, yorucu bir ders yılının ardından güneşin, denizin, kumların özlemini tüm hücrelerimde duyumsayarak.

"Anlaşıldı," diyor Ömer. "Prensesten hayır yok bize. Kim bilir, kimler bekliyordur onu Çınarcık'ta..."

"Doğru," diye gülüyorum. "Çok bekleyenim var. Yıllardır gide gele, akraba gibi olduk hepsiyle."

"Bizim de aynı yakınlık derecesine ulaşmamız için onca yıl gerekiyorsa yandık."

Bu imalı konuşmalar beni etkilemekten çok uzak. Benim dışımdaki grup arkadaşlarımın, tatilde buluşmak, bir şeyleri paylaşmak için getirdikleri önerileri dinlemiyorum bile. Bir an önce eve koşup yazlık bavulumu hazırlamanın sabırsızlığı içindeyim.

Çınarcık... Yıllar önce babamın arsasını alıp sonra da üzerine iki katlı küçük bir villa kondurarak, annemle beraber özenle döşeyip bize yazlık bir yuva olarak sundukları *Yazköşkü'müz...* Önceleri adı bu değildi. Daha doğrusu bir adı yoktu. Ortaokulu bitirdiğim yıl, "Yazköşkü'müze ne zaman gidiyoruz?" diye sormuştum babama. Çok hoşuna gitmişti. O günden sonra da *yazköşkü* olarak kaldı dilimizde.

Yapacak çok işim var.

Öncelikle, geride bıraktığım ders yılının kitap, defter ve notlarını elden geçiriyorum. İşlevini tamamlayanlarla gelecek dönemlerde tekrar okunacak derslere ait olanları ayırıyorum.

Sıra Çınarcık'a götüreceklerimi hazırlamaya gelince, işim zorlaşıyor. Bir yanda, okulun tatil olduğu gün kendimi ödüllendirmek için aldığım yığınla kitap; romanlar, şiirler, öyküler; diğer yanda hangisini götürüp hangisini bırakacağıma karar veremediğim giysilerim...

Sonunda kocaman bir bavulla iki el çantasını odamın kapısına çıkarıyorum.

"Piraye'nin tüm mal varlığı," diye gülüyor babam.

Annem onun kadar keyifli değil. Babamla benim yazlık sevincimizi aynı derecede paylaşmadığı kesin. Yıllardır aynı şeyleri yineler durur.

"Çınarcık benim için tatil yeri değil. İki ev arasında mekik dokumanın adına tatil denirse..."

Aslında haklı. Babamın, kendi yarattığı sayılı günler dışında belirli bir tatili yok. Muayenehane de kışlık evimiz de yaz boyunca açık kalıyor.

Babam pazartesi ve salı günleri şehirde. Salı akşamı Çınarcık'a geliyor. Çarşamba, hafta ortası tatil günü. Perşembe sabahı tekrar işbaşı. Cuma akşamı hafta sonu tatili başlıyor. Pazartesi sabahı, yeniden, ver elini İstanbul...

Annem de arada bir şehre gitmek, evi toparlamak, kirlenenleri yıkamak, babama orada kalacağı günler için yiyecek bir şeyler hazırlamak zorunda.

Onun yazla beraber yoğunlaşan işlerini hafifletmek bize düşüyor haliyle. Ablamla bana...

Feribot çok kalabalık.

Yağmurlu, karlı, sisli bir İstanbul kışını geride bırakmış, bir an önce maviyle yeşilin kucaklaştığı tatil yörelerine kavuşmak için sabırsızlanan yazlıkçılar...

Yalova'yı Çınarcık'a bağlayan yolun her karışı ezberimde. Ne çok özlemişim buraları...

Yazköşkü'müzün kapısında Nuri Ağabey'le Aysel Abla karşılıyorlar bizi. Bekçimiz ve karısı.

"Evi temizledim," diyor anneme Aysel Abla. "Pırıl pırıl yaptım her yanı."

Mis gibi hanımeli kokusunu içimize çekerek, iki yanında renk renk çiçeklerin boy verdiği parke yolu adımlayıp evimize ulaşıyoruz.

Bavulumu kaptığım gibi, doğruca üst kata, odama çıkıyorum.

Her şey bıraktığım gibi. Hemen balkon kapısına yöneliyorum. Göz alabildiğine uzanan mavilikle buluşmak için... Denizle göz göze, ayrı geçirdiğimiz zamanın acısını çıkarıyoruz.

Eşyalarımı yerleştirmem gerekiyor. Ama her yanımı saran o tatlı tembelliğe yenik düşüyorum. Benden ilgi bekleyen tüm işleri sabaha erteleyerek, aylardır rahatını özlediğim yatağımın üzerine kıvrılıp uyuyakalıyorum.

Cuma akşamı, babamla beraber ablamlar da geliyorlar. Ahmet Enişte hafta sonunu bizimle geçirip pazartesi sabahı işinin başına dönecek. Çocuklar ve ablam ise yaz boyunca bizimle olacaklar.

Zavallı ablam! Acıyorum ona. Evliliğinin tek kazanımı çocukları. Bu gelişi, görünürde yaz tatili amaçlı olsa da; iki aylık bir kaçış, gizleniş aslında...

Eniştem de ablam da araya girecek ayrılık günlerinden şikâyetçi görünmüyorlar. Tam tersine, beraber olacağımız şu iki günün bile çarçabuk geçmesini ister gibiler.

Eniştem İstanbul'a, etkisinden bir türlü kurtulamadığı hızlı gençlik günlerini yeniden yaşamaya koşacak. Ablamsa, evlilik öncesinin Hatice'si kimliğiyle aramızda dolanıp duracak. Göksel'le Gökçe olmasa, onları bir arada tutacak hiçbir ortak noktaları yok.

Sergiledikleri bu olumsuz tablo, evliliği bir kâbus olarak algılamama yol açmıyor neyse ki. Çünkü önümde annem ve babam gibi ideal bir örnek var. Onların, bunca yılın ardından, birbirlerine sıcacık davranışları, yapaylıktan uzak bir sevgi yumağı oluşturmaları; ablamla eniştemin ite kaka yürütmeye çabaladıkları evliliklerini, benim gözümde temize çıkarmaya çalışıyor sanki.

Ablama, böyle sevgisiz bir ilişkiyi bitirmeyi düşünüp düşünmediğini soramıyorum bile. Kendimi onun yerine koyduğumda, bu tür bir evliliğe asla katlanamayacağımı, onun yaşadıklarına değil bir gün, bir saniye bile dayanamayacağımı hissedebiliyorum.

Benzer olumsuzluklar beni de bulursa, hiç bocalamadan özgürlüğe koşacağım kuşkusuz. Ne var ki, beynimde filizlenen eylem teorilerinin, uygulamada nasıl sonuç verebileceği konusunda, hiçbir fikrim yok henüz...

"Piraye... Telefon sana," diye sesleniyor annem.

Sibel!

Cuma akşamı grup halinde tavernaya gidilecekmiş. Ben de katılırsam sevineceklermiş.

Aynı sevinci paylaşamayacağımı sezdirmemeye çalışarak, "Biraz rahat bırakın beni," diyeceğime; "Çok isterdim... Ama zor," gibi kaçamak sözcüklerin arkasına gizleniyorum.

Burada geçirdiğim keyifli günlerin dinginliğini kimse bozmamalı. Kabul ediyorum; birbirinin aynı, bir öncekinden farklı olmayan günler... Ama hoşuma gidiyor bu tekdüzelik. Her şeyi, herkesi unutmuş ve unutulmuş olmak işime geliyor belki de.

Kahvaltının ardından, annemle ve ablamla baş başa kahve içtiğimiz dakikalar, paylaşımımızın en güçlü olduğu zaman dilimi.

Ablam, canı isterse, falımıza bakıyor; istemezse, "Havamda değilim," diye naz yapıyor. Sonra hep beraber ya da annemi mutfakta, yemeklerle boğuşurken bırakıp denize iniyoruz.

Göksel'le Gökçe'ye kumdan evler yaparak, oyunlar oynayarak, onlarla ilgilenme görevimi yerine getirdiğime inandığımda, kendimi denizin serin sularına atıveriyorum. İşte benim, özgürlüğümü doyasıya yaşadığım, doyumsuz saatler...

Evet, abartmıyorum; saatlerce kalıyorum denizin koynunda. Kimselerin bilmediği bir dilde söyleşiyoruz onunla... Şiirler okuyorum suların kanatlarına, şiirler alıyorum onun yüreğinden. Bildiği ve yaşadığı tüm denizkızı öykülerini anlatmasını istiyorum ondan. Yumuşacık kulaçlarla kucaklıyorum biricik dostumu. Asla karşılıksız bırakmıyor beni... Beden bedene, sonsuz bir aşkla bütünleşiyoruz.

Öğleden sonra, ablam çocukları alıp odasına çekildiğinde, yeniden kapanıyorum kendi dünyama.

Evin karmaşasının durulduğu, aradığım sessizlikle ancak buluşabildiğim bu saatleri, uykunun bencil kollarına teslim edemem. Bahçedeki hamağa uzanıp, evimiz eski cıvıltısına uyanıncaya kadar kitap okuyorum.

Akşamüzeri çaya konuklarımız geliyor ya da annemle ablam komşu yazlıklara konuk oluyorlar. Ben pek gitmiyorum. Beraber büyüdüğümüz yaz arkadaşlarımla beraber olmayı yeğliyorum.

Buluşma noktamız Çardak! Denize karşı, ağaçlar arasında, yeşille kucaklaşmış bir açık hava kahvesi.

Ayrı kaldığımız kış aylarının acısını çıkarırcasına, bol bol sohbet ediyoruz; müzik dinliyoruz, tavla oynuyoruz.

Akşamın geceye dönüştüğü saatler, gene bana ait. Odamda, kendimle baş başa, yazılarımla buluşuyorum.

Son günlerde tutkunu olduğum, yeni uğraşım bu... Kendi kurguladığım senaryodaki kişilerle özdeşleşip, tek izleyicisinin ben olduğum oyunlar sergilemenin ötesinde, yaşadıklarımı satırlara döküyorum artık. Ortaya çıkan öyküler, amatör yazar ruhumu okşamaktan ileri gitmese de beni rahatlatıyor.

Annem ve ablam, gözlerinin önünde sahnelenen oyunlardan habersiz, rolüne paralel olarak durmadan değişim gösteren bir Piraye görmekten ne kadar hoşnutlar bilemiyorum ama, kendi siyah-beyaz dünyalarının içinde onlara farklı renkler sunan bir oyuncunun varlığı hiç de fena bir şey olmasa gerek...

Yazarı ve okuru aynı kişi olan öykülerimi dosyaya yerleştirip yatmaya hazırlandığımda gece yarısını çoktan geçmiş oluyor.

Hafta sonları, babamla Ahmet Enişte'nin gelişi, belirgin bir hareketliliğe kavuşturuyor evimizi.

Pazar günleri mutfak babamın. Gerçek bir kebap ustası o! Etleri özenle kesip bin bir türlü baharatla terbiyelemesini, her seferinde ilk kez görüyormuşçasına ilgiyle ve hevesle izliyorum.

Mangalı yakmak, eniştemin görevi. Hafta sonu burada bulunma zorunluluğunun, onca tek hoş yanı belki de bu kebap faslı...

Çimlerin üzerindeki masanın çevresinde yerlerimizi aldığımızda, kebap servisini elleriyle yapıyor babam. Her şeyi olmasa da damaklarımızdaki tadın zevkini hep beraber paylaşıyoruz.

Ablamla eniştemin birbirlerinden uzak durma çabaları, ortamın yarattığı rastlantısal yakınlıklardan bile kaçınmaları fark edilmeyecek gibi değil.

Ablamın, iç sıkıntısının zirveye çıktığı zamanlarda ister istemez dışa vurduğu, anlatmak zorunda kaldığı dertlerinin, buzdağının görünürdeki kısmı olduğunu tahmin edebiliyorum. Bizim gördüğümüz, yalnızca bir patlama... Ya o patlamayı yaratan duygular? Ne kadarını tanıyoruz onların?

Bu kez, pazartesi sabahı babamla eniştemi İstanbul'a yolcu ettikten sonra, giz dolu kalın perdeyi aralar gibi oluyor ablam.

"Hatırlıyor musun Piraye, evlenmeden önce ben de tıpkı senin gibiydim. Bu yazlık, bu deniz; gökyüzü, yeryüzü... Her şey öylesine farklıydı ki. Senin kadar olmasa da bayılırdım yüzmeye... Şimdi, ayağımı suya değdirmeye üşeniyorum. Her yaz başı koşa koşa geldiğim Yazköşü'nü özleyecek halim bile kalmadı. Çocuklar için işte..."

Karşımda içi kurumuş; hiç değilse dışını yeşil tutmaya, bedeninde oluşan derin boşluğa karşın ayakta kalmaya çabalayan, yüzlerce yıllık bir ağaç var sanki.

Bir sigara yakıp dumanını içine çekiyor ablam.

"Neden anlatıyorum bunları, biliyor musun? Bu günlerinin değerini bil diye. Ama, yazgın benimkine benzeyecek diye bir şey yok tabii. Umarım senin evliliğin benimkinden farklı olur."

Sözlerine en ufacık bir yorum ya da yanıt hakkı tanımadan, yerinden kalkıyor.

"Çocuklara bakayım ben," diye gülümsemeye çabalıyor. "Nicedir sesleri çıkmıyor..."

Omuzları çökmüş, yaşından en az on yıl ileride görünen bu sevgili bedenin ardından; buruk, isyanla dolu, umarsız öylece bakakalıyorum.

Gözlerimin önünde cıvıl cıvıl bir genç kız canlanıyor. Yaklaşık sekiz, on yıl öncesinin Hatice'si... Aradaki fark ürkütücü. Onu bu hale getiren insana mı yoksa yazgıya mı isyan edeceğimi kestiremiyorum.

"Piraye! Telefon..."

Merdivenlerden hızla inerken, arayanın Çınarcık'tan bir arkadaşım değil de Sibel olduğunu düşünüyorum nedense.

Ahizeden gelen ses beni yanıltmıyor; İstanbul'dan. Ama Sibel değil, Ömer!

"Merhaba prenses," diyor o bildik neşeli sesiyle. "Keyifler nasıl?"

"İyi. Ya sen? Her şey yolundadır umarım."

"Ne olsun, İstanbul'larda sürünüyoruz işte..."

"Ee," diyorum, asıl söyleyeceğini duymanın sabırsızlığıyla. "Bu telefonunu neye borçluyum?"

"Bak, bu kez bizi atlatmaya kalkma,"diye başlıyor. "Pazartesi günü İstanbul'dasın! Akşam, önce yemeğe, sonra da açık hava tiyatrosuna gideceğiz. Tamam mı?"

"Çok isterdim... Ama..." diye geveliyorum. "Ablamlar burada. Onları bırakıp gelemem."

"Bahane ararsan bulursun tabii," diyor sertçe. "Herkes geliyor, bir sen yoksun."

"Aranızda olduğumu düşünün... Kesinlikle gelemem Ömer."

Direnişimi kırmanın güçlüğü karşısında bir an duraklıyor.

"Sen gelmezsen, ben gelirim; ona göre..."

Şaşırıyorum.

"Sen mi?" diye gülüyorum. "Gel! Kapımız herkese, hele senin gibi can bir arkadaşa her zaman açıktır."

Gerçekleşmeyeceğine emin olduğum davet sözcüklerini sıralamak hiç de zor olmuyor.

Ömer... Deliliği tutar da kalkar gelir mi?

Hiç sanmam.

✤✤✤

Uzun bir yüzme maratonunun ardından, denizle evimizin arasında köprü oluşturan beton iskelenin ucuna serdiğim hasırın üzerinde, su damlacıklarının kururken tenimde bıraktıkları tuzdan şekilleri izleyerek güneşleniyorum.

"Piraye Abla! Piraye Abla!..."

Nihat bu. Bekçimizin oğlu. Soluk soluğa yanıma geliyor.

"Piraye Abla, konuğunuz varmış. Hemen gelsin, dedi annen."

Gönülsüzce toparlanıyorum. Havlumu koluma atıp iskele boyunca ağır adımlarla yürümeye başlıyorum.

Komşulardan biri gelmiş olmalı. Kahveyi en iyi kim pişirir? Piraye! Neyse, benden beklenen küçücük bir hizmet için hoşnutsuzluk göstermek yakışmaz bana.

Salonu balkondan ayıran sürgülü kapıyı açmamla şaşkınlıktan donakalmam bir oluyor.

Gelen Ömer!

"Nerelerdesin kızım? Arkadaşın nicedir seni bekliyor," diyen annemi duymuyorum bile.

Çıplaklığımı, ıslaklığımı unutup, gerçekten de özlemiş olduğumu o an ayrımsadığım Ömer'e sarılıveriyorum. Sonra aynı hızla geri çekilip, elimdeki havluyla garip bir örtünme çabasına giriyorum.

Gözlerinin içine kadar gülüyor Ömer. Tepeden tırnağa süzüyor beni. İyice sarınıyorum havluma. Plajda özgürce sergilemekten çekinmediğim bedenimin Ömer'ce görülmesinden huzursuzum nedense.

Güçlükle toparlanıp, "Hoş geldin," diyorum.

"Hoş geldim," diye elimi elinde tutuyor uzun süre. "Dışarda görsem tanımazdım. Ne kadar yanmışsın..."

"Evet," diye gülüyor ablam. "Kara kız oldu Piraye'miz."

"Giyinip geleyim ben," diye merdivenlere koşuyorum.

Doğru duşun altına...

Şaşılacak bir ivecenlikle saçlarımı tarıyorum, sıkı bir atkuyruğu yapıp hızla giyiniyorum.

En fazla beş dakika sonra, Ömer'in karşısında yerimi alıyorum.

Ben ininceye kadar, annemle ve ablamla ahbap olmuşlar bile. Ben de ilk şaşkınlığı üzerimden attığımdan, daha doğal ve akılcı konuşabiliyorum artık.

"E, söyle bakalım Ömer... Hangi rüzgâr attı seni buralara?"

"Bir arkadaşla Yalova'ya gelmiştik," diyor biraz sıkıntılı. "Sana da uğrayayım, dedim."

"İyi ettin," diyor annem.

Sonra da renkli kâğıtların arasında, kapağı açılmış bir kutunun içinden, ortasına kocaman bir nazar boncuğu yerleştirilmiş makrame duvar süsünü çıkarıyor.

"Bak Piraye, arkadaşın ne güzel bir armağan getirmiş bize..."

"Ne gerek vardı?" diyorum. "Teşekkür ederiz."

Annem nazarlığı eline alıp, salonun girişindeki kemerin üzerine tutuyor.

"Nasıl oldu?"

"Harika," diyor ablam.

Ömer, annemin getirdiği çiviyle çekici alıyor; gösterilen yere çakıp nazarlığı takıyor.

"Bir kahve içeriz artık," diye yüzüme bakıyor annem.

Piraye görev başına!

Mutfakla salonu birbirinden ayıran vitray pencereden, aralarındaki sohbetin koyulaştığını görebiliyorum.

Kahvelerimizi içiyoruz. Ablam hiç nazlanmadan, Ömer'in falına bakıyor. İkinci, hatta üçüncü planda kalmanın sıkıntısıyla olduğum yerde kıpırdanıyorum.

"Arkadaşlar nasıl Ömer?"

"İyiler," diyor. "Yalnız sana üzüleceğim bir haberim var. Esin'le Volkan ayrıldılar."

İnanamıyorum.

"Esin çok üzülmüş olmalı..."

"Volkan için de aynı durum söz konusu değil mi?"

Doğru. Bu ayrılıktan Volkan'ın daha çok etkileneceğini tahmin etmek zor değil... Gene de aramalıyım Esin'i.

"Bu kadar yol gelmişken, bir yemeğimizi yemeden bırakmayız," diyor annem.

Dünden razı Ömer. Kibarca başını sallayarak gülümsüyor anneme.

Annem ve ablam marifetlerini sergilemek üzere mutfağa geçiyorlar.

Biz de Ömer'le bahçeye çıkıyoruz. Önce evin etrafını çepeçevre dolanıyoruz. Arka bahçeye geçtiğimizde, kapının önündeki arabayı görüyorum.

"Annemin aracılığıyla, babamdan ödünç aldım," diyor Ömer. "Bugün için..."

Hayret, daha önce böyle bir girişimde bulunmamıştı hiç. Nereye gidersek gidelim, "arabasızlar" grubunun başını çekmişti Ömer.

Annem, kocaman bir tepsi mantıyı masanın ortasına koyuyor.

"Hazır mantı," diyor biraz mahcup. "Zaman dar olmasa kendim açardım ama..."

Ablam da kısır yapmış. Salata, ayran... Ve özel konuklar için serilen dantel masa örtüsü, yaldızlı sofra takımları...

Ne oluyor böyle? Ömer'i ağırlama yarışına girmiş gibiler. Yoksa...

Kafamdan yıldırım hızıyla geçen düşünceyi, aynı hızla karanlıklara gömüyorum. Aslında, her ikisine de minnet borçlu olmam gerekir. Arkadaşıma verdikleri değerin asıl sahibi ben değil miyim?

Günlerdir yüzü asık, ortalıkta dolanan ablamı bile belirgin bir neşeye kavuşturmuş Ömer'in gelişi. Durmadan bir şeyler anlatıyor, neşeli kahkahalar atıyor. Yalnız, yarattığı bu tablo için bile teşekkür borçluyum Ömer'e.

Göksel'le Gökçe'nin şirinliklerinin de katkısıyla, cıvıltılı masa sohbetimiz alışılandan epey uzun sürüyor.

"Gelmişken, Çınarcık'ı gezdirirsin bana; değil mi?" diye soruyor Ömer.

Tam ağzımı açacakken, yanıt annemden geliyor.

"Tabii yavrum... Hadi Piraye, çıkın siz. Çarşıyı dolaşın. Sahil boyunca tur atın. Ha... Çay saatinde burada olun ama!"

Ömer'in kullandığı arabaya ilk kez biniyorum. Benim rehberliğimde Çınarcık turumuz başlıyor.

Çarşının içine girmeden arabayı otoparka bırakıyoruz.

Hediyelik eşya satan dükkânlar... Gümüşçüler...

Ömer, bu tür yerleri ilk kez görüyormuşçasına coşkulu ve mutlu. Sanki hiçbir tatil yöresine gitmemiş; Bodrum'un, Marmaris'in çarşılarını gezmemiş, böyle cicili bicili vitrinlere hiç bakmamış.

Çınarcık'ın en ünlü gümüşçüsünün önünde duruyoruz. Birden, kolumdan çekip içeriye doğru sürüklüyor beni. Tezgâhtara bilezik panosunu gösteriyor.

Lacivert kadifenin üzerinde pırıl pırıl yanan gümüşler önümüze seriliveriyor.

"Seç," diyor Ömer kararlı bir sesle.

"Ama Ömer," diye karşı çıkacak oluyorum.

Bir yarısı yalvaran, diğer yarısı hükmeden bakışlarını yüzüme dikiyor.

"Lütfen," diyor. "Sana bir yaz armağanı almak istiyorum."

Tanıyorum Ömer'i. Ona karşı koymak zor.

Beraberce bileziklerin birini alıp diğerini bırakarak, koluma yakışıp yakışmadığını deneyerek, neşeli bir oyun oynar gibi, seçim yapmaya çalışıyoruz.

Bir ara, ikimizin eli birden göz boncuklarıyla bezeli bir bilezikte buluşuyor. Gülme krizine girmişçesine, ardı ardına gelen kahkahalarla çınlatıyoruz dükkânı.

Evet, en güzeli bu.

"Nazar değmesin sana," diye sıcacık gülüyor Ömer.

Bir an, ona uymakla doğru yapmadığım hissine kapılıyorum. Sonra, bu karanlık düşünceyi hemen kovuyorum kafamdan. Bir arkadaşın, diğerine armağan alması kadar doğal ne olabilir ki?

Ömer parayı öderken, gümüş araba anahtarlıkları ilişiyor gözüme.

"Hiç karşı çıkmaya kalkma," diyorum. "Benim de sana armağan alma hakkım var."

Babasının arabasına ait olsa da, anahtarları yeni anahtarlığa geçiriyor Ömer. Ben de bileziğimi koluma takıyorum. Bayram armağanı almış çocukların o saf, tertemiz sevinci içinde dükkândan çıkıyoruz.

Son durağımız Çardak.

Gün ortasında pek kimsenin olmaması, benim yönümden rahatlatıcı. Arkadaşlarımla karşılaşmak, Ömer'i onlarla tanıştırmak demek. Sonra anlat anlatabilirsen; sınıf arkadaşım, geçerken uğramış, diye...

Sahi, geçerken uğranacak yer mi burası?

Öyle değilse, neden geldi Ömer bunca yolu?

Beni buraya, bu denli sıkı bağlarla bağlayan nedenleri yerinde görme isteği mi ağır bastı acaba? Yalnızca basit bir merak mı onu buralara taşıyan?

Bilemiyorum...

Döndüğümüzde, bahçede harika bir çay sofrasının bizi beklediğini görüyoruz. Annem Hindistancevizli, benim o çok sevdiğim kurabiyelerden yapmış.

İkinci kez, benim evimde, bir masa başını paylaşıyoruz Ömer'le.

Onu iyi ağırladığımızı düşünüyorum. Yüzünden eksilmeyen mutluluk gülücüklerine bakılırsa, o da aynı fikirde olmalı.

"Buradan güneşin batışını seyretmeye doyum olmaz," diyor annem.

"Ben o kadar kalamayacağım," diye gülüyor Ömer. "İznizle, kalkayım artık."

"Kalın diyeceğim ama..." diye ağzında lafı döndürüyor annem.

Gözü bende. Alt katta, girişteki konuk odasının penceresine kaçamak bir bakış fırlatması gözümden kaçmıyor.

Annemin aklından geçenlere inanmakta güçlük çekiyorum.

Ömer'e gelince, biraz ısrar etsek kalmaya gönüllü olduğunu tahmin etmek hiç de zor değil.

Hayır! Hafta içi günlerde erkeği olmayan; üç yaşındaki Gökçe'den beş yaşındaki Göksel'e, anneme, ablama, bana kadar tüm bireyleri dişi olan bu evde, bir erkek konuk yatıya kalamaz! Kalmamalı...

"İyi ki geldin." diyorum Ömer'e. "Sayende farklı ve çok hoş bir gün geçirdik biz de."

Ziyaretinin son bulduğunu, son bulması gerektiğini vurgulayan bu sözlerim, ne yapması gerektiğini anlatıyor Ömer'e.

Hemen fırlıyor yerinden. Hepimize tekrar tekrar teşekkür ediyor.

Ayakları geri geri gider gibi, gönülsüzce arabasına biniyor. Gümüş anahtarlığı bana doğru sallayarak göz kırpıyor.

Camdan eğilip usulca soruyorum.

"Yalova'ya beraber geldiğiniz arkadaşını alacak mısın?"

Kıpkırmızı oluyor. Böyle bir arkadaşın olmadığı besbelli.

"Hayırlı yolculuklar," diye el sallarken, dudağımın kıvrımlarından dökülen hınzır gülüşü bastırmaya çalışıyorum.

"Hoş çocuk," diyor annem.

Ömer'in getirdiği nazarlığa bakarak ekliyor.

"Düşünceli de. Baksanıza, eli boş gelmemiş. İyi bir aile terbiyesi aldığı belli."

"Bayağı da yakışıklı," diye onu tamamlıyor ablam.

Ne anlatmak istiyor bunlar? Ömer'le aramızda ne olduğunu düşünüyorlar ki?

"Yalnızca arkadaşım o benim," diyorum sakin görünmeye çabalayarak.

"Hadi canım," diyor ablam. "İstanbul'lardan kalkıp buralara kadar seni görmek için bunca yolu tepeleyen başka kaç arkadaşın var ki?"

"Dedi ya, Yalova'ya gelmişken uğramış işte."

Anlamlı bakışlar, alaylı gülüşler, imalı baş sallayışlar...

Daha fazla dayanamıyorum.

"Senin, kantinde ya da kütüphanede karşılaşıp anlaşacağımı düşündüğün birileri vardı ya," diyorum anneme. "Ömer onlardan değil!"

"Doğru... İki üç yaş büyük olsa, daha uygun düşerdi."

"Ne için uygun düşecek? Siz, ikiniz bir olmuş, ne anlatmaya çalışıyorsunuz bana?"

"Sakin ol," diyor ablam. "Boş bir yakıştırma değil bizimki. Çocuk medeni cesaret gösterip ailenle tanışmaya geliyor. Evimize konuk oluyor. Biz de onu beğendiğimizi söylüyoruz. Hepsi bu..."

Bu sözler öfkemi iyice kamçılıyor.

"İnanıp inanmamak size kalmış," diye bağırıyorum. "Ama, son kez söylüyorum, Ömer benim yalnızca arkadaşım! Esin gibi, Sibel gibi; kız erkek ayrımı yapmadan bir şeyler paylaştığım, tüm diğer arkadaşlarım gibi... Ve öyle de kalacak."

"Dediğin gibi olsun," diyor annem, gitgide çığırından çıkmaya yüz tutan tartışmayı noktalamak ister gibi.

"Bu konunun bir daha açılmasını istemiyorum," diye merdivenlere doğru hızla koşuyorum.

"Ha, Piraye..." diye arkamdan sesleniyor ablam. "Nazar boncuklu bilezik de pek yakışmış koluna."

Odama girip yatağın üstüne atıyorum kendimi.

Ah Ömer!

Gördün mü yaptığını? Ağzımla kuş tutsam, inandıramam artık onları.

Ne düşünürlerse düşünsünler, umurumda değil. Ben neyin ne olduğunu biliyorum ya...

Biliyor muyum gerçekten?

Yoksa Ömer...

Hayır, farklı duygular taşısa, bu kadar rahat gelemezdi buralara.

Gene de biraz dikkatli olmakta yarar var galiba...

5

Eylülün gelişiyle beraber, yazlıkçılar da evlerine dönmeye başlıyor. Her gece birkaç ışığın daha söndüğünü görmek hüzün veriyor içime.

Gelirken ne heveslerle getirdiğim eşyalarımı gönülsüzce topluyorum. Ablamın durumu da benden farklı değil. Şehre, ona mutsuzluktan başka bir şey vermeyen ortama; yuva kavramından uzak, dört duvardan ibaret evine dönecek olmanın burukluğunu yaşıyor.

Halinden memnun olan tek kişi annem galiba... Yazla beraber bedenine yüklenen yorgunluklardan kurtulacağını, tekdüze ama aradığı dinginlikteki yaşantısına yeniden kavuşacağını düşündüğünden midir bilmem; genç kız çevikliğiyle tüm evi elden geçiriyor, burada kalacaklarla şehre gidecekleri ayırıyor; yüzüne yapışıp kalmış, iç sevincini yansıtan iğreti bir gülüşle oradan oraya koşturuyor.

Dönüyoruz...

Yeni bir yıla, yeni bir döneme.

İlkokul günlerinden bu yana; yeni yılın, okulların açıldığı günle başladığını düşünmüşümdür hep. 31 Aralık'tan 1 Ocak'a geçişi, takvim üzerindeki bir gün atlayışı olarak algılamışımdır.

Oysa; eylülle gelen, kendine özgü bir hüznü de beraberinde getiren, buğulu son yaz günleri, özellikle öğrenci kimliğimle, gerçek bir yıl dönümünün habercisi olmuştur benim için.

Diş Hekimliği ikinci sınıf öğrencisiyim artık.

Geride kalan yılın dökümünü yaptığımda, pek fazla değişime uğramayan dış görünümümle çevremdekiler için aynı kişi olsam da, kazandığım deneyimlerle, iç dünyamda daha olgun bir Piraye barındırdığımı görebiliyorum.

Duygusal dünyamda değişen pek bir şey yok aslında. Şiir yürekli bir Piraye... Yaşam boyunca da böyle kalacak. Ama artık, tek bir şiirin peşinde koşmayacak kadar büyüdü. Dizelerini yüreğinde taşımayı öğrendi.

Bu yıl temel tıp derslerimiz ağırlıkta. Anatomi, fizyoloji, mikrobiyoloji, histoloji; adım adım doktorluğa taşıyacak bizi. Konservatif diş tedavisi, endodonti ve protez saatleri, önümüzdeki yıllara oranlanırsa az sayılabilse de, diş doktorluğuna alışmamız yolundaki ilk deneyimlerimiz olacak. Laboratuvar ve klinik derslerinin sayısında da geçen yıla göre, belirgin bir artış var.

Zorlu ama zevkli geçeceğini umduğum, yeni bir ders yılı beni bekliyor...

Özlediğim yüzler, sevgi içerdiğine inandığım ya da öyle olduğunu var saydığım dost bakışlar... Kısa bir aranın ardından, yeni bir başlangıçta buluşmanın coşkusunu paylaşıyoruz.

Aynı sınıfın havasını soluduğumuz arkadaşlarımla kucaklaşırken, gözlerim Esin'i arıyor. Onu bulup, Volkan konusunda avutucu bir şeyler söylemenin sabırsızlığı içindeyim.

Birden, uzağımızdaki kalabalık bir grubun içinden sıyrılıp gelen, eskisinden de cıvıltılı bir Esin beliriveriyor karşımda. Kısacık kestirmiş saçlarını. Biraz kilo vermiş. Bronzlaşmış teniyle, klasikten moderne dönüştürdüğü giyim tarzıyla geçen yıldan çok daha hoş bir çizgide.

Koşar adımlarla gelip boynuma sarılıyor. Bir süre, sarmaş dolaş öylece kalıyoruz.

"Geçmiş olsun," diye fısıldıyorum usulca.

Bir adım geri çekiliyor.

"Nedenmiş o?"

"Volkan... Ayrılmışsınız ya..." diye geveliyorum.

Umursamaz, Esince bir kahkaha atıyor.

"Boş ver... gereğinden fazla uzamıştı."

Bu konuyu sürdürmenin gereksizliği ortada. Esin için sorun olmadığı belli.

"Çok yakışmış yeni saçın," diyorum, Volkan'ı gerilerde bir yere gömerek.

Sibel, yüzünde hınzırca bir ifadeyle söze karışıyor.

"Bilir misiniz, kocasından ya da sevgilisinden ayrılan kadınların ilk işi saçlarını kestirmek olurmuş. İçine düştükleri bunalımı makaslamak ister gibi. Değer mi ayol, bir erkek için..."

"Orada dur bakalım!" diyor Esin. "Kimse için tırnağımın ucunu bile kesmem ben. Eskiye konulan kocaman bir noktanın ardından, yeni bir tip yaratmak diyebilirsin belki. Ama yaptığın o çarpık yorum, yalnızca seni bağlar."

"Öyle ya da böyle," diye uzun kumral saçlarını okşuyor Sibel. "Hangi nedenle olursa olsun, saçlarımdan bir parmak bile kestirmem ben."

Bir anda gerginleşiveren ortamı yumuşatmak amacıyla atılıyorum.

"Değişikliğin neresi kötü? Beni bile heveslendirdi Esin. Bir de bakmışsınız, yarın sabah karşınızda kısacık saçlı bir Piraye var..."

Baştan beri konuştuklarımızı sessizce izleyen Ömer, birden söze karışıyor.

"Sakın ha! Nasıl kıyarsın bu saçlara?"

Tüm bakışlar Ömer'e çevriliveriyor. O da yaptığı ani çıkıştan rahatsız olmuş gibi.

"Arkadaşlarının fikrini almadan, böyle bir işe kalkışmamalısın," diye gülmeye çalışıyor.

"Senin fikrini alsın, yeter!" diye imalı bir bakış fırlatıyor Sibel.

"Öyle. Bu konuda yalnız Piraye'ye değil, hepinize seve seve danışmanlık yapabilirim."

Sündürüldükçe uzamaya meyilli bu konuyu burada kesip, yeni yılın ilk dersi için amfiye doğru yürüyoruz.

Bu, öğrenciliğimi her yönüyle gönlümce yaşayacağım, özgürlüğümün doyasıya tadını çıkaracağım bir yıl olmalı benim için. Olacak da...

Derslerim, arkadaş grubum; yapacağımız geziler, gideceğimiz sinemalar, tiyatrolar, konserler; kendi iç dünyamda yalnız kendimle paylaşacağım şiirsellik, yazılarım, tek kişilik oyunlarım...

Beni oyalamak için bu kadarı yeterli. Farklı denizlere yelken açmaya hiç niyetim yok.

Ne var ki, yakın çevremdekiler, üstüme üstüme gelmekte en az benim kadar kararlılar.

İlk girişim, merak içeren bir sorgulama kimliğiyle, Esin'den geliyor.

"Ömer'le aranızdaki yakınlığın ne durumda olduğunu, sevgili arkadaşına anlatmanın zamanı gelmedi mi artık?"

"O da nereden çıktı şimdi?"

"Bırak bu ağızları... Tek yumurta ikizleri gibi dolaştığınızı görmeyen mi kaldı?"

"Hepinizle olduğu kadar yakınım ona da," diye savunmaya geçiyorum.

"Yapma Piraye! Yazlığa gelmeler, hepimizin içinde saçını kestirmene karışmalar... Neden Turan, Ali ya da bir başkası değil de Ömer?"

"İnan ki hiçbir şey yok aramızda. Seninle ya da Sibel'le olduğu gibi... Samimi bir arkadaşlıktan öte, özel bir yakınlaşma söz konusu bile değil."

"Korkuyor senden! Açılırsa, ondan uzaklaşmandan... Arkadaşlığını, dostluğunu yitirmekten... Önünde somut bir Arif örneği var ya. Arif gibi silkelenme olasılığı ürkütüyor onu."

"Ha," diye ekliyor. "Bu arada, Sibel'in Ömer'e olan ilgisini de fark etmemişsindir sen..."

"Yok artık!"

"Tarafsız gözlemci olarak söylüyorum; Ömer sana yakın durmaya, sen aradaki uzaklığı korumaya çalışırken, oluşuveren o küçücük boşluğu doldurmaya çabalıyor Sibel de. Yani sen kaçansın, Sibel kovalayan; Ömer de hem kaçan, hem kovalayan..."

"Dışardan bakınca öyle görünüyor demek," diye gülüyorum. "Kafanda ürettiğin saçmalıklar bunlar."

Kulağıma doğru eğiliyor gülerek.

"Deneyim konuşuyor Piraye Hanım... Bekle, gör. Gözlerini sımsıkı kapatıp yok saydığın sevgi tomurcuğu, bakalım nerede patlak verecek?..."

Alaylı bir tavırla yanımdan uzaklaşan Esin'in ardından öfkeyle bakıyorum. Bu öfkenin, söylediklerinden mi, yoksa bunların gerçeklik olasılığından mı kaynaklandığını çözemiyorum.

Arif'ten ayrıldıktan sonraki dönemi getiriyorum gözümün önüne. Geçen yılki bahar çayında, Ömer'le dans ederken konuştuklarımızda düğümlenip kalıyorum.

Neden ayrıldınız Arif'le, demişti Ömer. Ben de birlikteliğimizi fazla ciddiye almasından rahatsız olduğumu anlatmıştım galiba... Üçüncü şahıslara duyurulur; Piraye ciddi ilişkilere kapalı, aşkından ölünse de aradaki romantizmi bozacak adımlar atılmamalı... gibisine bir şeyler söylememiş miydi Ömer?

Gözümde canlanan tablo, Esin'i doğrular nitelikte ne yazık ki. Ömer, benim bu tür ilişkilere sıcak bakmadığımın ayrımında. Özel bir beraberlik önerisi karşısında olumsuz davranacağımı düşünüyor. Ve korkuyor...

En iyisi bunların hepsini unutmak!

Esin'le hiçbir şey konuşmadık; Ömer'le de, aramızdaki ilişkiyi belirleyici o söyleşiyi hiç yapmadık...

Neyse, korktuğum gibi olmuyor.

Ömer'in, aramızdaki dostluğu benim istemediğim bir yöne sürükleyecek hiçbir girişimde bulunmaması, Esin'i değil de beni haklı çıkaracak tarzda davranması sevindirici.

Grup halinde gidilen sinemalar, tiyatrolar, yemekler... Günlerimin, kafamdaki kalıba uygun bir seyir izlemesiyle aradığım dinginliği yakaladığımı düşünüyorum.

İlk yarı yılın tek kayda değer gelişmesi, Esin'in yeni erkek arkadaşı oluyor.

Korhan, bizim fakültenin üçüncü sınıfında. Çok yakışıklı bir çocuk. Son model bir arabası var. Esin'den ailesinin çok zengin olduğunu öğreniyoruz. Gene de, bu ilişkinin ne kadar süreceğini merak etmekten kendimizi alamıyoruz.

6

Benim okulla ev arasında geçen tekdüze yaşantım, ikinci yarı yılın başında, olağanüstü bir hareketlilik kazanıyor. Ve... İlk ciddi evlenme teklifimi alıyorum.

Yeni gelen mikrobiyoloji asistanımız Nevzat'ın bana karşı sergilediği yakın davranışlar, kimsenin gözünden kaçmıyor. Yakışıklılığından mı, yoksa bekâr ve göründüğü kadarıyla yalnız oluşundan mıdır bilinmez, sınıfımızın tüm kızları ilk geldiği günden beri çevresinde dolanırken; onun, seçimini benden yana kullanmasını çözemiyorum bir türlü. Belki de, diğerlerinin tersine göstermediğim ilginin, yani ilgisizliğimin çekim gücüne kapılmıştır, diye düşünüyorum.

Grup içinde takılan takılana.

"Piraye sınav sorularını bize de verir artık..."

"Bizim sınıfta mikrobiyolojiden kalan olursa, bu Piraye'nin ayıbıdır."

Gülüp geçiyorum. Ama, böyle bir şey yok, diyemeyeceğim kadar belirgin ilgi yoğunluğunu da göz göre göre yadsıyamıyorum.

Sonunda beklenen oluyor.

"Piraye, akşam çıkışı bir yerlerde oturup konuşmak istiyorum seninle," diyor Nevzat.

Alçak sesle söylenmiş de olsa, laboratuvarın orta yerinde, herkesin gözleri önünde, içeriğinin aşağı yukarı kestirilebileceği bir teklif bu.

Kısa bir süre düşünüp, "Tamam," diyorum.

Tek taraflı bir beklentiyi sürüncemede bırakmamak, virgüllerle söndürülmeye açık varsayımları, konulacak noktayla açıklığa kavuşturmak için.

Kimi açık, kimi imalı; yapılan tüm yorumlara kulaklarımı tıkıyorum. Ömer'in şaşkın, konuşup konuşmamak arasında kararsız bakışlarını görmezden geliyorum.

"Hoş çocuk, hayata atılmış; iyice düşünmeden olmaz deme," diyen iyiliksever kız arkadaşlarımı, kendi yakınlaşma çabalarının boşa çıkmasıyla hayal kırıklığına uğrayanların -sözde dostça- uyarılarını duymamaya çalışıyorum.

O akşamüzeri, herkes evine dağılırken, Nevzat'la ben okulun çıkış kapısında buluşuyoruz. Beraberce yürümeyi istemeyeceğimi düşünmüş olmalı ki, kısa bir mesafe için de olsa, taksi çağırıyor.

Teşvikiye'yle Vali Konağı Caddesi'nin kesiştiği köşede taksiden iniyoruz. Nevzat'ın yönlendirmesiyle, önceden planlandığı belli olan, şık bir pastaneye giriyoruz.

Birden, hiç ummadığım kadar keyifli bir söyleşinin içinde buluyorum kendimi. Okul, ders ve laboratuvar ortamından soyutlanmış bir Nevzat, gerçekten de çok hoşsohbet ve neşeli.

İlk sözcüklerimiz yiyecek, içecek üzerine. Beşinci dakikanın sonunda; o, benim çikolatalı pastayı sevdiğimi, çayı açık içtiğimi; ben de onun meyveli ve beyaz kremalı pastaları yeğlediğini, çay yerine genellikle kahve içtiğini öğreniyoruz.

Çay ve kahvelerimizi yudumlarken, kendini anlatmaya başlıyor Nevzat. Babasının mühendis, annesinin emekli öğretmen olduğunu; kendinden üç yaş büyük, evli ablasının İzmir'de yaşadığını belli bir sıraya göre sayıp döküyor. Sonra, benzer soruları bana yöneltiyor.

Yanıtlarım kısa, ama net. Bir an önce konuya girmesini bekliyorum.

Bireyi olduğumuz farklı çevreleri yakınlaştırmak, değişik ortamlarda da beraber olabilmek; bir adım ötesi, özel bir arkadaşlık ya da beraberlik... Gelebilecek öneri hakkındaki beklentilerim ve tahminlerim bunlar.

"Seni gördüğüm ilk gün beynime yer eden, ilerleyen zaman içinde gelişip olgunlaşan bir düşünce var," diye başlıyor.

Tamam işte; ne bir eksik, ne bir fazla, klasik arkadaşlık teklifi derken, ağzından dökülen sözcükler beni şaşkına çeviriyor.

"Ailemle de konuştum."

Biraz duraklıyor.

"Seninle evlenmek istiyorum!"

İlk tepkim, elimde tuttuğum fincanın sapına parmaklarımla kenetlenmek oluyor.

"Evlenmek mi?"

"Evet," diye gülüyor. "Yoksa, seninle konuşmadan önce aileme açıp görüşlerini almam mı şaşırttı seni?"

Teklifini kabul edecek olsam, gerçekten de üzerinde düşünülmesi gereken bir nokta; ama bunu umursayacak ruh halinden çok uzaklardayım.

"Yok," diyorum. "Ondan değil. Evlilik teklifiyle karşılaşacağımı hiç ummuyordum da..."

Beni şaşırtmış olmaktan hoşnut, gülümsüyor.

"Askerliğimi yaptım ben," diyor. "Levent'te iki katlı bir evimiz var. Annemler orayı hazırlayacaklar bizim için."

Hangi düğün salonunu tutacağınızı da konuştunuz mu, dememek için zor tutuyorum kendimi.

İşin bu boyutlara ulaşması, en ufacık ayrıntılara kadar konuşulmuş, kararlaştırılmış olması ufak çaplı bir paniğe kapılmama yol açıyor. Yapılacak olası teklifin sıradanlığına sığınarak, kendimce hazırladığım konuşma planımın altüst olması da cabası...

"Evet..." diye derin bir soluk alıyor Nevzat. "Sen ne diyorsun bu teklife?"

Uzunca bir süre, sessizliğin güvenli sığınağında dinlendiriyorum beynimdekileri.

"Öncelikle teşekkür ederim," diyorum. "Beni evleneceğiniz kişi olarak seçtiğiniz, bu konuma değer gördüğünüz için..."

Gözleri, yüzümdeki en ufacık bir mimik değişimini algılamaya programlanmış gibi üzerime dikili, tüm varlığıyla ağzımdan çıkacak sözcüklere kilitlenmiş; yanıtımı bekliyor.

"Ama," diyorum. "Dediğim gibi, böyle bir teklifi hiç ama hiç beklemiyordum."

İşimi kolaylaştırmak ister gibi, sıcacık gülümsüyor.

"Bazı teklifler, beklenmeden geldiklerinde daha çekici olabilirler."

"Henüz ikinci sınıftayım. Evlenmek sözcüğünü dilime yerleştirmek için, uzunca bir zamana gereksinimim var sanırım."

"Üç yıl değil mi?" diye dudak büküyor. "Annem ve babamla bunu da konuştuk. Önce adını koyarız. Söz, nişan... Okulun bitince de evleniriz."

Her şey inceden inceye düşünülmüş... Teklifini kabul edecek olsam, hep böyle oldubittilerle yüz yüze kalacağım demek.

"Ailenizle iletişiminiz övgüye değer," diyorum. "Ama benim de görüşlerine çok önem verdiğim bir ailem var. Ve onlar, okulum bitinceye kadar bu tür ciddi bir öneriyle karşılarına çıkmamı asla istemiyorlar."

Topu ters yöne atıp, bu konuda hiçbir bağlayıcı ya da kısıtlayıcı şart koşmayan annemle babamı öne sürmek, şu anda arkasına sığınabileceğim tek kalkan... Etkili de oluyor.

"Demek öyle... Yani, hiç umut yok mu?"

"Dedim ya, okul bitmeden bu konuyu onlara taşıyamam bile."

Ailemle konuşmadan yaşanacak bir arkadaşlığı aklına bile getirmemesi işimi kolaylaştırıyor. Bu tür bir yaklaşımın yakışık almayacağını düşünüyor olmalı.

"Gene de bir umut var," diye mırıldanıyor. "Okulun bitince..."

"O kadar uzun soluklu öngörülere saplanmak yanıltıcı olmaz mı?"

"Bilmem ki..."

Beklentilerinin, aile içinde konuşup kararlaştırdıklarının, umulmadık bir engele çarpmasının şaşkınlığı içinde. Bir başka deyişle, şaşkınlık sırası onda.

Bana gelince, sırtımdan büyük bir yük kalkmış gibi.

Zavallı Nevzat! Hiç tanımıyor beni. Piraye'ye yapılacak evlenme teklifinin asla böyle olmaması gerektiğini nereden bilecek? Ölçülü, biçili, kalıplara hapsedilmiş... Romantizm içermeyen... Kupkuru, yavan bir sözcük kümesi!

Körkütük âşık bile olsam kabul etmezdim böyle bir teklifi.

Hem, başkaları tarafından yazılmış senaryoların oyuncusu olmak yakışır mı bana?

Nevzat'ın sınıftakilerin diline düşmesini önleyemiyorum.

Ayrıntılara inmeden, ana hatlarıyla aktardığım konuşmamız; saklamayı anlamsız bulduğum, biraz da buluşmayı hemen kabul edişimi haklı çıkarmak için açıkladığım evlenme teklifi, dilden dile dolaşan espri konusu olup çıkıyor.

"Bu yaşa kadar evlenecek birini neden bulamamış, ortaya çıktı. Ana kuzusu Nevzat!" yakıştırmaları...

"Ne o öyle, kızımızı görücü usulüyle mi evlendireceğiz?" yolundaki sahiplenmeler...

Nevzat ise eskisinden daha da sıcak bir yaklaşım içinde. Gösterdiği ilgi, et suyu besi ortamı hazırlama çalışmalarımızda zirveye ulaşıyor...

Bu, yılın en uzun laboratuvar çalışması. Et suyu çıkarılacak, otoklavlarda sterilize edilecek. Böylelikle, daha sonra üzerinde çeşitli mikroorganizmalar üreterek deneyler yapacağımız bir besi ortamı oluşturacağız.

İster istemez normal laboratuvar süremizin dışına taşıyoruz. Evlere haber veriliyor, geç kalınacağı bildiriliyor.

Akşam saatlerinden geceye doğru yol alınırken, ne yenileceği konusu dillerde dolaşıyor. Otoklavları çalışır bırakılıp uzağa gitmek olanaksız. Kantin ise çoktan kapanmış.

"Bizim ciğerciye gidelim," diyor Turan.

Söylediği yer, okulun tam karşısındaki bakkal. Ama, Arnavut ciğeriyle ünlü. Ben hiç yemedim. Yiyenlerin övgü dolu tavsiyelerini de kulak ardı ettim hep. Bu kez onlara katılmak zorundayım galiba...

Asistanlarla konuşuluyor. Nöbetleşe, gruplar halinde gidip dönmek üzere izin alınıyor.

Sıra bizim gruba geldiğinde, "Durun," diyor Nevzat. "Benim de yemek molası hakkım olmalı, öyle değil mi?"

"Hakkını kullanmanın tam sırası," diye dişlerinin arasından söyleniyor Ömer. Beni sahiplenmenin ötesinde, mahallenin kızına askıntı olan birine tavır koyan bıçkın delikanlıyı oynuyor gibi.

Ekmek arası ciğerlerimizi iştahla yiyoruz.

"Soğan yemeyin," diyor Nevzat. "Et suyuna sinecek koku, bakterileri ürkütebilir."

Espriyi yapan asistan olunca, ister istemez gülünüyor. Ama Ömer'in, alçak sesle, "Senden iyi bakteri mi olur?" deyişi, tüm grubu içten içe kaynatıyor.

Çalışmamız, gecenin ilerlemiş saatlerine kadar sarkıyor. Sterilize olmuş et suyunu kalıplara dökerek, üzerinde çalışılacak hale getirdiğimizde, hiçbirimizin ayakta duracak hali kalmıyor.

"Geç oldu," diyor Nevzat. "İstersen, seni eve bırakabilirim."

"Teşekkür ederim. Ev yakın. O tarafa gidecek arkadaşlar var..."

Nevzat'ın biraz uzaklaşmasını bekleyen Ömer, "Hop, hop!" diyor. "Buraların namusu bizden sorulur. Asistan falan demem, alırım aşağı..."

Herkesçe şaka olarak algılanan iğnelemelerin altında ne yattığını düşünmekten kendimi alamıyorum.

Nevzat'la aramızdaki ilişkiyi öğrenci-asistan düzeyinde tutma çabalarım, onun cephesinde karşılıksız kalıyor.

Okul dışındaki olası paylaşımlar için girişimde bulunmaya cesareti yok. Anladığım kadarıyla, daha önce de pek olmamış. Bu yüzden, tüm sınıf arkadaşlarımın gözü önünde bana kur yapan bir asistan konumuna düşmesini üzülerek izliyorum.

Haftalardır hazırlandığımız mikrobiyoloji vizesi öncesinde, dillerdeki tek konu gene Nevzat.

"Piraye, senin dokunulmazlığın bende olsaydı; hiç çalışmaz, kopya hazırlardım," diyor Ali.

"Aman ha," diye karşı çıkıyor Turan. "Belli mi olur; aklına eser, teklifini kabul etmedin diye suçüstü yakalar da, basıverir sıfırı..."

Kopyayla işim yok benim. Hiç kimsenin desteğine gereksinim duymadığımı kanıtlamak için, her zamankinden de sıkı çalışıyorum sınava.

Sorular veriliyor. Laborantımız Halil Ağabey yanıt kâğıtlarını dağıtıyor. Şöyle bir zaman ayarlaması yapıp yazmaya başlıyorum.

Dördüncü soruya geldiğimde takılıp kalıyorum. Henüz işlenmemiş bir konudan soru çıkması, alışılagelmiş bir durum değil. Hemen atlayıp diğer soruya geçiyorum.

O sırada hiç beklemediğim bir şey oluyor. Halil Ağabey, elindeki kâğıt tomarının arasından, üzerinin yazılı olduğunu sonradan fark ettiğim bir tanesini çekip, ters olarak önüme bırakıyor. Çevirip bakıyorum. Dördüncü sorunun yanıtı!

Başımı kaldırdığımda, tam karşımda duran Nevzat'la göz göze geliyoruz. Belli belirsiz bir gülümseme var dudaklarında.

Bir an kararsız kalıyorum. Yanıtı kâğıdına geçir, en yüksek notu al. Ya da tüm diğer arkadaşların gibi, bir soru eksiğine razı ol.

İçim bulanıveriyor. O bocalama anı için bile kendimden utanıyorum.

"Halil Ağabey," diye sesleniyorum işbirlikçi laborantımıza. "Yeni bir kâğıt alabilir miyim?"

Diğerini, gene ters olarak eline tutuşturuyorum.

"Aldığın yere geri ver!"

Bir soru için ödeyemeyeceğim borçların altına girmeye değer mi?

Gösterdiğim bu son tepkiyle hem Nevzat'a, hem de beklentilerine en güzel yanıtı verdiğime inanıyorum. Ve benim gibi onun da bu sayfayı, bir daha açılmamak üzere kapatacağını umuyorum...

7

Ömer'le aramız iyi değil.

Yalnızken hırçın, grup içinde tavırlı. Her söylediğime karşı çıkıyor. Arkadaşlarımızın önünde beni tersleyen, davranışlarını kabalığa kadar vardırtan bu yeni Ömer'i tanımakta güçlük çekiyorum.

Esin'e kalırsa, beraberliğimizi istediği kalıba dökememenin sıkıntısıymış Ömer'inki. Fırsat versem, bana açılacak; her şey yoluna girecekmiş.

Aynı görüşte değilim. Dostluğumu, arkadaşlığımı yitirmemek uğruna duygularını açıklamaktan kaçınacak kadar ince düşünceli bir insan, böyle davranmaz bana.

En iyisi, işi oluruna bırakmak...

Hoyrat, kaba ve aksi tavırlarını görmezden geliyorum Ömer'in. Hırçınlıklarına aldırmıyorum.

Benden tepki alamamak iyice çıldırtıyor onu. Kendince, kızmamı gerektirecek ne varsa yapıyor.

Grubu toplayıp bana haber vermeden sinemaya gitmeler... İnat olsun diye diğer arkadaşlara, özellikle de Sibel'e gösterilen abartılı ilgi...

İçin için üzülsem de etkilenmemiş görünmeyi başarıyorum galiba. Ama, eski neşemi, cıvıltımı aradığım kesin. Ömer'le aramızdaki tatsızlığın, grup içindeki keyifli bütünlüğü yaralaması da ayrı bir üzüntü kaynağı benim için...

Derslerin kesilip, dönem sonu sınavlarına girmeye hazırlandığımız günler...

Okulda düzenlenen Bahar Şenliği ile moral ve güç topluyoruz.

Esin burada da yalnız bırakmıyor beni. Korhan'la beraber neşeli bir üçlü oluşturuyoruz. Diğer arkadaşların da katılımıyla grubumuz gitgide kalabalıklaşıyor.

Ömer ortalarda yok.

Epey sonra; yanında ince, uzun boylu hoş bir kızla geliyor.

"Müjde!" diye tanıştırıyor bizlere. "Liseden sınıf arkadaşım. İstanbul Üniversitesi Kimya Fakültesi'nde okuyor."

Tamam işte, sorun bundan kaynaklanıyormuş, diye düşünürken; Esin koluma yapışıyor.

"Sakın oltaya takılma!" diye uyarıyor alçak sesle. "Yeni taktiği bu!"

Bu uyarının etkisiyle midir bilmem, kara düşüncelerimden soyutluyorum kendimi. Ömer'i de kız arkadaşını da yok saymaya karar veriyorum.

Şenliğin bundan sonrasında, eski cıvıltısına kavuşmuş; doyasıya eğlenen, arkadaşlarıyla şakalaşan, kahkahaları ardı ardına sıralayan, kayıtsızlık zırhına bürünmüş bir Piraye var artık...

Gruptan en erken, Ömer'le Müjde ayrılıyorlar.

"Müjde'yi bırakmam gerek," diyor Ömer üstüne basa basa.

Gözü bir an için bana takılır gibi oluyor. Sonra başını çevirip Müjde'nin kolundan tutuyor, konuşa konuşa yanımızdan uzaklaşıyorlar.

"Doğru söyle," diyor Esin. "Hiç mi kıskanmadın o kızı?"

"İki ay önce olsaydı belki," diye omuz silkiyorum. "O da, seninle Sibel'in yakınlığını kıskanmaktan farklı olmazdı. Aslında bu duyguya yabancıyım ben Esin! Kıskanmakla tanışıklığım yok inan ki..."

"Olur mu hiç?" diye gülüyor. "Korhan böyle bir şey yapsa, gözünü oyarım ben."

"Sizin durumunuz farklı. Ömer benim için, sevgisini sakınmak bir yana, dostluğunu yitirmekten korkacağım bir arkadaşım bile değil artık."

"Bu kadar katı olma. Dur bakalım... Göreceksin, bu kız işinden hiçbir sonuç çıkmayacak."

"Hadi kızlar, sinemaya!"

Oturduğumuz yerden, aynı anda zıplayıveriyoruz Esin'le.

Ömer bu. Eski sıcaklığına kavuşmuş, dost sesiyle bizi sinemaya davet ediyor.

"Dur bakalım," diyor Esin. "Önce ifadeni alalım."

"Ne ifadesi? Korkutma beni..."

"Şu şenlikteki kız... Müjde miydi, her neyse; bizim bilmediğimiz özel bir durum mu var?"

"Yok valla," diye gülüyor Ömer. "Dedim ya liseden arkadaşım. O gün yanımda biri olsun istedim. Aklıma o geldi."

Öylesine, rasgele söylenmiş gibi dursalar da, sözlerin aralarına gizlenmiş iğnelerin bana yönelik olduğu belli. Yanında birileri olsun istemiş...

Esin, ben dememiş miydim, dercesine gülerek bakıyor yüzüme.

"Kusura bakma Ömer'ciğim," diye doğruluyor. "Sinemaya gelemeyeceğim. Korhan'la buluşacağız. Dersten çıkmak üzeredir..."

Kitaplarını toplayıp, bir an önce bizi yalnız bırakmak amacıyla olduğunu çok iyi bildiğim ivecen adımlarla yanımızdan uzaklaşıyor.

Garip bir tutukluk var ikimizde de.

Sanki onca zamanı arkadaşça, dostça paylaşan biz değiliz.

Sonunda ilk konuşan o oluyor.

"Kızdın mı bana?"

"Neden kızacakmışım ki?"

"Müjde konusunda..."

Başımı kaldırıp yüzüne bakıyorum. Evet, kızmamı istiyor aslında... Kızayım, hatta bağırıp çağırayım diye bekliyor.

"Hayır," diyorum. "Böyle bir hakkım olduğunu düşünmüyorum."

"Düşünmek ayrı şey, duymak ayrı..."

"Benimkiler bir bütünün parçaları. Düşündüğüm gibi duyarım ben."

"Sorun da bundan kaynaklanıyor ya..."

"Hangi sorun?"

"İkimizin arasındaki tanımsız beraberlik."

Söyledi işte söyleyeceğini. Artık dönüş yok...

"Bak Piraye," diyor sözcükleri dikkatle seçmeye özen göstererek. "Bunaldım artık. Yoruldum. Kendimi sıkmaktan, çevremdekilere dert anlatmaya çalışmaktan... İnsanlar ya beraberdirler, herkes bunu böyle bilir ya da sıradan arkadaştırlar. Bunların hangisi bize uyuyor sence?"

Başım önümde, "Ben senin arkadaşlığını seviyordum Ömer," diye mırıldanıyorum.

"Tamam," diyor. "Bunun ötesini istemediğini biliyorum. Ama bundan sonra, çevreye karşı ya beraber olacağız ya da birbirimizden uzak duracağız. Seçim senin."

Çevreye karşı! Başkalarının görüşü bu kadar önemli mi? Biz içimizde yalnızca arkadaşlık yaşarken, dışarıya berabermişiz görüntüsünü vermek niye?

Birden, bana olan duygularından hiç söz etmediğini ayrımsıyorum. Yüreğinden gelen bir çağrı değil bu teklif.

Öyle olsa, yüreğinin sesiyle yanına istese beni, yanıtım ne olur bilemiyorum. Ama bu şekliyle, yapay bir beraberlik teklifini de asla kabul edemem.

Kafamdan geçenlerden habersiz, devam ediyor Ömer.

"Evet dersen, sinemaya beraber gideceğiz. Herkes de görecek Piraye'yle Ömer'in nasıl bir ikili oluşturduğunu..."

"Ne gerek var buna? Bizi bir arada tutan, duygularımız olmadıktan sonra..."

Birden allak bullak oluyor suratı.

"Duyguları karıştırma," diyor. "Senin o konuya yaklaşımını biliyorum."

İşte düğüm noktası! Gerçekten de korkuyor Ömer. Özgürce içini dökemiyor bana. Kendi yarattığı bu göstermelik çözümle zaman kazanmaya çalışıyor belki de.

Ya ben? Onunla açık açık konuşacak, yüreğindekileri deşecek güce sahip miyim? Daha da önemlisi, duygularına yanıt verecek karşı duyguları taşıyor muyum?

Bilemiyorum.

Sessizliğin güvenli korunağına sığınıyoruz bir süre.

Gözlerinde ilk kez yakaladığım farklı bir sıcaklıkla bakıyor yüzüme.

"Şimdi söyle bakalım, sinemaya gidiyor muyuz?"

"Ben gelmiyorum," diyorum usulca. "Size iyi eğlenceler...

Küs değiliz Ömer'le. En azından ben değilim. Bana kızdığını biliyorum. Haklı da. İstemeden de olsa, üzdüm onu.

Yaz tatiline iki gün var. Böyle kırgın ayrılmamıza gönlüm razı değil.

Dosya kâğıdına kırmızı keçeli kalemle "Seni çok seviyorum! Sen benim en iyi arkadaşımsın..." diye yazıp, dosyasının arasına gizlice koyuyorum.

Biraz sonra, dudaklarında buruk bir gülüşle yanıma geliyor.

"Sağ ol," diyor. "Bunu bulamayanlar da var."

Arif'e yaptığı bu şirin göndermeye beraberce gülüyoruz.

Ömer'in asla ikinci bir Arif konumuna düşmeyeceğini, yaşantımın bir yerlerinde hep benimle olacağını fısıldayan içsesime aynen katılıyorum.

8

Öğrenci işlerinin önünde, panoya asılı sınav sonuçlarını incelerken, arkamdan boynuma sarılıveriyor Esin. Kıpır kıpır, içi içine sığmaz bir halde.

"Bomba gibi haberlerim var sana," diye kolumdan çekiştirerek, her günkü değişmez mekânımız olan merdivenlere doğru sürüklüyor beni.

Basamaklara oturuyoruz. Onu bu hale getiren nedenleri anlatmasını bekliyorum.

"Evleniyoruz!" diye haykırıyor Esin. Bende yarattığı şaşkınlığın verdiği hoşnutlukla ekliyor. "Korhan'la."

Gülüveriyorum.

"Dünden bugüne başka birini bulamayacağına göre, Korhan'la olması doğal..."

"Başka biri falan yok artık!"

"Nasıl oldu? Böyle birdenbire..."

"Dün gece yemeğe çıktık. Çok şık bir restoranda yer ayırtmış. Mum ışığında harika bir yemek... Ardından, küçücük beyaz bir pasta getirdi garsonlar. Üzerinde ne yazıyordu, biliyor musun? Asla tahmin edemezsin!"

"Söyle o zaman..."

"Benimle evlenir misin?"

Esin'in coşkusu her geçen saniye beni de sarmakta.

"Harika!" diye bağırıyorum.

"Böyle bir teklifi beklesem de, sunuş şeklini bin yıl düşünsem, aklıma bile getiremezdim."

"Aferin Korhan'a! E... Sen ne yanıt verdin?"

"Yalnız bu davranışı için bile bir kez daha âşık olabilirdim ona. Ne diyebilirdim ki, koskoca bir 'evet'ten başka?"

İkimiz birden, aynı anda yerlerimizden fırlıyoruz Esin'le. Sımsıkı kucaklayıp kutluyorum sevgili arkadaşımı. Gerçekten de en az onun kadar sevinçliyim ben de.

"Sıkı dur," diyor. "Her an her şey olabilir."

"Düğün falan mı?"

"Yok, o kadar değil! Korhan benim ailemle, ben de onunkiyle tanışmıştık zaten. Sıra ailelerimizin karşılaşmasında. Belki bir söz kesme ya da nişan olabilir."

"Bu yaz hareketli geçecek desene..."

"Evet! Bizden gelecek sürprizlere hazırlıklı ol Piraye'ciğim..."

Esin'in sürprizini yazlıkta, hafta sonu tatili için Çınarcık'a gelen babamın elinden alıyorum.

Beyaz ipek kâğıtlı, üzerinde adımın yazılı olduğu gösterişli bir zarf...

"Aç bakalım," diyor babam.

Zarfın kapağını açmamla çığlığı basmam bir oluyor.

Esin'in nişan davetiyesi bu!

Ağustosun ilk cumartesisi, Harbiye Orduevi'nde.

Bu yaz haftada iki gün babamla beraber şehre iniyorum.

Staja başladım! Benim isteğimle gerçekleşen, özel bir staj bu.

Babama asistanlık yapmak hoşuma gidiyor. Kalıp alışını, dolgu hazırlayışını keyifle izliyorum. Ama, babamda beni asıl etkileyen, öğrenmem ve diş doktoru olduğumda uygulamam gerektiğine inandığım yön çok farklı.

İğneyle dişetini uyuşturduğu hastayla ilişkileri, onları rahatlatmak için döktüğü diller, bilinçli olarak derinleştirdiği, hastaya nerede olduğunu unutturan sohbetler... En aklı başında insanların bile kâbus gibi gördüğü, oturmaktan ürktüğü dişçi koltuğunu sevimlileştirmesi, bambaşka bir kimliğe büründürmesi...

İnsan ilişkileri! Bizim mesleğimizin belki de en can alıcı noktası. Bunları okulda öğretmiyorlar ne yazık ki. Önümde böyle bir yol göstericim olduğu için şanslıyım.

Nişandan iki gün önce babamla beraber İstanbul'a geliyoruz. İlk günüm giyecek bir şeyler aramakla geçiyor. Bugüne kadarki giysi seçimlerini ya annemle ya da ablamla beraber yaptığımdan, tek başına karar vermekte epey zorlanıyorum.

Sonunda açık mavi, organze; boyundan tasmalı, omuzları derin oyuk, belden aşağı bollaşan bir elbisede karar kılıyorum.

Beni Orduevi'ne babam bırakıyor. Islıklar çalarak, gecenin en güzel kızının ben olacağımı söyleyerek...

Giriş kapısından salona doğru yürürken Turan'la karşılaşıyoruz. Babamınkine benzer, uzun bir beğeni ıslığının ardından kucaklıyor beni.

"Gel," diyor. "Bizimkiler içerde."

Nişan, düğün gibi tanımadığım insan yoğunluğunun öne çıktığı topluluklara girmekten hep kaçınmışımdır. Ama bu kez farklı. En yakın arkadaşımın mutlu gününde yanında olmamayı nasıl düşünebilirdim ki?

Yüksek tavanlı; enine, boyuna, derinliğine büyük bir salon... Davetlilerin konumuna göre hazırlanan oturma düzeni sayesinde herkesin yeri belli.

"Kız tarafı, oğlan tarafı yerlerini beğenir mi bilmem ama, gençler grubu olarak bizim yerimiz harika," diyor Turan.

Gerçekten de öyle. Köşede, iki uzun masanın "L" şeklinde birleştirilmesiyle oluşmuş, tüm salonu görebilen bir yer.

"Bakın size kimi getirdim," diyor Turan.

"Oo, Piraye Hanım, sizi aramızda görmek ne büyük şeref!"

Ali'nin abartılı karşılamasına diğerleri de katılıyor. Hepsiyle tek tek kucaklaşıyorum.

"Bize ne zaman sıra gelecek?" diyen sabırsız sesle arkama döndüğümde Ömer'le göz göze geliyoruz.

Açık renk, yazlık takım elbisesinin içinde pek yakışıklı. Ses tonundan, neşeli gününde olduğunu anlayabiliyorum.

"Seni buraya çekmek için her hafta bir nişan mı düzenlemek gerekiyor?" diye sitemle gülüyor.

Yanıt vermeye fırsat bulamıyorum. Orkestradan dökülen müzikle beraber salon kararıveriyor. Yuvarlak, parlak bir ışık kümesi, tüm bakışları salona inen merdivenlerin başına taşıyor.

Esin'le Korhan alkışlar arasında merdivenlerden iniyorlar.

İçimin taşacak gibi kabardığını, gözlerimin dibinden dışarı fışkırmaya hazır damlaların dökülmek üzere olduğunu duyumsuyorum.

Can arkadaşım benim! Ne kadar da güzel olmuş... Yosun rengi şifon tuvaletinin içinde, düş perisi gibi...

"Korhan'ın bu kadar yakışıklı olduğunu bilmezdim," diyor Ali.

Bu sözlerle gözüm Korhan'a kayıyor. Krem rengi smokinin içinde gerçekten de çok yakışıklı.

"Çok yakışmışlar birbirlerine," diye mırıldanıyorum.

Merdivenlerden inmeleriyle salon aydınlanıveriyor. Pistin ortasına doğru yürüyorlar. Aile büyüğü olduğunu tahmin ettiğim yaşlıca birisi, kalıcı mutluluk üzerine yaptığı kısa konuşmanın ardından yüzükleri takıyor.

Ve ilk dans... İkisini saran sevgi ve mutluluk ışıltısının tüm salona yayıldığını görebiliyorum.

Yiyecek ve içeceklerin zenginliği, düzenlemenin kusursuzluğu; masada konuşulan ama benim için hiç de önem taşımayan ayrıntılar. Büyülenmiş gibi, gözlerimi Esin'le Korhan'dan ayıramıyorum.

Sibel'i elinden tutup dansa kaldırıyor Ali.

"Hadi," diyor bize de. "Taze nişanlıları yalnız bırakmayalım."

Ömer'le göz göze geliyoruz ister istemez. Yanıma gelip hiçbir şey söylemeden kolumdan tutuyor, piste doğru yürüyoruz.

İlk işimiz Esin'le Korhan'ı kutlamak oluyor.

"Darısı başına," diye fısıldıyor kulağıma Esin, o heyecanın içinde bile beni unutmayarak.

Ömer'in biraz önceki neşeli hali, yerini garip bir hüzne bırakmış gibi. Bir süre hiç konuşmadan, çevredekileri izler görünerek dans ediyoruz.

Neden sonra, "Her genç kızın düşünde böyle bir gece yatar herhalde," diyor Ömer.

Biraz hayretle, gülerek yüzüne bakıyorum.

"Nereden çıktı şimdi bu? Yalnızca kızlar için midir bu tür düşler?"

"Yok," diyor. "Onu demek istemedim. Erkeklerin de kendilerine göre düşleri vardır tabii... En azından, sevdiği insana bu güzellikleri yaşatabilmeyi kim istemez ki?"

Birden duraklıyor. İnceden inceye bir şeyler düşünüyor gibi.

"Biliyor musun," diyor. "Benim, böyle bir gecenin erkek kahramanı olabilmem için yıllar gerek..."

"Bence de öyle olmalı," diye onaylıyorum. "Esin'le Korhan bu konuda biraz erkenciler."

"Sanırım ben, en geç kalan olacağım."

Kollarını gevşetip biraz uzaklaştırıyor beni kendinden. Dikkatle yüzüme bakıyor. Bakışlarında yakaladığım buruk, hatta acı içeren ifadeyle afallıyorum.

"Aceleye ne gerek var?" diyorum yapay bir gülüşle. "Zamanı gelince, doğru insanla karşılaşınca, kendiliğinden olacak şeyler bunlar."

"Öyle değil! Babamla aram açık benim."

Beni şaşırtmak için kendini şartlandırmış galiba. Başarıyor da...

"Ya," diyorum. "Çok üzüldüm."

"Evin içinde iki yabancı gibiyiz. Annem arada kalkan görevi görmese..."

"Umarım düzelir."

"Düzelmez!"

"Baba oğul arasında bu denli küskünlük yaratacak ne olabilir ki?"

"Boş ver! Önemli olan neden değil, sonuç. Anlayacağın; ben, böyle bir nişan ya da düğün yapmalarını ailemden asla isteyemem."

Bana böyle bir ortamda açılmasının altında yatanları yavaş yavaş kavramaya başlıyorum.

"Kendi başımın çaresine bakmak durumundayım. Okul bitecek, elim para tutacak; ancak o zaman sevdiğim insanın karşısına geçip evlenme teklifi yapabileceğim..."

Bunları anlatırken takındığı boynu bükük hali içime dokunuyor. Biraz da özür diler gibi benden. İleriye dönük isteklerde bulunmasını hak olarak görmüyor kendinde.

Ama tek sorun bu değil ki. Aramızda bunları konuşmayı gerektirecek bir beraberliği yaşamadık biz. Şu anda bunları söylemesinin ne yararı ne de gereği var.

"Aldırma," diyorum. "Zaman bu, çarçabuk geçiyor. Bir de bakmışsın ki, karşında düşlerini süsleyecek bir kız... İşlerini de yoluna koymuşsun. Gel, dersin; olur biter."

Benim, ağırlaşan havayı dağıtmak, onu biraz olsun avutmak için takınmaya çalıştığım şakacı tavrı görecek gibi değil. Söylediklerimden çıkardığın bu mu, dercesine sitemle bakıyor yüzüme.

"Bu tür can alıcı konuşmaları yapmak için, dans ettiğimiz ortamları seçmen ilginç," diyorum ilk yılın bahar çayına gönderme yaparak. "Ama bu kez, orkestranın arkasında, özel bir yerde olmadığımızı unutma."

Onu, içinde kaybolduğu karanlık bulutlardan yeryüzüne indirmeye yetmese de, biraz toparlanmasına yardımcı oluyor bu sözlerim.

"İstersen öyle bir yer buluruz," diye gülüyor, beni dans edenlerin uzağına, merdivenlerin yamacına doğru götürürken.

Biraz önceki karamsar Ömer'in yavaş yavaş doğal davranışlarına dönmesiyle rahatlıyorum.

Birden, beynimde bir soru işareti kıvrımlanıyor. Esin'in, sonunda bana da aşıladığı kuşkuculuktan mıdır bilmem, Ömer'in anlattıklarının yeni uygulamaya koyduğu taktiğin bir parçası olabileceğini düşünüyorum.

Biliyor ki, şu an için bu tür tekliflere kapalıyım. O da zaten böyle bir istekle karşıma çıkamayacağını vurgulayarak, zaman kazanmaya çalışıyor olamaz mı?

Yok yok, üzüntüsünün yapay olmadığı belliydi. Böyle yakıştırmalar yaparak haksızlık etmemeliyim ona.

Gecenin bundan sonrası; bir ağızdan şarkılar söylediğimiz, Esin'le Korhan'ı aramıza alıp halay çektiğimiz, eğlencenin doruğa ulaştığı saatler...

On ikiye beş kala, "Gitmem gerek," diye kalkıyorum. "Saat tam on ikide babamla kapıda buluşacağız."

"Kül kedisi," diye gülüyor Ömer. "Ayakkabının tekini buralarda unutma sakın."

Sonra kulağıma eğilip fısıldıyor.

"Giysilerinin büyüsü bozulsa da, sen hep böyle kal!"

O gece yatağıma uzandığımda, nişanlananın ben olduğum, Esin'in yerine merdivenlerden benim süzüldüğüm; Korhan'la kimi özdeşleştireceğimi bilemediğim, aynen böyle bir töreni düşlerken yakalıyorum kendimi.

Ben, bu tür nişanlara, düğünlere karşı çıkan Piraye; geldiğim noktanın ürkütücülüğüyle şaşkın, görmek istemediğim bir düşten uyanmanın sabırsızlığıyla, şöyle bir silkiniveriyorum.

Nerede kaldı benim eski devrimci ruhum? Dilimdeki özgürlük, eşitlik, hak türkülerinin, yerini salon havalarına bırakması neyin göstergesi?

"Herkes bir yaşa kadar komünisttir," diyenlere, "Komünist değil, sol görüşlüyüm," diye karşı çıkan, bu eğilimimi sonsuza kadar sürdüreceğimden emin olan ben; o beklenen yaşa geldiğim için mi, yaşamımın en belirleyici özelliği olan kavramlardan uzaklaşıverdim?

Aynı görüşleri paylaştığım, dava sevdalısı biriyle, belki de tüm gözlerden uzak nikâhlanıvereceğimi, böylesinin bana en yakışan evlenme biçimi olacağını düşünürken, yalnızca kendimi mi aldatıyordum?

Görkemli salonlar, zengin düğünler, iğneden ipliğe döşenmiş hazır evler... Bunlar mıydı beklentilerim?

Annemle babam evlendiklerinde bir masa, birkaç sandalye ve pirinç bir karyola dışında hiçbir şeyleri olmadığını; gerisini çalışarak, el ele, alın terleriyle tamamladıklarını anlattıklarında, "Bence de en doğrusu bu!" demiştim. Tabii o zamanki aklımla...

İki kişilik bir dünyanın biricik emekçileri, gene kendileri olmalıydı. Bunu gerçekleştirecektim ben. Ben ve yanımda görmeye değer bulduğum insan... Dişimizle, tırnağımızla; çalışarak, emeklerimizi birleştirerek, kazancımızı bölüşerek...

Beynimin kıvrımlarına asla çıkmamak üzere yerleştirdiğimi sandığım, gönül verdiğim, üzerine titrediğim doğrularım nerede şimdi?

Eski Piraye olsaydı, Ömer'in söylediklerine böyle mi yanıt verirdi?

"Benim durumum da seninkinden farksız. Kendi dünyamı yaratmak için, ailemle zıt görüşlerde olmam gerekmiyor. Onlar vermek istese de ben almayacağım. Emeksiz kazanç bana göre değil; hazırcı kapitalistlerin işi..." demez miydi?

Gerilerde kalmış bir Piraye, acımasızca sorguluyor beni.

"Sıradanlaştın," diyor. "Sırtını babasına dayayıp olmayacak düşler kuran, sıradan biri oldun sen de. Yazık, çok yazık..."

Ona hesap vermekten, daha doğrusu verememekten yorgun düşüyorum.

Belleğimin çevresine ne zamandır örülü olduğunu bilemediğim kerpiç duvarları devirerek, beni eski idealist günlerime taşıyan, şiddetli bir sarsıntının kollarında, huzursuz bir uykuya dalıyorum.

9

Yeni ders yılına başlarken, bu yılın, yaşamımın dönüm noktası olacağını bilmiyorum tabii...

Sonraları, geriye dönüp baktığımda, başkaları tarafından yerinden oynatılan kilometre taşlarının, gene başkalarınca gelişigüzel dizilmesiyle önüme serilen yolda yürümeye mecbur muydum acaba, diye düşünmekten kendimi alamayacağım.

Protez laboratuvarına girmek üzeriyiz.

Öğlen arasını, ders notlarını gözden geçirmekle tüketince, kantinde atıştırdığım tostla yetinmek zorunda kalıyorum. Aşağı yukarı, her gün olduğu gibi.

Kantinin çıkışında Ömer'i görüyorum. Yüzü bana dönük, ayaküstü birisiyle konuşuyor.

"Ömer," diye yanlarına gidiyorum. "İçim kurudu kantinin sandviçlerinden..."

"Ciğerciye götüreyim seni," diye gülüyor.

Yüzümü buruşturuyorum.

"Yakında yemek yenecek çok güzel yerler var," diyor Ömer'in konuştuğu kişi.

Başını çevirmesiyle göz göze geliyoruz. Haşim Bey bu!

İlk kez otoparkta Esin'in bana gösterdiği, bahar çayında Ömer'le dans ederken aynı ortamı paylaştığımız, bakışlarını az çok tanıdığım Haşim Bey...

Daha önce, birbirimizi uzaktan uzağa görmek dışında, hiçbir yakınlık yaşamadığımız halde, başlangıcı olmayan bir söyleşiyi orta yerinden sürdürmeye koyuluyoruz.

"İyi de," diyorum. "Bunun için zamanımız yok ki. Kantinde salata türü bir şeyler bulunsa ne iyi olur..."

Beni haklı bulduğunu anlatan bir tavırla başını sallıyor.

"Siz tanışıyor muydunuz?"

Ömer'in sorusuna ikimiz birden, aynı anda, "Hayır," deyip gülüyoruz.

"Haşim Ağabey," diyor Ömer. "Bu da bizim kül kedimiz, prensesimiz Piraye. Hep böyle, bir şeylerden sızlanır durur."

Haşim için ayrıntılara inmeye gerek görmüyor Ömer. Herkesin tanıdığı, saygı duyduğu bir *bey* o! Bizlerden biri değil. Yalnızca paylaştığımız ortam aynı.

Lacivert takım elbisesinin içinde, bizim yansıttığımız öğrenci profilinden çok farklı bir görünüm sergiliyor. Ama kabul etmeliyim ki, çok da yakışıklı.

Elâ gözlerinden yayılan sıcacık ışıltının üzerimde yoğunlaştığını duyumsamak şaşırtıcı.

İçgüdüsel olarak, bir an önce oradan kaçıp kurtulmayı istiyorum. Üzerime dikili, ne anlama geldiğini çözemediğim, çözmeye de niyetli olmadığım bakışlara sırtımı dönüp, "Hadi," diyorum Ömer'e. "Laboratuvara geç kalıyoruz..."

Ertesi gün, otoparkın merdivenlerine oturmuş, Esin'i bekliyorum.

Aşağı yoldan otoparka kıvrılan lacivert BMW, gelip tam karşımda duruyor.

Haşim'in arabadan inişini gözucuyla izleyip, dikkatimi kucağımdaki ders notlarına çeviriyorum.

Ağır adımlarla merdivenleri çıkıp yanımda duruyor.

"Burada olmanız iyi," diyor. "Yoksa sizi aramak zorunda kalacaktım."

Elinde tuttuğu, beyaz kâğıda sarılı küçük paketi kucağıma bırakıyor.

"Bu sizin."

İlk şaşkınlığı atlattıktan sonra paketi açıyorum. İnanılacak gibi değil! Ton balıklı salata...

Yeşil marul yapraklarının arasında, incecik doğranmış halka halka turplar, kıpkırmızı domates dilimleri gözümün önünde dans ediyorlar.

"Harika!" diye sevinçle haykırıyorum. "Çok teşekkür ederim..." Sonra hemen, gösterdiğim abartılı tepkiyi örtmek istercesine, "Ne gerek vardı?" diyorum. "Zahmet etmişsiniz."

"Umarım beğenirsiniz," diye gülüyor.

Fazla kalmıyor yanımda. Onun bakışları altında, bir lokma bile yutamayacağımı biliyor sanki.

Paketi alıp, bahçenin kuytu bir köşesine doğru yürüyorum. Ummadığı bir anda güzel bir yiyecek bulmuş kediden farkım yok. Gözlerden uzak bir kanepenin üzerinde salatamı yemeye başlıyorum. Her lokmada duraksayarak, bunun ne anlama geldiğine, kendimce yorumlar getirerek...

Boş kutuyu kâğıda sarıp paketlerken Esin geliyor.

"Nerelerdesin sen?" diye bağırıyor. "Aramadığım yer kalmadı."

"Yemek yiyordum. Salata, hem de ton balıklı."

"Oo, bu ne lüks böyle?"

"Haşim Bey'in beklenmedik ikramı."

"İnanılmaz bir şey bu," diye yanıma oturuyor. "Anlat hele, nasıl oldu bu iş?"

Bir gün öncesinden başlayarak anlatıyorum.

"Haşim Bey işte," diye, aldırmaz görünmeye çalışarak omuz silkiyorum. "Farklılığını göstermek istedi anlaşılan."

Paketi ağacın altındaki çöp kutusuna atıp dönüyorum.

"Doğru söyle," diyor Esin. "Başka ne var bana anlatmadığın?"

"Yok bir şey," diye gülüyorum. "Altı üstü bir salata... Uzatma bu kadar."

"O kadar basit değil Piraye Hanım," diye başını iki yana sallıyor. "Benim bildiğim Haşim Bey, kimseye böyle bir ikramda bulunmaz. Bak sana söylüyorum, bu işin devamı gelecek..."

Aradan geçen bir hafta, Haşim'i de beklenmedik ikramını da unutturmaya yetiyor.

O sabah, ders öncesi, kantinde çaylarımızı içiyoruz.

"Gelene bak," diye fısıldıyor Esin.

Başımı çevirdiğimde Haşim'le göz göze geliyoruz.

Hiç duraksamadan, doğruca masamıza geliyor.

Hemen yerinden fırlıyor Ömer.

"Oo, Haşim Ağabey," diyor. "Sizi kantinde görmek ne büyük şeref..."

Gerçekten de o güne kadar, onu kantinde hiç görmediğimi ayrımsıyorum.

Hepimize, "Günaydın," diyerek, Ömer'in gösterdiği yere oturuyor.

Turan koşup çay getiriyor.

"Sizin oraların çayına benzemez ama..." diyor.

"Doğru," diyor Esin de. "Diyarbakır'ın kaçak çayının o buruk tadına alışanlara yavan gelir bunlar."

Bu sözleri övgü olarak algılamış gibi, yüzüne geniş bir gülümseme yayılıyor Haşim'in.

Saklamaya gerek duymadığı bir gururla, "Her şeyi başkadır memleketimin," diyor.

Sonra bana dönüyor.

"Sizi bir yerlerden hatırlıyor gibiyim. Diyarbakır'da bulundunuz mu hiç?"

Benim yerimde Esin olsa, böyle sıradan bir tuzağa düşer mi hiç? Konuşmaya zemin hazırlamak için uygulanan en beylik taktiğin üstüne balıklama atlamak, ancak bana yakışır.

"Evet," diyorum. "Ama çok küçükken."

Böyle bir yanıt beklemediği belli. Bataklıkta altın bulmuş gibi, sevinçle parlıyor gözleri.

"Orada bir yakınınız falan mı var?"

"Hayır. Dedem uzun yıllar önce nüfus müdürlüğü yapmış Diyarbakır'da. Anneannem ve teyzemle beraber, o zamanlar edinilmiş küçük bir evin satışı için gitmiştik."

"Belki de karşılaşmışızdır."

"Henüz altı yaşındaydım," diye gülüveriyorum.

Bir ipucu yakaladı ya, bırakmak niyetinde değil; ardı ardına sorular sıralıyor. Nerede kalmışız... Kimlerle beraber olmuşuz...

"Dörtyol ağzında bir oteldi," diye nasılsa belleğimde kalmış kırıntıları ortaya döküyorum. "Tam karşısında büyük bir cami vardı."

"Onur Palas olabilir. Karşısındaki de Peygamber Camii."

O günlere yeniden dönmüş bir çocuk sevinciyle bindiğimiz faytonları, her köşe başında içtiğimiz vişne şerbetlerini anlatmamı gülerek izliyor.

"Derse girmeyeceksin galiba Piraye," diyen Esin'in ima dolu sesiyle kesiliyor söyleşimiz.

Hep beraber kalkıyoruz. Haşim amfinin kapısına kadar eşlik ediyor bize.

"İşte bu kadar!" diye gülüyor Esin. "Ben sana demedim mi?"

"Dur bakalım, ne var ki ortada?" yolundaki itirazlarıma ben de pek inanamıyorum doğrusu.

Kendi fırsatını kendi yaratmakta usta bir Haşim'le bir sonraki karşılaşmamızın merakı içindeyim.

Kısa zamanda grubumuzun konuk üyesi oldu çıktı Haşim.

Ona adıyla hitap edemiyorum. "Haşim Bey" demek; ağa, bey gibi sıfatları içine sindiremeyen birisi olarak, zorlayıcı geliyor bana. Diğerleri gibi "Haşim Ağabey" dememi de, dilimin ucuna takılan garip bir engel önlüyor. İçimden geldiği gibi, "Haşim" diye seslenmenin ise yakışık almayacağını düşünüyorum.

Eskiden aylarca yüzünü görmediğim, uzaktan uzağa gölge gibi izlediğim birinin, birdenbire günlük yaşamımın başköşesine yerleşivermesini yorumlamakta yetersiz kalıyorum.

"Hazırlıklı ol," diyor Esin. "Bomba gibi bir teklifin gelmesi yakındır."

Beni arkadaş grubumdan yalıtacak bir beraberliğe hazır değilim. Ama, Haşim'in atacağı adımların hızını kesmeye gücümün yetmeyeceğini de çok iyi biliyorum.

Fazla beklemiyor Haşim. Öğlen, laboratuvar kapısında yakalıyor beni.

"Akşam çıkışı, dışarda bir yerlerde oturup çay içmeye ne dersin?"

Kısa bir suskunluğun ardından, "Olur," diye fısıldıyorum.

Arabanın kapısını açıp, önce benim oturmamı bekliyor. Şoför ya da koruması, her neyse, yok görünürlerde.

Arabayı kendi kullanacak. Ben de ilk kez, arabası olan bir erkek arkadaşımın yanında bir yerlere gideceğim.

Karmaşık duyguların kucağında; şaşkın, ürkek, baş döndürücü gelişmelerin çalkantısına ayak uydurmaya çalışıyorum.

Divan Pastanesi'nin hoş ortamında karşılıklı oturuyoruz Haşim'le.

Kapıda karşılanış şekline bakılırsa, buraya sık sık geldiği belli. Kim bilir bu ortamda kaç kızla beraber olmuştur... İçimde kıskançlık diyebileceğim kıpırtıyı duymakla, bana oldukça yabancı gelen bir ilki daha yaşamaktayım.

"Buranın çikolatalı pastası güzeldir," diyor. "Yemek ister misin?"

İstemem, deme şansım var mı? Her şeyin baştan, inceden inceye düşünüldüğü öylesine belli ki... Bana düşen, yalnızca "evet" demek.

Bir süre havadan sudan sohbet ediyoruz.

Diyarbakır'ı anlatıyor bana. Yıllar önce ölen dedesinin şeyh, babasının ise aşiret reisi olduğunu... Oralarda kendisini "Haşim Bey" ya da "Haşim Ağa" diye çağırdıklarını... Tıp Fakültesi'nden neden yatay geçiş yaptığını... Daha uzun bir eğitim süresi yerine, kısa yoldan hayata atılıp düzenini kurma isteğini...

Konuşmalarından, aramızda yedi yaş fark olduğunu çıkarıyorum.

Pastalarımızı bitirip ikinci çaylarımızı yudumlarken, kısa bir suskunluk yaşıyoruz.

Sonra birden, kadife gibi yumuşacık bir sesle konuşmaya başlıyor Haşim.

"Piraye," diyor. "Sana olan duygularımı az çok biliyorsun sanırım."

Suçüstü yakalanmış küçük bir çocuk gibi başımı öne eğiyorum.

"Kaldır başını," diyor. "Gözlerimin içine bak."

İçinden ateş fışkıran elâ gözlere çeviriyorum bakışlarımı. Garip bir çekim gücüyle beni içine alıveren bu gözlerin derinliklerinde kaybolmaktan korkarak... Orada kalıvermenin karşı konulmaz büyüsüne kapılarak.

"Âşık oldum sana Piraye!"

Dolambaçsız, yalın bir dille dudaklarından dökülen sözcükler; tüm bedeniyle bütünleşerek, alevden bir top halinde, beni de içine hapsediveriyor.

İlk kez yaşıyorum böyle bir sıcaklığı. Bu tür sözcükleri ilk kez duyduğum gibi.

Yanıt vermekte yetersiz kalacağımdan mı, yoksa duygularımı aynı derecede net ifade edemeyeceğimi düşündüğümden midir; sessiz kalmayı yeğliyorum.

Benim suskunluğuma aldırmadan, durdurulamayacak bir yola girmişçesine, sabırsızlıkla, ardı ardına dışa vuruyor iç dünyasını.

Duygularımın onunkilerle ne derece örtüştüğüne emin olamasam da, çok etkilendiğim kesin.

"Ve..." diyor. "Seninle evlenmek istiyorum Piraye! Bana evet der misin?"

Bu son sözler, gözlerinin derinliklerinde sürdürdüğüm yolculuktan gerçeğe, bulunduğumuz ortama döndürüveriyor beni.

Aldığım ilk evlenme teklifi değil bu. Arif'in üstü kapalı yaklaşımı, Nevzat'ın ailesiyle olgunlaştırıp önüme koyduğu öneri paketi, Ömer'in zamana bırakılmış teklifi... Hiçbirine benzemiyor Haşim'inki.

Önce duyguların sahneye çıkışı. Ardından da, o yoğunluğun getirdiği doğal bir sonuç olarak sunulan evlenme teklifi... Olması gerekenden ne bir eksik, ne bir fazla. Tam kıvamında.

Benden yanıt bekleyen gözlerin yalımı karşısında, daha fazla suskun kalamam.

"Evlenme çok ciddi bir karar," diyorum. "Henüz buna hazır değilim."

"Hemen yarın demedim ben de," diye gülüyor. "Adım adım yürüyeceğimiz son noktanın o olacağını bilmeni istedim."

"Annemle babama sözüm var. Okul bitmeden, bu tür teklifleri taşıyamam onlara."

"Taşıma. Senin seçeceğin zaman ve zeminde, istediğin an tanışabilirim ailenle."

Gülerek ekliyor.

"Beni görünce fikirleri değişebilir."

Nevzat'ın teklifine karşı öne sürdüğüme benzer engeller, Haşim'i yıldıracak gibi görünmüyor. Öylesine güveniyor ki kendine...

"Bir de," diyorum. "Öğrenciliğimi özgürce yaşamak istiyorum ben. Son model arabalarda gezmek yerine, kalabalık otobüslerde, sıradan insanlarla iç içe... Arkadaşlarımla sinemaya giderek."

"Sinemaya beraber gittiğin arkadaşlarından biri olarak düşün beni."

Birden duraklıyor.

"Aramızdaki yaş farkı mı ürkütüyor yoksa seni?"

"Yok canım," diye gülüyorum. "Babam da annemden altı yaş büyük."

Biraz önceki duygusal yoğunluğun ardından, daha rahat konuşabiliyorum artık.

"Şu an için ne evet, ne de hayır diyemem sana."

"Seni buna zorlayamam zaten. Beklediğimi bil yeter..."

O gece, uzun uzun düşünüyorum Haşim'le konuştuklarımızı. Onun bana karşı olan duygularının yoğunluğu, yadsınamaz bir gerçek. Ya ben? Benim yüreğimde de aynı titreşimler var mı?

Doğru, söylediklerinden etkilendim. Hem de hiç ummadığım kadar. Ama onun duygu yoğunluğuna asla erişemeyeceğimden eminim.

Aşkın tanımını yap, deseler; yaşadıklarımdan yola çıkarak, yüzeysel, cılız yürek çarpıntılarıyla sınırlı kalmış deneyimlerimle başarabilir miyim bunu?

Arif'le Ömer'in yaklaşımlarında farklı sıcaklıklar bulmuştum. Ama sevginin alabildiğine yoğunlaştığı, diğer tüm kavramları yerle bir edip öne çıkıverdiği o tutkulu vazgeçilmezlikle, aşkla, uzaktan yakından ilgisi yoktu bunların.

Ya Haşim? Onun için delicesine, ayağımı yerden kesecek derecede güçlü bir heyecan duyduğumu söyleyebilir miyim?

Âşık olmak da bir yatkınlık; bir yetenek işi galiba. Ve... bu yeteneğin bende olmadığına inanmaya başlıyorum artık.

Böyle bir umudu hep taşıdım. İlk görüşte birilerine akıp giden o tatlı sıcaklık... Elimi ayağımı titretecek, benliğimin tüm hücrelerine sinecek benzersiz sarhoşluk...

Hayır, bunların hiçbirini yaşamadım ben. Bundan sonra yaşayacağımdan da umutlu değilim artık.

Aşk yürek işi! Duygularla sarmalanmış... Beynin güç kazandığı, öne çıktığı yerde yüreğin işlevi geri plana düşüyor. Düşünceler ve mantık ağır basıyor. Tıpkı benim yaşadığım gibi.

Beynimin yüreğimden önce hareketlenmesi, düşüncelerimin duygularıma baskın çıkması; bana körkütük âşık olma şansı tanımıyor galiba... Bu durumda, bana sunulan aşkı paylaşmakla yetinmek zorundayım.

İyi de, Haşim'in sevgisi ikimize yeter mi?

Neden olmasın? Hem ben de o kadar boş değilim ki ona karşı.

Onun bana âşık halini, duygu yoğunluğunu iletmesinin yarattığı büyülü ortamı; onun beni sevmesini seviyorum ya...

"Delisin sen," diyor Esin. "Şu çatı altında Haşim Beyin evlenme teklif edip de 'evet' yanıtını alamayacağı bir tek kız yoktur."

"Ben varım ya," diye gülüyorum.

"Aklını başına topla, böyle fırsat ele geçmez."

"Hayır demedim zaten. Ama önce kendimden emin olmam gerek."

Ömer'in gelişiyle bölünüyor konuşmamız.

"Prensesimiz prensini bulmuş diye bir söylenti geldi kulağımıza..."

Delici bakışları dayanılır gibi değil.

"Ah Esin!" diye öfkeyle bağırıyorum. "Ağzında bakla ıslanmaz mı senin?"

"Yakın arkadaşın değil mi?" diye gülüyor Esin. "Onun da bilmeye hakkı var."

"Ortada bir şey yok ki," diye savunmaya geçiyorum hemen.

Bunları duyacak halde değil Ömer. Gizlemeye çalışsa da, son derece gergin olduğu belli. Haşim Ağabey'ini sorgulamayı kendine yakıştıramadığı için de benim üstüme geliyor.

"Bunları bırak da, Haşim Ağabey sana evlenme teklif etti mi, etmedi mi onu söyle sen!"

"Evet, etti..."

"Kabul ettin mi?"

"Hayır..."

"O istediyse bu iş olur kızım. Sen kendi kendine konuş dur..."

Birden kızıveriyorum.

"İkiniz de şunu iyi bilin ki; ben istemeden, Mısır sultanı gelse 'evet' demem ben!"

"Mısır sultanı da nereden çıktı şimdi?" diye kahkahayı basıyor Esin.

"Öylesine aklıma geldi işte... Sinirden ne söylediğimi biliyor muyum ben?"

Ömer de gülmeye başlıyor. Havanın yumuşamasının sevinciyle, onların gülüşlerini paylaşıyorum.

✣ ✣ ✣

Haşim'le aramızdaki ilişkiyi, elimden geldiğince arkadaşlık düzeyinde tutmaya çalışıyorum. Başarıyorum da.

Haşim yanımıza geldiğinde, Ömer'in yakıcı bakışlarını üzerimde hissetmem, böyle davranmamda en büyük etken galiba... O üzülsün istemiyorum.

En azından yarı yıl tatiline kadar böyle gitmeli.

Herkesin gözü önünde, özel bir beraberlik yaşamak bana göre değil. Haşim de seçimini benden yana yaptığına göre, şartlarıma katlanmak zorunda.

Tatilde üç haftalığına Diyarbakır'a gidiyor Haşim.

Onun yokluğunda belirgin bir rahatlığa, daha da önemlisi, nicedir özlemini çektiğim gerçek özgürlüğüme kavuştuğumu duyumsayabiliyorum. Bu durum, beraberliğimizi yeniden gözden geçirmem gerektiğini düşündürüyor bana.

Tatil boyunca, grup arkadaşlarımla birkaç kez buluşuyoruz. Öğrenim dönemini yarılamış olmanın, yarı diş doktoru sayılmanın keyfini paylaşıyoruz hep beraber. Sinemaya, yemeğe gidiyoruz...

Ömer hep yanı başımda. Onunla rahatım. Birlikteyken, kendimi kısıtlamam gerekmiyor.

Haşim'e vereceğim yanıtı düşüneceğime, tamamen aklımdan çıkarıveriyorum onu. Evet, böyle ciddi yüzlü, beni sımsıkı bağlayacak bir beraberliğe gerçekten de hazır değilim.

İyi de, bunu nasıl anlatacağım ona?

Tatilin bitimine birkaç gün kala, ev içinde yaşadığımız beklenmedik bir gelişme, tüm planlarımı altüst ediyor.

Haşim Diyarbakır'dan bir kart gönderiyor bana. Kumaş üzerine boya ile işlenmiş; çocuğuna sarılmış bir kadın resmi. Kartın yan tarafında "Meleğime" yazılı.

Şartlandırıcı, "Seni böyle görmek istiyorum" iletili, tam da Haşim'e yakışır bir kart.

Okuduktan sonra, çalan telefona koşarken, varlığını unutuverip sehpanın üzerine bırakmak gibi bağışlanmaz bir hata yapıyorum.

Akşamüzeri eve dönen babamın elinde evirip çevirdiği şeyin, Haşim'in kartı olduğunu görmemle odama kaçmam bir oluyor. Orada kalmayı, sorulacak sorulara uygun bir yanıt aramayı göze alamıyorum.

Sofraya oturduğumuzda başım önümde, hazırlıksız yakalandığım bu çapraşık durumdan nasıl sıyrılacağımı düşünüyorum.

Beklediğim gibi olmuyor. Babam her zamanki sevecen haliyle gülüp konuşuyor yemek boyunca.

Ne var ki, odama çekilip kitaplarıma dalmaya hazırlandığımda; annemin, elinde kartın bulunduğu zarf, merak dolu bakışlarla yanıma gelişinden kaçamıyorum.

Kaşları çatık, "Ne demek oluyor bu Piraye?" diye soruyor.

"Kart işte," diye geveliyorum. "Bir arkadaştan."

"Kimmiş bu arkadaş böyle, meleği olduğun?"

Derin bir soluk alıyorum. Kaçış yok. En iyisi anlatıp kurtulmak.

"Kartın sahibi Diyarbakırlı. Adı Haşim. Beşinci sınıfta. Bu kadarı yeter mi?"

"Yetmez! Belli bir yakınlığınız var ki, böyle yazmış."

"Yakınlık falan yok," diye karşı çıkıyorum önce.

Annemin inanmayan, beni konuşturmaya kararlı bakışları karşısında pes ediyorum.

"Bana evlenme teklif etti."

"Ne? Evlenme mi? Sen ne dedin peki?"

"Bunu düşünmek için erken, dedim."

"İyi etmişsin. Tanımadan, bilmeden..."

Bir kart yüzünden düştüğüm duruma isyan halindeyim.

Annemse, konuştuklarımızı babama aktarmak için sabırsız, geldiği gibi sessizce odadan dışarıya süzülüveriyor.

Beni asıl şaşırtan, annemle ertesi gün yaptığımız konuşma oluyor.

Söylediklerimi babama olduğu gibi anlatmış. O da, "Neden olmasın?" demiş. "Eğer kızım istiyorsa, doğrusu odur; onun seçimine saygı duyarım. İstediği zaman tanışırız çocukla..."

İşlerin kontrolümden çıkmasını umarsızca izlemek ne dayanılmaz bir şey! Bana gelen bir kartta "meleğim" yazıyor diye, kendimi temize çıkarmam gerekiyor; o insanın niyetinin ciddi olduğunu kanıtlamak zorunda kalıyorum ve gerçekleşmesini istediğimden emin olmadığım bir evliliğin kapılarını kendi ellerimle aralamak durumunda bırakılıyorum.

Bugüne dek çağdaş görünümünden ödün vermeyen babamın, benimle yüz göz olmamak için, aradaki ileti görevini annemin omuzlarına yüklemesi de ayrı bir tartışma konusu.

"Tanışmayı gerektirecek bir durum yok ortada," diyorum.

"Nasıl olmaz kızım? Baksana şu karta," diye başlayacak oluyor.

"Yok dedim!" diye kesiyorum. "Olunca haber veririm."

Öfke doluyum Haşim'e. Bu işi kasıtlı yaptığını bile düşünebilirim. Ama, nereden bilecek, benim kartı sehpanın üzerinde unutacağımı? Gene de, ev adresine gelecek bir zarfın başkaları tarafından açılabileceğini düşünmeliydi.

Bütün suç onun!

İstediğin zaman ailenle tanışabilirim, dememiş miydi?

Al işte, dünden razılar tanışmaya. Hazır olmadığım, henüz kararını bile vermediğim bir evliliğe, benden daha hevesliler.

Gözlerin aydın Haşim Bey!

Tatil dönüşü, bir kutu Diyarbakır'ın ünlü badem ezmesi ve kocaman bir torba kaçak çayla geliyor Haşim.

Teşekkür edip alıyorum. Bendeki tutukluğu hemen anlıyor.

"Neyin var senin?"

"O kart," diyorum. "Başıma neler açtı, bir bilsen..."

Olanları anlatırken, yüzüne yayılan gülümseme gözümden kaçmıyor.

"Tamam işte. Ne zaman isterlerse tanışabiliriz."

"İzin ver de buna ben karar vereyim."

"Ama sen benim ailemle tanıştın bile. Fotoğraflarını gösterdim, bayıldılar."

Yanıt veremiyorum. Görünmez bir el boğazımı sıkıyor sanki. Garip bir güdüyle Nevzat'ın ailesiyle özdeşleştiriyorum Haşim'inkini de. İçim bulanıveriyor.

Elimdeki paketleri dolabıma koymakla eve götürmek arasında bocalıyorum.

Akşam dönüşü, dolaptan mantomu alırken, gelişigüzel atıverdiğim paketleri orada bırakmaya gönlüm razı olmuyor.

"Haşim getirmiş. Diyarbakır armağanı..." diye mutfağa bırakıp doğruca odama gidiyorum.

Yemekten sonra çaylarımızı içerken annemle babamın birbirlerine yönelttikleri anlamlı bakışlarını görmezden geliyorum. Beni kızdırmamak için ortadan konuşmuyorlar.

Gene de, "Kaçak çayın tadı da bir başka oluyor, "demekten kendini alamıyor annem.

Arada kaldım! Çok büyük bir baskı var üzerimde.

Annemle babam, kendi yaklaşımlarının sonuç vermeyeceğini görmüş olmalılar ki, bu kez de ablamı koyuyorlar araya.

"Neler oluyor Piraye'ciğim?" diye başlıyor ablam.

Aile desteği olmadan yapılan evliliklerin sonuçlarını, her cümlenin başında kendi durumunu örnek göstererek anlatıyor; benim bu konuda ne kadar şanslı olduğumu yineleyip duruyor.

Böyle bir kısmet her zaman ele geçmezmiş; aman ha, iyice düşünüp taşınmadan "olmaz" dememeliymişim.

"Daha ayrıntıları bile konuşmadık Haşim'le," diyorum. "Ya beni alıp Diyarbakır'lara götürmeye kalkarsa..."

"Ne var bunda? Ben ailemin burnunun dibinde mutlu olabildim mi? Burada sıradan bir evlilik yapacağına, gider oralarda kraliçeler gibi yaşarsın."

Belli ki, aralarında bunu bile konuşmuşlar.

Babamın, ben mezun olunca beraber çalışmamız yolundaki emellerini rafa kaldırması; Arif zorunlu hizmet için beni uzaklara götürecek diye kıyametler koparan, belirli bir süreyi kapsayacak bir özleme bile dayanamayacağını söyleyen, "Bu çocukla evlenmek istersen beni çiğneyip geçmen gerekir," diyebilen annemin, yıllarca sürebilecek bir ayrılığı kabullenebilmesi gerçekten inanılmaz.

Onları bu kadar etkileyen ne?

Haşim'in Diyarbakırlı bir aşiret reisinin oğlu olması mı? Zenginliği mi? Öğrenimini tamamlayıp, hayata atılmak üzere oluşu mu?

Ya ben? Beni etkileyen neydi Haşim'de?

Çevremdeki, Esin'in çoluk çocuk dediği gençlerden farklılığı ve olgunluğu mu? Yakışıklılığı ya da yalnız annemler için geçerli olabileceğini düşündüğüm zenginliği mi?

Güçlü duruşu belki. Ya da bana yaklaşımındaki sıcaklık. Duygularını iletme biçimi...

Ama şu anda, beni içine çektiği o eşsiz büyünün çekiminden sıyrılmak üzere olduğumu görebiliyorum.

Sanırım; ailelerin devreye girmesinden önce, gereken sıcak beraberliği yaşayamadığımızdan. Basamakların sırasını karıştırdığımız için...

Her ne olursa olsun, içinden çıkılması zor bir bunalım dehlizinin içinde yapayalnızım. Bir yandan ailem, diğer yandan Haşim ve perde gerisinde onun ailesi; üzerime üzerime geliyorlar.

Kendimle kalıp sağlıklı düşünemiyorum. Bekleseler, istedikleri doğrultuda bir kararı kendi başıma da alabileceğim belki. Ama izin vermiyorlar ki...

Esin de yardımcı olamıyor bana. Diğerleri gibi düşünüyor o da.

Bir tek Ömer var benden yana. Ve onun yaralı bakışları...

"Casuslar iş başında," diye dişlerinin arasından mırıldanıyor Ömer.

Ne yazık ki haklı... Beni kendi halime bırakmış görünen, kantinde eskisi kadar boy göstermeyen Haşim, farklı bir yol izliyor artık. Dostum, dediği koruması ya da yakın arkadaşlarından birkaçı, kapıdan şöyle bir bakıp gerisingeriye dönerek, ağalarının yanına koşuyorlar. Benimle ilgili günlük raporlarını vermek için.

Bu can sıkıcı durumu fark etmemiş görünmeye çalışıyorum ama; en iyimser bir yorumla, bana aşağılandığımı duyumsatan izletme taktiğinin nereye kadar süreceğinin de merakı içindeyim.

Hakkımda oluşturulan rapor değerlendirmelerinin acı meyvelerini, kristal bir tabağın içinde sunmakta gecikmiyor Haşim.

"Piraye," diyor her zamanki sakin, yumuşacık sesiyle. "İstediğin gibi davranmakta serbestsin. Ama, topluluk içindeki hareketlerinde biraz daha dikkatli olman beni sevindirecek."

İşte beni patlama noktasına getiren sözler!

Ne yapmışım ben? En çok, en çok, sınıf arkadaşlarımla gülüp şakalaşmışım... Ne kötülük var bunda?

Bazı davranışlarım abartılı olabilse de (ki değil!) kimi ne ilgilendirir?

Bir süre sakinleşmeyi bekliyorum.

"Hangi sıfatla söyleyebiliyorsun bunları?" diye soruyorum. "Henüz aramızda kesinleşmiş bir ilişki kurulmamışken..."

"Yanlış anladın beni," diye alttan almaya çalışıyor. "Sıradan bir arkadaşın da böyle bir uyarıyı yapabilirdi. Ayrıca ben, farklı bir konumda olduğumu düşünüyorum."

"Kimse bana kısıtlayıcı engeller koyamaz Haşim Bey!" diye bağırıyorum. "Buraya kadar! Artık benimle ilgili, geleceğe yönelik düşüncelerinizi rafa kaldırsanız iyi olur. Bir daha gündeme geleceklerini hiç sanmıyorum."

Yanıtını beklemeden yerimden fırlayıp yanından uzaklaşıveriyorum.

"Nerede sanıyor kendini Haşim Bey? Neymiş öyle peşine adam takmalar falan..."

Haşim konusunda ilk kez bana hak veriyor Esin. Ama tepkisi kısa sürüyor.

"Gene de fazla uzatmaya değmez. Dersini vermişsin. Daha dikkatli olur bundan sonra."

Beni anlayacak, kararlı tavrımı sürdürmeme destek verecek tek insan Ömer. Onunla dertleşmeye ihtiyacım var.

"Keşke Ömer'le konuşabilsem," diyorum. "Ama şu aralar öylesine uzak ki benden..."

"İstediğin bu olsun," diye fırlıyor Esin. "Şimdi, kolundan tuttuğum gibi getiririm onu sana."

Beni, kafamdaki karmaşayla boğuşurken bırakıp gidiyor.

On dakika kadar sonra, tek başına dönüyor.

"Gelmedi Ömer. 'Ben gitmem. Ne derdi varsa gelsin anlatsın,' diyor."

Bir an, söylediklerini algılamakta güçlük çekiyorum. Esin gidiyor, benim kendisiyle konuşmak istediğimi söylüyor. O da gelmiyor, öyle mi?

Ah Ömer! Bunca zamandır beni hiç tanımamışsın sen...

Birden, tüm duygu ve düşüncelerimden sıyrılıveriyorum. Yalnızca, her saniye gitgide devleşen öfkemi saklı tutuyorum bedenimde.

"Tamam," diye gülüyorum. "Gelmesin. Bana inat yapıyor ha..."

"Bitti!" diye ayağımı hırsla yere vuruyorum. "O da bitti... Benim için ne Ömer, ne Haşim, ne de bir başkası var artık. Olmayacak da! Oh, dünya varmış. En iyi dostum özgürlüğüm! Ondan başkasını tanımıyorum ben."

Benim bu abartılı, tek kişilik sevinç gösterim, Esin'i ürkütmüş gibi.

"Dur," diyor. "Sinirlerin bozulmuş senin. Haklısın, hepsi üst üste geldi."

"Keyfimi bozma," diyorum sertçe. "Bırak da doya doya şu anın tadını çıkarayım."

(Sonsuza kadar süreceğini umduğum keyfimin, yalnızca birkaç saatlik olacağını nereden bilebilirdim?

İlerleyen zaman içinde, acaba Ömer ya da ben, havaya diktiğimiz burunlarımızı biraz aşağı indirip, inatlarımızı kırıp konuşmayı deneseydik; günün devamında yaşayacaklarımın önüne geçebilir miydik, diye hep düşünmüşümdür.)

Laboratuvarda, alışılmışın dışında, her günkünden farklı bir neşeyle çalışıyorum.

Tüy gibi hafifim. Sırtımda, taşımaya şartlandırıldığım bir gram bile yük yok. Kuşlardan bile özgür kalma kararımın getirileri bunlar...

Esin benden önce tamamlıyor çalışmasını.

"Kantinde bekliyorum," diyor. "Birer çay içer, öyle çıkarız."

Birazdan ben de işimi bitirip çıkıyorum.

Kantinin merdivenlerini uçarcasına iniyorum. Kapıda durup, şöyle bir tarıyorum içerisini.

Esin'le Korhan, kantinin en dibinde, sol köşedeki masada oturuyorlar.Yüzleri duvara dönük, geldiğimi görmüyorlar. Masaların arasından güçlükle ilerleyip yanlarına ulaşıyorum. Ancak o zaman, yalnız olmadıklarının ayrımına varabiliyorum.

Görüş alanımın dışında kaldığı için göremediğim, Esin'le Korhan'ın, önünde siper oluşturdukları masa arkadaşları Haşim!

Bir an, oturmakla geri dönüp kaçıvermek arasında bocalıyorum.

Beni görmesiyle ayağa fırlaması bir oluyor Haşim'in.

"Gel şöyle," diye kolumdan tutup yanındaki boş sandalyeye oturtuyor beni.

Esin'le Korhan'a çevirdiğim sorgulayıcı bakışlarla bu beklenmedik buluşmadaki suç ortaklıklarının hesabını soruyorum.

Aldırmıyorlar bile.

"Gözümüz yollarda kaldı Piraye Hanım," diyor Korhan.

"Hiç sorma," diye Haşim'e bakıyor Esin de.

Bizi yeniden bir araya getirmenin sevincini paylaşıyor gibiler.

Bana doğru eğiliyor Haşim. Yalnız benim duyabileceğim bir sesle, "Bağışla beni Piraye," diyor. "Hata ettim. Bir daha olmayacak."

Yüzünde alışılagelmişin dışında, çocuksu bir ifade var. Yaptığı yaramazlığın ardından bağışlanmayı bekleyen, şipşirin bir çocuk gibi.

İstemim dışında gülüveriyorum.

Haşim bu gülüşüme hiç ummadığım bir tepkiyle yanıt veriyor. Kolunu uzatıp, omuzlarımdan sımsıkı kavrayarak kucaklayıveriyor beni.

Bıraktığında, gözlerinin kıpkırmızı, dolu dolu olduğunu görüyorum. Haşim Bey'den asla beklenmeyecek bir görüntü bu.

"Barış çubuğunu tüttürebiliriz artık," diye gülüyor Korhan.

"Bu işi dışarda yapsak," diyor Esin. "Baksanıza, ne güzel kar yağıyor. Bu hava kaçmaz!"

Önümüzde Esin'le Korhan, arkada Haşim'le ben; Maçka yokuşundan aşağıya doğru yürüyoruz.

Yüzümüze inen, iner inmez de eriyiveren kar taneleri, birer neşe tomurcuğu gibi. Değdiği yerde açılıp gülücüğe dönüşüveren beyaz noktaları kovalayarak çocuksu bir sevinci paylaşıyoruz.

Esin'le Korhan kâh kol kola, kâh sarmaş dolaş, hoplayıp zıplayarak önümüz sıra yürüyorlar.

Biz de aramızdaki mesafeyi korumaya çalışarak, peşlerinden gidiyoruz. Benden kaynaklandığını çok iyi bildiğim, o garip tutukluğun pençesindeyim gene.

Aradaki duvarı yıkmakta gecikmiyor Haşim.

Soğuktan keçeleşmiş elimi usulca tutuyor; kendi elinin içine hapsederek, kabanının cebine sokuveriyor.

Karşı koyamıyorum. Elimi geri çekemiyorum. Geri çekmek istediğimden de emin değilim zaten...

Basit, sıradan bir el tutuş...

Böylesine etkileyebilir mi insanı?

Söz konusu "Piraye" olunca etkiler.

Ne daha önceki sıcak yaklaşımlar, ne de en duygusal iç dökmeler, beni Haşim'e bağlı kılacak ilk adımı attıramamışlardı.

Tuttuğu yalnız elim değildi.

Benliğimdi, benliğine hapsolan.

Bütünleşivermiştik. Belki de onun bile ayrımında olmadığı bir geri dönüşsüzlükle.

Bambaşka bir yol ayrımında olduğumu duyumsayabiliyordum.

Haşim'in Piraye'si olmanın yol ayrımında...

10

Kar taneciklerinin kanatlarında can bulan, hemen ardından gözler önüne seriliveren; yadsınacak yanı, gizlisi saklısı kalmamış; ikimizin de bilerek, isteyerek, doludizgin yol aldığımız bir beraberliği paylaşıyoruz Haşim'le.

Esin'le Korhan, ortaya çıkan tablodaki en büyük payın kendilerine ait olduğunu bilmenin sevinci içindeler. Diğer arkadaşlarımızın tepkileri de olumlu yönde. Yakın çevremizdeki herkes, Haşim'le birlikteliğimizi onaylıyor. Ömer dışında!

Hiç konuşmuyor benimle Ömer... Küs bana. Bakışlarındaki ifadenin kızgınlık ve öfke mi, yoksa üzüntü ya da umarsızlık mı içerdiğini göremiyorum. Koyu renk camlı gözlüğünün ardına gizlemiş gözlerini. Başında ters taktığı, siperi ensesine dönük bir kasket... Yüzünün açıkta kalan bölümü, mumdan bir heykel gibi kıpırtısız, donmuş kalmış.

Bir tek benimle değil, çevresindekilerle de zorunlu olmadıkça konuşmuyor. Eski neşesinden, hareketliliğinden eser yok.

Yalnız, bana şaşırtıcı gelen, Haşim'le ikili ilişkilerinde en ufacık bir değişiklik olmaması. Eskiden nasılsa, şimdi de öyle; konuşuyor, gülüyor, şakalaşıyorlar. Ömer'in bu hassas dönemde yakın kalabildiği tek insanın Haşim oluşu hayrete düşürüyor beni.

Belki de doğal olan bu. Haşim onun ağabeyi. Elinin tersiyle iteleyemez onu. Sevgide, saygıda kusur edemez. Ama beni yok sayabilir. Varlığı yadsınan; önemsenmeyen, küçücük, değersiz bir nesne gibi davranabilir bana.

Bazen, üçümüzün aynı ortamda bulunduğu ender zamanlarda; Haşim'le Ömer'in konuşmalarını onlara katılmadan, tepkisiz, sessizce izlemekle yetiniyorum. Hiçbir işlevi olmayan bir biblo gibi...

Haşim yönünden bakılınca, çelişkili bir durum var ortada. Ömer'in bana yaklaşımını, hiç dile getirmesek de, bildiği kesin. Buna rağmen davranışlarında değişiklik yapma gereği duymuyor. Hatta, onu avutmaya çalışır gibi bir hali olduğunu bile söyleyebilirim.

İşte Haşim Bey farkı, diye düşünmemek elde mi? Bu tür saplantıları çoktan aşmış; bizim henüz alt basamaklarında süründüğümüz olgunluk merdiveninin en tepesine oturuvermiş.

Ama, bu denli rahat davranabilmesindeki en büyük etken, kendine olan aşırı güveni kuşkusuz. Ömer'i kendisi için bir tehlike olarak görmüyor ki! Ne Ömer'i, ne de bir başkasını...

Ders ve klinik saatleri dışındaki tüm zamanımızı birlikte geçiriyoruz Haşim'le.

Ağa, bey şartlandırmalarının yarattığı o ulaşılmaz dış görünüşünün tersine, son derece sıcak ve esprili olduğunu görmek, onu bilinmedik yönleriyle tanımak sevindiriyor beni.

Tek sıkıntım, bu tür yakınlıklara yabancılığımın getirdiği tutukluktan olsa gerek, arkadaşlarımın gözü önündeyken, birlikteliğimizden duyduğum yabansı huzursuzluk. Mahcubiyeti çağrıştıran bu duyuşu da yavaş yavaş aşıyorum.

Haşim'in eli omzumdayken, yanımızdan geçen Turan'a ya da Ali'ye gülerek el sallayabiliyorum artık.

Benim kâbusum, Ömer'le karşılaşmak. Onu görür görmez, içgüdüsel olarak, Haşim'den iki adım uzaklaşıveriyorum. Başım önümde, suçlu gibi...

Ömer, Haşim'i selamlayıp, başındaki kasketin siperi öndeyse arkaya, arkadaysa öne çevirerek, bana olan tepkisini ilettikten sonra yoluna devam ediyor. Bense yaşadığım bu küçücük karenin etkisini uzun süre atamıyorum üzerimden.

Haşim gülerek karşılık veriyor Ömer'e. Sonra da, benim yüzümün kıvrımlarında gezdiriyor sıcacık gülüşünü. Birbirine küs iki küçük çocuğa aynı anda ağabeylik eder gibi; uzlaştırıcı, hoşgörülü...

Benzer şekilde, Haşim'le beraberken, Arif'le karşılaştığımız da oluyor. Onun yaklaşımı Ömer'inkinden çok farklı. Yüzüne düşüveren bir anlık gölgeyi kirpikleriyle toparlayıp, gözkapaklarının altında saklı tutmayı çok iyi beceriyor. Merhabalaşıyoruz, konuşuyoruz... Davranışları doğala yakın.

Haşim'in olmadığı ortamlarda da arkadaşlık ilişkilerimizi sürdürebiliyoruz Arif'le. Belki, Ömer'le olandan daha az şey paylaştığımızdan; belki de paylaşımlarımızı şiirlerin, dizelerin büyülü dünyasına hapsetme becerisini gösterebildiğimizden.

Her ne olursa olsun; keşke Ömer'le de, hiç değilse bu kadarcık bir arkadaşlığı sürdürebilseydik, diye hayıflanmaktan kendimi alamıyorum. Onunla yaşadığımız küskünlük altüst ediyor beni; bir yanımı eksik bırakıyor sanki...

İlişkimiz yolunda gidiyor gibi görünse de, Esin'le Korhan'ın beraberliğine benzer çizgide, bulutların üzerinde gezindiğimi söyleyemem. Bunu engelleyen nedenlerin başında, tüm gayretlerime karşın, beni arkadaşlarımdan uzak tutan gelişmelere ayak uydurmakta zorlanmam geliyor.

Sinema, tiyatro ve okul dışındaki farklı ortamlarda yenilen yemeklerde, tek arkadaşım Haşim. Görünürde, davranışlarıma yönelik bir kısıtlama yok. Ama ben, onsuz bir yere gitme yasağını, kendimce uygulamaya başladım bile.

Arkadaşlarımla en son ne zaman sinemaya gittiğimi çoktan unuttum. Erken biten bir dersin ardından, grup halinde bir yerlere gitme önerileri, kendi ördüğüm kalın duvarların dışında kalıveriyor.

Onlara katılmak yerine Haşim'in dersten çıkışını beklemeyi yeğliyorum. Gitsem, tepki göstereceğini sanmıyorum. Ama, onu beklediğimi görünce yüzünde beliriveren hoşnutluk ifadesi de gözümden kaçmıyor.

Kendimden, alışkanlıklarımdan ödün vermek, hırçınlaştırıyor beni. İçimdeki dalgalanmaların dışa yansımasını perdelemek için, davranışlarımda değişiklik yapmak zorunda kalıyorum. Bu da beni ben olmaktan uzaklaştırıyor ne yazık ki...

11

Haşim'le ve arkadaşlarımla olan paylaşımlarımı dengeleyememenin sıkıntısı, Safranbolu'ya yapacağımız iki günlük bahar gezisiyle, iyice su yüzüne çıkıyor.

Başını Ömer'le Turan'ın çektiği gezi grubu, 19 Mayıs tatilinde sınıfça Safranbolu'ya gidileceği müjdesini veriyor. Gereken araştırmalar yapılmış; otobüsler, kalınacak pansiyonlar ayarlanmış.

"Yalnız bizim sınıf," diye üzerine basa basa vurguluyor Ömer. "Yabancı yok!"

"Ne yani," diyor Esin. "Korhan gelemez mi?"

"Gelemez!"

Tavrının yalnızca bana yönelik olduğunu çok iyi biliyorum. Haşim gelmek istese, ağzını bile açamayacağını bildiğim gibi...

Ama böylesi, benim de işime geliyor. Arkadaşlarımla baş başa olmanın, tatil sevincini onlarla paylaşmanın dayanılmaz çekiciliğine kaptırıyorum kendimi.

Annemle babamdan önce Haşim'e anlatıyorum durumu. Ondan izin almam gerekiyormuş gibi.

"İyi," diyor. "İkimiz için de değişiklik olur..."

"Yalnız bizim sınıf," diyorum. "Otobüsleri, kalınacak yerleri ona göre ayarlıyorlar."

Umursamaz bir tavırla gülüyor.

"Ben de arabamla gelirim."

İçimden geçenleri söyleyebilsem, "Ne olur gelme!" diyeceğim. Ama buna gücüm yok.

Ne olur gelme...

İzin ver, arkadaşlarımla da bir şeyleri paylaşabileyim.

Senin yanındaki tutukluğumu onlarla aşabilirim belki. Buna fırsat tanı. Gene senin yanına döneceğim nasılsa...

Yalnız kendine tutsak etme beni. Farklı dünyaların insanı olmaktan çıkarıp küçücük bir hücreye kapatma Piraye'yi.

Orada yitiveririm ben...

Geride kalacak yıkıntının sana da bir hayrı olmaz.

Beni ben olmaktan çıkarma Haşim...

Beni ben olmaktan...

Beni ben...

"O gün sabah işim var zaten," diyor. "Oral cerrahi ders notlarını fotokopiyle çoğaltıp, tatil ertesi sınıfa dağıtmamız gerek. Sabah yolcu ederim seni. Öğlen saatlerinde de arabaya atladığım gibi..."

Yaptığı plana aynı hevesle alkış tutmamı bekliyor benden. Yapamıyorum.

Fotokopi işinin bahane olduğunu çok iyi biliyorum. Bizimle gelmek için, kendinden aşağı sınıftaki birilerine ricacı olmayı yediremiyor kendine. Zayıf bir olasılık da olsa, ters bir yanıtla karşılaşmayı göze alamıyor belki de.

İyi ki, "Bırak arkadaşlarını; beraber, arabayla gidelim," demiyor.

Buna da şükür!

✤✤✤

Ne kadar karşı çıksam, engel olamıyorum. Annem de babam da beni yolcu etmekte kararlılar.

Her gün gittiğim yer, ne gerek var; otobüsler okulun önünden kalkacak, yolundaki itiraz sözcüklerimi duymuyorlar bile.

Neden böyle davrandıklarını biliyorum aslında. Haşim'le en kolay tanışma yolu, diye düşünüyorlar. Evden uzak bir ortamda, tarafsız sahada...

Muratlarına da eriyorlar. Haşim bizden çok önce gelmiş, kapıda bekliyor.

Sabahın köründe, bir yanımda iki dirhem bir çekirdek giyinmiş annemle babam; diğer yanımda gri takım elbisesiyle farklı bir şıklık sergileyen, görücüye çıkma heyecanı içindeki Haşim...

Tanışıyorlar.

İki taraf da hazırlıklı. Sıradan sözcükler gidip geliyor aralarında.

Katılmıyorum onlara. Zaten, buluşma nedenlerinin ben olduğumu unutmuş gibi; birbirlerini ölçe tarta, bensiz de pek güzel sürdürüyorlar konuşmalarını.

Bizi götürecek otobüslerin kapıya yanaşmasıyla bölünüyor sözleri. Haşim el çantamı alıp benimle beraber otobüse biniyor. Çantamı üst bölmeye, beni de oturacağım koltuğa yerleştirdikten sonra, içi rahat etmiş bir ebeveyn edasıyla tekrar aşağıya iniyor.

"Hadi bakalım, yolcu kalmasın! Kalkıyoruz..." diye bağırıyor Turan.

Kimsenin annesi babası gelmemiş yolcu etmeye. Korhan bile yok ortada.

"Bu saatte ayılamaz ki," diye gülüyor Esin.

Sıkıntıyla bakıyorum uğurlayıcı grubuma. Bir an önce hareket etmenin, ilkokul çocuğu durumuna düştüğüm bu ortamdan uzaklaşıvermenin sabırsızlığı içindeyim.

Tekerleklerin dönmesiyle, içimde çelimsiz bir sevinç oluşuveriyor. Her geçen saniye biraz daha güçlenip beni kollarına alacak, yalnızca bir günlük, buruk bir sevinç...

"Hayırlı yolculuklar millet!" diyor Turan.

Bu gezideki tur rehberimiz... Diğer otobüste, aynı görevi Ömer üstlenmiş.

Yanımda Esin oturuyor. Korhan'ın yıl sonu sınavlarına hazırlanma gerekçesiyle gelmeye yeltenmemesi canını sıkmış gibi.

"Aferin Haşim'e," diyor. "Öncelik sıralamasını iyi yapıyor. Korhan'ın ondan öğreneceği çok şey var..."

Yanıt vermeyi gereksiz buluyorum. Düşüncelerimi onunla paylaşmaya kalksam, bana katılmayacağını çok iyi biliyorum.

İlk durağımız, yol üstünde bir dinlenme tesisi. Yola erken çıkmamızın doğal sonucu, kimse kahvaltı yapmamış henüz.

Tüm iç sıkıntılarımı geride bırakıp, arkadaşlarımın arasına karışıveriyorum.

Herkes bir şeyler çıkarıyor çantasından. Ben de annemin yaptığı peynirli poğaçayla kurabiyeyi masanın üzerine koyuyorum. Neşe içinde, güle söyleye kahvaltı ediyoruz.

Bu havayı ölesiye özlediğimi düşünüyorum. Bu havayı ve onu özgürce solumayı...

Yeniden yerlerimize dönerken, Ömer bizim otobüsümüze geliyor. Turan da diğerine...

"Yeni hostesiniz hizmetinizde," diyor Ömer eski günleri çağrıştıran neşeli haliyle.

İyi bir yol arkadaşı olamayacağını baştan söylemişti Esin. Otobüs tutmasına karşı aldığı ilacın da etkisiyle mışıl mışıl uyuyor. Ben de pencereden dışarıya bakarak, bir sıra önümdeki ya da arkamdaki arkadaşlarıma laf yetiştirerek kendimi oyalamaya çalışıyorum.

Kolonyalı mendil dağıtıyor Ömer. İki adımda bir mola vererek, akla gelmeyecek espriler döktürerek...

Bizim sıraya geldiğinde, "Buyurun efendim," diye mendil sepetini önüme uzatıyor.

Sonra da, başını cama dayamış uyuyan Esin'e ilişiyor gözü.

"Arkadaşlar," diyor yüksek sesle. "Esin Sultan, düşler âleminin derinliklerinde yolunu kaybetmiştir. Haberiniz olsun..."

Bir tane kendime, bir tane de Esin için mendil alıp, "Teşekkür ederim," diye mırıldanıyorum.

Yürüyüp gidecek diye beklerken, hiç ummadığım bir şey söylüyor bana.

"Ön tarafta boş yer var. İstersen gel, sıkılmazsın..."

Yalnızlığımın ayrımında, sevecen bir arkadaşın doğal davranışı gibi görünüyor; ama böyle bir önerinin sahibi Ömer olunca, bu sıradan sözcükler bile farklı bir boyut kazanıyor gözümde.

Daha fazla duraksamadan, koridorun arka tarafına doğru, güle söyleye yoluna devem ediyor Ömer.

Tüm mendilleri dağıtıp geri dönerken, yanımda duruyor. Hadi, gibisine başını sallıyor.

Kararsızlığın zamanı değil Piraye! Ömer'le eski dost günlerinize dönmek isteyen sen değil miydin? Tamam işte. Böyle bir fırsat bir daha eline geçmeyebilir...

Ömer'in bana önerdiği boş yer, otobüsün koridorundan bir basamak aşağıda, sürücünün yanındaki yardımcı koltuğu.

"Gel," diyor Ömer, davetini kabul etmemin hoşnutluğuyla. "Şöyle oturabilirsin."

Kendisi ayakta. Yüzü otobüstekilere dönük, esprilerini sürdürüyor. Sürücüden aldığı bilgiler doğrultusunda, geçtiğimiz yerler hakkında açıklamalar yapıyor.

"Biraz da müzik dinleriz, değil mi?" diyerek kasetçalara bir kaset koyup bana dönüyor sonunda.

Asıl niyetinin müzik dinlemek ya da dinletmek değil, benimle konuşmak olduğunu tahmin edebiliyorum.

Otobüsün sağ göğüs kısmına dayanıp bir süre öylece yüzüme baktıktan sonra, sesinde alaylı bir tınıyla konuşmaya başlıyor.

"E, Piraye Hanım, keyifler nasıl bakalım?"

"Bizimki iyi, sizinkini sormalı," diyorum aynı alaycı tavırla.

Birden ciddileşiveriyor. Gözlerini yüzüme dikiyor.

"Niyetin ne senin?" diye tepeden inme soruveriyor.

"Hangi konuda?"

Anlamamış görünüp zaman kazanmaya çalışmam boşuna.

"Lafı dolandırma," diyor. "Haşim'le olan beraberliğinizi soruyorum."

"Bir başlangıç yaptık," diyorum gitgide cılızlaşan sesimle. "Nasıl süreceğini ben de bilemiyorum."

"Demek bir başlangıç yaptınız?" diye buruk bir gülüşle başını sallıyor.

Orada yitmek, yok oluvermek arzusuyla yanıp tutuşuyorum. Onun karşısında, suçlu konumunda olduğumu duyumsamaktan nefret ediyorum. Suçluluk duymamın nedenini de çözemiyorum. Başkalarının yanında sergilediğim rahat tavırlarım, Ömer'in karşısında kişiliklerini yitiriyorlar.

"Nasıl süreceğini Haşim Ağa'ya sormak gerekir aslında," diyor. "Ama şu anda karşımda sen varsın."

Geç kaldın bunları konuşmak için, diyemiyorum. Senden yardım beklediğimde neredeydin, diye hesap da soramıyorum. İzin almadan, yapmaması gereken bir şeyi yapmış çocuğun eizkliğiyle başım önümde, sorgulanmayı bekliyorum.

"Seviyor musun onu?"

Gözleri ateş gibi. Bakamıyorum. Kavurgan bir yalımın ortasında erimekteyim.

"Bilmiyorum. İyi bir insan... Bana karşı anlayışlı."

"Yeter mi bunlar? Bir insanın iyi ve anlayışlı olması, bir ömür boyu onunla beraber yaşaman için yeter mi?"

"İşin o boyutunu düşünmedim henüz. Uzun soluklu kararlar için, daha çok erken..."

"Ateşle oynuyorsun Piraye! Haşim Bey'le oyun olmayacağını öğrenemedin mi daha? Böyle bir beraberliğin ardından, 'Ben gidiyorum, hoşça kal' diye bırakıvereceğini mi sanıyorsun onu? Hiç tanımamışsın Haşim Ağa'yı sen..."

Kapana kısılmış gibiyim. Anlattıklarındaki gerçek payı mı ürkütüyor beni, yoksa izlediği acımasız sorgulama yöntemi yüzünden mi böyleyim, bilemiyorum.

Bir yandan da Haşim'e haksızlık ettiğimi düşünerek, kendimi suçluyorum.

Yaptığımız bu konuşmayla onu sırtından vurmuş olmuyor muyuz? Ortaklaşa işlediğimiz suçun yalnızca benim omuzlarıma yükleneceğini, kendisinin ise izleyici ve yorumcu konumuyla işin içinden sıyrılıvereceğini biliyor Ömer. Belki de, bir zamanlar kendisine yapılan haksızlıkların diyetini ödetiyor bana. Ama, istesem de kızamıyorum Ömer'e.

Kızdığım gene benim. Onunki yetmezmiş gibi, bir de ben yargılıyorum kendimi. Ama farklı bir yaklaşımla, farklı bir suçlamayla...

Ömer'e verdiğim yanıtları sorguluyorum ben.

İsteyerek, kendi irademle girdim bu işe, demeliydim. Öyle kararlı konuşmalıydım ki, karşımdaki Ömer bile olsa, hesap sorma hakkını görememeliydi kendinde.

İçinde boğuştuğum çelişkili duyguların birbirine baskın çıkmak uğruna verdiği savaşım, beni, tüm benliğimi önüne katmış, oradan oraya sürüklerken, nasıl yapabilecektim bunları? Bu kadar gücüm var mıydı benim? Özellikle de Ömer'in umarsız bakışları gözlerime kilitlenmişken...

"Evet arkadaşlar," diyor Ömer. "Sapanca'ya hoş geldiniz! Burada iki saatlik bir balık molası vereceğiz. Hepinize afiyet olsun."

Otobüsten inip, geniş bir cepheyle göle açılan kır lokantasına doğru yürüyoruz.

Garsonlar, çimlerin üzerinde dağınık duran masaları uç uca getirip, ortak yemek alanımızı genişletmeye çalışıyorlar.

Ömer'le beraber indik otobüsten; ama yürürken, Turan'ı aramıza alması gözümden kaçmıyor. Masada da Turan'ın bir yanında ben, bir yanında Ömer olacak şekilde oturuyoruz.

"Milletin gözü üzerimizde zaten," diyor Turan'a. "Şöyle aramıza geç de, iyice sakız olmayalım ağızlarına..."

Bu da işin bir başka boyutu. Önce, Ömer'le olan arkadaşlığımıza kendilerince yakıştırmalar yapan sevgili arkadaşlarımız, tam da Haşim'le beraberliğimize alışmaya çalışırken, gözleri önünde eski günleri çağrıştıran bir yakınlaşmaya tanık olunca, duruma bambaşka yorumlar getirebilirler. Ve hiç de haksız sayılmazlar doğrusu...

Balıklarımızı söylüyoruz. Yanına da bira...

Önce, buz gibi soğutulmuş biralarımız geliyor.

Turan, hemen yanımda oturmanın verdiği sorumlulukla, benimkini bardağıma boşaltıyor.

Ömer garsonun açtığı şişenin ağzını bardağa yapıştırmış, öylece bakıyor. Bakılmayacak gibi değil! Şişeden bira yerine bembeyaz köpük fışkırıyor. Bardağın tümünü kaplayan, Ömer'in şişeyi inatla geri çekmemesi yüzünden, gitgide artan bir hızla taşıp, masanın üzerinde bir kabarcık yumağı oluşturuveren; o güne kadar benzerini ne gördüğümüz, ne de duyduğumuz garip bir köpük...

"İşte," diyor Ömer. "Benim gibi; bana, payıma düşen de hep böyle kof bir köpük..."

Olduğum yerde büzüşüp kalıyorum. İletinin bana ulaşmasını istediği ortada.

Garsonun masayı temizlemesini, yeni bir bira şişesini getirip Ömer'in önüne koymasını, beynimden geçenlerin gölgesiyle grileşmiş bir tül perdenin ardından izliyorum.

Hemen ardından masaya gelen, mis kokulu balıklardan bir lokma yiyecek halim kalmıyor.

Yemek dönüşü, otobüsün önündeki geçici yerime değil, Esin'in yanına oturuyorum.

“Ne o öyle, Ömer’le yakınlaşmalar falan?” diye şaka yollu takılıyor Esin. “Haşim’e söylerim ha...”

Sözlerinin içeriği, bir anda Haşim’e taşıyor beni.

Onun gelmesini istediğimden emin değilim. Bile isteye, beraberce yaptığımız başlangıcın sürmesini, yeni ivmeler kazanmasını arzuladığımdan emin olmadığım gibi.

Birbirine yakın iki pansiyon ayarlamış Ömerler.

Dış görünüşleriyle kartpostallardan fırlayıp karşımıza dikildiklerini düşündüren, farklı mimarideki Safranbolu evleri...

Binanın içinde ilk dikkatimi çeken, tavanların yüksekliği oluyor. Odalar tertemiz; aydınlık ve ferah.

Çantalarımızı bırakıp Safranbolu’yu turlamaya çıkıyoruz.

Daha önceleri yalnızca resimlerden tanıdığımız bu farklı ortamın bir parçası olmak çok güzel. Ellerimizde fotoğraf makineleri, “Ben Safranbolu’dayken,” diyebileceğimiz kareleri yakalama yarışındayız.

Akşam saatlerinde, pansiyona döndüğümüzde, bir bekleyenim olabileceğini az çok tahmin edebiliyorum.

Yanılmıyorum da. Şaşmaz bir saat hassasiyetiyle, öngördüğü zamanda Safranbolu’ya ulaşmış Haşim. Pansiyonun girişinde oturmuş bekliyor.

Bizi görmesiyle yerinden fırlaması bir oluyor. Yanıma gelip, sımsıkı kucaklıyor beni. Cansız bir et bebek gibiyim kollarında... Kendi coşkusunun yanında benim tutukluğumu ayrımsamıyor bile.

Herkes akşam için hazırlanmak üzere odalarına çekiliyor. Salonda karşılıklı oturuyoruz Haşim’le. Ancak o zaman sıyrılıyor aymazlığından.

"Neyin var senin?"

"Yoruldum galiba. Yoğun bir gündü."

"Canını sıkacak bir şey olmadı ya..."

"Ne olabilir ki? Arkadaşlarımla geçirdiğim, belki de en güzel gündü benim için..."

"Umarım benim varlığım bu güzelliği bozmuyordur."

Sitemli, iğneleyici ama bir o kadar da hüzün içeren; kırılmışlığını, incinmişliğini ileten sözler bunlar.

Hayır, hak etmiyor bunu! Ona böyle davranamam. Bunca yolu sırf benim için kalkmış gelmişken, ufacık bir yakınlığı ondan esirgemem yakışık almıyor.

Bu ters tavrımın, yaşadığım çelişki dolu gelgitlerden, Ömer'le konuştuklarımızdan kaynaklanmadığını yineleyip duruyorum içimden. Böylesi işime geldiğinden belki... Ya da beni temize çıkaracak tek tutanağım olduğundan.

Evet evet, beni böyle davranmaya iten; yalnızca, arkadaşlarımla paylaşımlarımın kısıtlanacağı korkusu. Haşim'le aynı ortamdayken, onlarla yeterince ilgilenememem. Başka hiçbir neden yok.

"İzninle," diyorum. "Odama çıkıp üstümü değiştirmem gerek..."

Akşam, klasik Türk müziği icra edilen, bu tür müziğin yaraşacağı tarzda döşenmiş; duvarlarından tavanına, koltuk döşemelerine kadar Türk motifleriyle bezeli, nezih bir gazinoya götürüyorlar bizi.

Ortamın sıcaklığı, Haşim'le aramızda, benim tarafımda oluşmaya yüz tutan buzları eritmeye yetiyor.

Meze türü, geleneksel Türk mutfağının en güzel örnekleri, küçük tabaklarda masalara serpiştirilmiş. Bir yanda ağız tadı, diğer yanda Türk musikisinin eşsiz eserlerinin gönüllerimizde bıraktığı tat... Hangisini hangisine katık edeceğimizi bilemiyoruz.

İçkiyle arası pek iyi olmayan Haşim bile, "Şarap içelim bu akşam," diyor.

Uzaktan uzağa, Ömer'i bir görüp bir kaybediyorum. Aldığım bir kararla, son kaybettiğim noktayı sabitleştiriveriyorum.

Ne var ki; gözlerimin, garsonun getirdiği beyaz şarabın Haşim'in kadehine doluşuna takılmasını önleyemiyorum. Şarabın köpürmesini, bembeyaz köpükler halinde masaya taşmasını bekliyorum... Öyle olmuyor. Şarap da en az içinde bulunduğumuz ortam kadar mükemmel. Sahibine, Haşim Bey'e yakışır bir uyumla, kadehle bütünleşiveriyor.

"Beraberliğimize," diyor gözlerinin içine kadar gülerek.

"Beraberliğimize," diyorum, gözlerimin içine kadar gülmeye kararlı...

12

Safranbolu anılarını, unutulmazlarım arasına özenle yerleştirip günlük yaşamıma dönüyorum. Ancak, benim için sıradan bir gezinin çok ötesinde anlamlar taşıdığını yadsıyamadığım bu küçücük zaman diliminin yansıması hâlâ üzerimde.

Haşim'le el ele çıktığımız yolda, duraksama safhasını aşıp, emin adımlarla yürümeye başladığımızı görebiliyorum.

Diğer kazanımım ise Ömer! Söylediklerinin etkisinden kurtulmanın zorluğu bir yana bırakılırsa, eskisi kadar olmasa da onunla arkadaşlık ilişkilerimizi yeniden canlandırmamız, benim yönümden rahatlatıcı. Üçümüzün birden bulunduğu ortamlarda, Haşim'in varlığından huzursuz olmuyorum artık.

Kantinde oturmuş, gezi yüzünden biriken ders notlarımı temize çekiyorum.

"Haşim Ağabey buralarda mı?"

Başımı kaldırıp bakıyorum. Selami! Haşim'in sınıf arkadaşı.

Bir "Merhaba" bile demeden, Haşim'i sorup kaçıverecek yanımdan. Her zaman olduğu gibi.

"Gelecek şimdi," diyorum. "Sinemaya gideceğiz."

Başını sallayıp gitmeye hazırlanıyor.

"Oturun isterseniz," diye karşımdaki sandalyeyi gösteriyorum.

Bir anlık kararsızlığın ardından, ilişiveriyor sandalyeye.

Ne zamandır ayrımındayım; Haşim'in arkadaşlarının çoğu, benim varlığımdan ve beraberliğimizden rahatsızlar. Nedenlerini de az çok tahmin edebiliyorum. Haşim pek anlatmasa da, sözlerinin satır aralarında yakaladığım ipuçları bana yetiyor.

"İstanbul kızı"yım ben! Onlara göre şımarık, dışa dönük, gereğinden fazla hareketli; hatta biraz uçarı... Böyle bir kızı Haşim ağabeylerinin yanına yakıştırmıyor olmalılar. Açık açık söylemeye cesaret edemeseler de kabullenmeyen tavırlarıyla Haşim'i etkilemeye çalıştıkları ortada.

Bildiğim kadarıyla hiçbirinin kız arkadaşı yok. Aslında, olmasını istediklerini, ama bunu beceremediklerini de düşünmüyor değilim.

"Farmakoloji notları," diyorum. "Bir de bunları çalışması var..."

"Evet," diye onaylıyor. "Dozların ezberlenmesi, akılda tutulması epey zor."

"Söz verdi Haşim, bana yardımcı olacak. Beraber çalışınca işler kolaylaşıyor."

Yüzünden belli belirsiz bir gölge geçiyor.

"Sizin böyle beraber çalışacağınız ya da farklı şeyleri paylaşacağınız birisi yok mu?"

Hayretle bakıyor yüzüme. Böyle bir soruyu beklemediği belli. Bense, sözü şöyle bir dolandırıp, istediğim noktaya getirmenin keyfini yaşıyorum.

"Yok," diyor usulca.

"Son sınıftasınız artık... Özel bir arkadaşınız olmasını istemez miydiniz?"

"İstemekle olmuyor," diye gülüyor. "Doğru insanı bulmak zor."

"Bunun için biraz araştırıcı olmak yeter."

"Haklısınız. Okul bittikten sonra, bu iş anneme düşecek sanırım."

"Yani, anneniz size bir kız bulacak. O da evlenmek için... Öncesinde hiçbir şeyi paylaşmadan, yaşamlarınızı birleştireceksiniz."

Gülerek başını sallıyor. Konuştuklarımdan, tam da kafasında canlandırdığı gibi, uçuk çizgilerde gezindiğimi düşünüyor olmalı.

"Bu işi anneniz yerine başkaları da yapabilir. Madem bir aracıya gereksinim duyuyorsunuz..."

Meraklı bakışları üzerimde, sözlerimi sürdürmemi bekliyor.

"Örneğin, benim teyzemin çok güzel bir kızı var..."

Birden canlanıveriyor. Gözleri ışıl ışıl.

"İstanbul'da mı? Okuyor mu?"

"Evet, burada. Edebiyat Fakültesi'nde okuyor. Ha... Bir de... İkizim kadar benzer bana."

"Gerçekten mi?" diye heyecanla sandalyesini biraz daha yaklaştırıyor masaya.

"Yalnız, o benim kadar hareketli değil; oldukça ağırbaşlı."

"Bu iyi işte!"

İçinden geçenleri ayna gibi açığa vuruyor. Benim de istediğim bu zaten.

"Tanışmak isterim kendisiyle," diye atağa bile geçiyor Selami Bey!

"Haşim'le beraber, sizi karşılaştırırız bir gün..."

"İyi olur."

Onun sabırsız bakışlarının gerisinde, Haşim'in yüzü beliriyor.

"Merhaba," diyor ikimize de. "Bakıyorum sohbeti koyultmuşsunuz."

Bana karşı olduğunu bildiği bir arkadaşıyla kurduğum dostluğun sevinci içinde, sandalyeyi çekip oturuyor.

Ben de, Selami'yle konuştuklarımızı baştan sona, hiçbir yorum katmadan anlatıyorum.

Bana benzeyen, ama benden daha akıllı uslu bir teyze kızı, Selami'nin onunla tanışmaya can atması... Bunların ne anlama geldiğini hemen kavrıyor Haşim.

Selami, elinden gelse, tipi beni andıran birisiyle beraber olabilecek. Ama beni uçarı buluyor. Tanışacağı adayın ağırbaşlı oluşuna seviniyor.

Haşim'in Selami'ye yönelik; kızsam mı, gülsem mi ikilemindeki bakışlarını izlemek çok hoş. Selami'nin şahsında, tüm diğer arkadaşlarının da nasıl bir anlayışı paylaştıklarını, dolaylı yolla da olsa anlatabildim ya... Bu bana yeter.

"Yamansın!" diye fısıldıyor Haşim. "Mat ettin oğlanı..."

Bundan sonra, ben değişemeyeceğime göre, onların bana olan tavırlarını gözden geçireceklerini umuyorum. Kendileri bilirler...

13

Haşim'le tanıştıkları günden bu yana, annemle babamın dillerinden düşmeyen, bir akşam yemeğinde beraber olma önerilerini erteleyip duruyorum. Ama bu kez geri çeviremeyeceğim galiba.

"Cumartesi akşamı, Nusret amcanlarla ablanlar yemekte bizdeler," diyor babam. " Haşim'i de çağır; tanışmış olurlar..."

"Tamam," diyorum. "Söylerim."

Haşim, umduğum gibi, sevinçle karşılıyor bu daveti.

"Bu arada diğer konuları da konuşmuş oluruz," diyor.

"Hangi konuları?"

"Çocukluğu bırak artık Piraye... Mezun olmama ne kaldı şurada? Hazır, ailenle bir araya gelmişken, ne zaman ne yapacağımızı da belirlemiş oluruz."

"Benimle konuşmadan, ailemle konuşacaksın bunları yani..."

"Bu konularda senin yanına yaklaşılmıyor ki!" diye gülüyor. "Ama bak ne diyeceğim... Cumartesi sabahı, önce seninle konuşalım; çizgimizi belirleyelim. Akşam da aldığımız kararları onlara açıklarız."

Önceliği bana vermesi hoşuma gidiyor.

"Oldu," diyorum. "Nerede buluşacağız?"

"Kahvaltıya bana gel."

Şaşırıyorum. Haşim beni evine davet ediyor! İlk kez...

Benim yönümden bir sakıncası yok, ama bu konuda pek de hevesli değilim doğrusu.

Yanıtımı geciktirmemden alınmış gibi, "İstersen tabii," diye ekliyor.

Olmaz, desem sesini çıkarmayacak, biliyorum. Ama ona güvensizlik duyduğumu düşünmesini de istemiyorum.

"Neden olmasın? Saat kaçta geleyim?"

Yüzü aydınlanıveriyor. Bakışlarından bana doğru akan teşekkür seliyle sarmalandığımı hissedebiliyorum.

Cumartesi sabahı saat 10'da, elimde Haşim'in çok sevdiği fındıklı çikolatalarla kapının ziline uzanıyorum.

Hemen oracıkta bekliyormuş gibi, çarçabuk açıyor kapıyı.

Takım elbiselerinden arınmış, spor bir pantolonla gömlek giymiş Haşim. Bu haliyle alışılmışın ötesine yakışıklı olduğunu bir bilse...

Sahibini tanısam da, evin yabancısı olmanın verdiği çekingenlikle içeriye giriyorum.

İlk izlenimim, burasının bir bekâr evine hiç mi hiç benzemediği. Şampanya rengi duvardan duvara halı, modern çizgilerdeki şık koltuk takımı; dantel perdeler ve bu perdelerin ardında uzanan şahane Boğaz manzarası...

Oval bir kemerle salondan ayrılan yemek kısmına geçtiğimizde gözlerime inanamıyorum.

İpek, çiçek desenli işlemelerle bezeli bir örtü serilmiş yuvarlak masanın üzerinde, kusursuz bir kahvaltı sofrası bizi bekliyor.

"Bunların hepsini sen mi hazırladın?"

"Evet," diyor gururla. "Hepsi bu kadar değil..."

Kolumdan tutup mutfağa götürüyor beni.

"Omlet işini sona bıraktım. Sıcak olsun diye."

Onun, ummadığım bir ustalıkla, önceden hazırladığı yumurtalı karışımları tavaya döküp, havada hoplatarak çevirmesini zevkle izliyorum.

İçecek konusundaki seçeneklerimiz çok zengin. Taze sıkılmış portakal suyu, çay, kahve, süt...

Omletleri ve portakal suyu dolu sürahiyi alıp salona geçiyoruz.

Küçük sandviç ekmekleri, çeşit çeşit peynirler, zeytinler, reçeller başımı döndürürken, böyle bir sofrayı asla tek başıma hazırlayamayacağımı düşünüyorum.

Evin bu kadar düzenli olmasında, şu anda ortalarda görünmeyen ama varlıklarını bildiğim yardımcıların payı büyük; ama böyle bir sunuşun da hakkını vermek gerek.

"Harikasın Haşim!" diyorum. "Bu kadar becerikli olacağını düşünemezdim."

Masada, benim tabağımın önüne kırmızı bir gül var. Elime alıp kokluyorum.

"Teşekkür ederim," diyorum. "Her şey için..."

Kahvaltının sonlarına doğru, "Başlayalım mı artık konuşmaya?" diyor Haşim.

Her şeyi planlı, hangi dakika ne söylenecek, önceden belirlemiş.

"Başlayalım bakalım... Yalnız, ciddi yüzlü bir iş görüşmesi havasında olmasın lütfen."

"Ama, benim yaşamımda gerçekleştireceğim en ciddi iş bu," diye gülüyor.

Yerinden kalkıp, kapının girişinde asılı olan duvar takvimini alıyor, getirip masanın üzerine yayıyor.

"Bak," diyor. "Yaz başında mezun oluyorum. Ardından Diyarbakır'a gideceğim. Bir hafta sonra da ailemi alıp dönüyorum. (Gülüyor) Kız istemeye..."

Onlar kendileri gelemezler mi, gibi bir düşünce dolanıyor kafamda.

Aklımdan geçenleri okumuşçasına devam ediyor.

"Orada bazı hazırlıklarımız olacak haliyle... Sonra Piraye Hanımlar'ın kapısını çalacağız. Sanırım seni bana verecekler. Ve... söz keseceğiz. İsterseniz, nişanı da sözle beraber yapar gideriz. Ama, nişan olsun derseniz, bu iş için en uygunu sonbahar."

Karşımda görmüş geçirmiş, yaşını başını almış biri var sanki. Nişanın kız tarafına ait olduğunu ben de biliyorum. Seçimi bize bırakmakla, ailemi böyle bir yükün altına girmeye zorunlu kılmaktan kaçındığını gösteriyor. Haşim'e özgü, ince bir davranış daha...

"Sonbaharın bitimiyle, askerlik konusu gelecek gündeme. On sekiz ay... Üç ayı İzmir Sıhhiye Okulu'ndaki eğitim dönemi. Sonra da kurada nereyi çekersem orası... Benim askerliğimle senin okulunun bitişi başa baş geliyor. Güzel bir düğünü hak etmiş oluyoruz anlayacağın."

Onun her şeyi böyle inceden inceye düşünmesine karşın, hiçbir görüş üretmemiş olmanın sıkıntısı içindeyim.

"Söyleyecek söz bırakmadın bana Haşim!"

Masayı toplamaya kalkıyorum.

"Bırak," diyor. "Bizden sonra hallederler. Şimdi kahve zamanı. Türk kahvesi yapacağım sana."

Beni salonda, Boğaz manzarasıyla buluşturup mutfağa gidiyor. Birkaç dakika sonra elinde fincanlarla geri dönüyor.

"Biliyor musun Piraye," diyor. "Evlenme teklif ettiğim ilk kız sensin."

"Yaşamına giren ilk kız olduğumu iddia edemezsin ama."

"Yok," diyor. "O kadar değil..."

Manzaraya dalıyoruz bir süre.

Yumuşak bir sesle soruyor.

"Senin, fakülteden önce, çok erkek arkadaşın oldu mu?"

"Olmadı," diyorum. "Çocukça bazı yakınlaşmalar..."

Birden anımsamış gibi ekliyorum.

"Yalnız... Lise ikinci sınıftayken edebiyat öğretmenime âşık olmuştum."

"Sendeki edebiyat tutkusunun kaynağı anlaşıldı," diye gülüyor.

"Gerçekten de öyle. O yıl ne kadar şiir okuduğumu, asla tahmin edemezsin. Abdülhak Hamit Tarhan'ı bilirsin... Yetmiş beş yaşındayken, on sekiz yaşındaki Lüsyen Hanım'a âşık olmuş. Öğretmenimiz derste anlatmıştı bunu. O günden sonra, uzun süre, Lüsyen Hanım gibi hissettim kendimi."

"Karşındakini de Abdülhak Hamit gibi görerek tabii."

"İyi de... sen bana neden fakülte öncesini soruyorsun?"

Geniş bir gülümsemeyle aydınlanıyor yüzü.

"Ondan sonrasını biliyorum."

Hayretle irkiliyorum. O ise bana aldırmadan devam ediyor.

"İlki şu Balıkesirli çocuk değil miydi?"

Kıpkırmızı olduğumu, alev alev yanan yanaklarımdan tahmin edebiliyorum.

"Biraz da Ömer galiba..." diyor alçak sesle.

"Adı konmamış, yakın bir arkadaşlık yalnızca," demek zorunda kalıyorum.

Ama Nevzat'ı bilmiyor Haşim. Onun, ailesiyle ortaklaşa karar verdikleri evlenme teklifi için beni pastaneye götürüşünü, yaşadığımız gülünçlükleri, arkadaşlarımın eğlenceli yorumlarını anlatıyorum.

"Bizde iç güveyi derler. Demek onlar da seni iç gelini olarak alıvereceklerdi..."

İkimiz birden kahkahalarla gülüyoruz.

Birden, aklıma farklı düşünceler üşüşüveriyor.

"Benimkiler bu kadar," diyorum. "Ya sen? Benden önceki kız arkadaşlarını anlatmayacak mısın bana?"

"Karşılıklı hesap verme günü desene..."

Aslında bunu bile önceden tasarlamış olduğunu düşünüyorum. Geriye dönüp baktığımızda, birbirimizden gizli hiçbir şeyimiz kalmasın diye...

"Dünü dünde bıraktım ben. Senden öncesi yok artık."

"Kaçamak yollara sapmakla kurtulamazsın! Anlatacaksın..."

"Gerçekten, kayda değer hiçbir şey yaşamadım senden önce. Ufak tefek yakınlaşmalar dışında..."

"Tamam işte. Sen de onları anlatırsın."

"Lisedeyken, bir Nurten vardı," diye başlıyor Haşim. "Arkadaşlarımız bizi birbirimize pek yakıştırırlardı nedense... Bir süre mektuplaştık onunla."

"Yalnız mektup arkadaşlığı olduğunu söyleme sakın."

"Diyarbakır, İstanbul'dan çok farklıdır Piraye. İkili ilişkiler göz önünde, uluorta yaşanmaz. Hele lise sıralarında..."

Bu sözlerle bana gönderme yapıp yapmadığını kestirmeye çalışıyorum.

"İyi ki İstanbul'da değilmişsiniz!"

"Sonra, lise son sınıfta..." deyip susuveriyor.

"Ee?" diye merakla bakıyorum yüzüne.

"Bunu anlatmasam daha iyi. Yanlış anlamandan korkuyorum."

"Ayıp sana. Korkacak ne var? Hadi, çöz dilini..."

"Nevin Abla... Ablamın arkadaşı. Nasıl olduysa tutulmuş bana. Evli, üç tane de çocuğu var üstelik. Ders çalışırken yanıma gelmeler... Sevdiğim yemekleri pişirip getirmeler... Uzun süre anlamazdan geldim."

"Bak hele! Neler de yaşanabiliyormuş Diyarbakır'larda... Sonra?"

"Sonrası yok. Zaten onun da benden herhangi bir beklentisi olamazdı. Yaşamındaki olumsuzlukları paylaşmak, dertlerini anlatmak yetiyordu ona."

"Peki, ya senin duyguların? Hiçbir şey hissetmedin mi ona karşı?"

"Çok gençtim o zamanlar. İlgi görmek hoşuma gitmedi, desem yalan olur. Ama ona kapılmayacak, çılgınlıklarına ortak olmayacak kadar aklım başımdaydı. Kısa bir süre sonra da, benden karşılık göremeyince, vazgeçti zaten."

"Ya fakülte yılları?"

"İstanbul çok farklı bir ortamdı benim için. İlk yılım, çevreye ayak uydurma çabalarıyla geçti. Arkadaş grubumu biliyorsun. Genellikle Doğulu gençler... Burada birbirimize kenetlenmiş gibiyiz. Kendi yarattığımız zinciri kırmamız, tek bir halkasını bile koparmamız çok zordur. Birimizin kız arkadaş edinmesi, hepimizi olumsuz etkiler nedense."

"Benim varlığımın arkadaşlarındaki yansıması gibi yani..."

"Evet. Gene de, Tıp Fakültesi'ndeyken Bursalı bir kız arkadaşım oldu benim."

"Ne kadar sürdü?"

"Yalnızca iki ay. Beraberliğin getirdiği kısıtlamalardan; onun benmerkezci, bencil davranışlarından bunalıverdim."

Gülerek ekliyor.

"Uygun ortamlarda beraber olmamıza karşın, elini bile tutmadım inan ki... İçimden gelmedi."

"Bizim fakülteye geçtikten sonra? Bunca yıldır hiç kimse olmadı mı yaşantında?"

"Oldu. Ama burada değil, gene Diyarbakır'da."

Sesini alçaltması, birden durgunlaşıvermesi, asıl anlatacaklarının geride olduğunun habercisi gibi.

"Serap... İlk yarı yıl tatilinde Diyarbakır'a gittiğimde gördüm onu. Tam bizim karşımızdaki bahçeli, küçük eve taşınmışlardı."

"Komşu kızı yani," diyorum biraz alayla.

Gülmüyor Haşim. Onun bu ciddi duruşunda ürkütücü bir şeyler var.

"Evet," diyor. "Sık sık bize gelip giden; annemle, ablamla yarenlik eden, bu arada beni de aklından çıkarmayan bir komşu kızı... Uzunca bir süre arkadaşlığımız oldu onunla."

"Ne kadar?"

"İki yıl. Ben İstanbul'dayken mektuplaşarak, tatillerde görüşerek..."

Hiç beklemediğim bu açıklama, derinden sarsmaya yetiyor beni. Üstelik, anlatış şeklinden, aradaki ilişkinin Haşim'i ne derece etkilemiş olduğunu da görebiliyorum.

"Neden ayrıldınız?"

"Annemler hemen anladılar durumu ve karşı çıktılar."

"Neden?"

"Diyarbakır şartlarına göre serbest sayılabilecek bir kızdı Serap. Benden önce de pek çok erkek arkadaşı olmuş. İlişkimizin evliliğe uzanmasından korkuyordu ailem. Hemen tavırlarını koydular."

Biraz duralıyor Haşim. Sonra, gözlerini benden kaçırarak, kaldığı yerden devam ediyor.

"Bizim baba-oğul ilişkilerimiz buradakilere benzemez. Babam karşısına alıp da bu konuları konuşmaz benimle. Annemin aracılığıyla, 'Bu kızdan vazgeçsin; ona araba alayım,' dediğini öğrendim."

Kaynağına inmek üzere olduğum bilinmeze adım adım yaklaşırken, çılgınca bir öfke her yanımı sarmakta...

"Yani, altındaki arabayı, o kızdan ayrılmana mı borçlusun?"

"Hayır, bu arabayı sonradan aldım."

Her şey apaçık ortada. Sevmiş o kızı! Ailesi engellemese evlenirmiş de... Ancak Haşim'in, tutkuyla bağlandığı birinden, bir araba aldatmacasıyla ayrılabilmesi kabul edilir gibi görünmüyor.

"Babanın verdiği rüşvet ayırdı sizi, desene..."

"Asla! Karşında duran insanı derinlemesine tanımadan, ilgi duyabilirsin ona; hatta sevebilirsin de... Ama paylaşımlar çoğaldıkça, olumsuz yönler su yüzüne çıkmaya başlar. Bizde de öyle oldu. Önce kafa yapısının bana uymadığını ayrımsadım. Sonra da, evlilik sözcüğünü durmadan yinelemesinden sıkılmaya başladım. Ailemle düştüğüm çelişkili konumdan, onu suçlar oldum. Ve... sonunda kopuverdik."

Kendi isteğiyle ayrılmış. Öyle diyor. Ama artık, anlattıklarının akla yatkınlığı ya da gerçekliği konusunda fikir yürütecek halde değilim. Kabullenmek istemesem de, kıskançlık diyebileceğim, yabansı bir duygunun pençesinde kıvranıyorum.

"Nerede şimdi bu kız?"

"Geçen yaz evlendi. Erzurum'a gelin gitti. Biliyor musun, söz kesileceği gece bile, 'Kaçalım,' diye haber yolladı bana."

"Ne büyük aşkmış böyle... Evlendikten sonra da görüştünüz mü?"

"Bir kez, kocasıyla beraber pastanede otururlarken gördüm onları."

"Kim bilir nasıl etkilenmişsindir..."

"Düşündüğün gibi değil. Ama, seni görmesini çok isterim."

İsyan halindeyim. Evlenmiş gitmiş bir insanın kocasına karşı, benim sahneye çıkmam isteniyor. Aşağılanmak değil de nedir bu?

"Sen de ona benimle nispet yapacaksın yani..." diyorum sakin tutmaya çalıştığım sesimle.

"Yok canım, artık hiçbir önem taşımıyor benim için. Ama seninle nasıl gurur duyduğumu, herkes gibi o da bilmeli."

Öfkemi yatıştırmaktan çok uzak bu sözler. Patlamak üzereyim; ama, henüz öğrenmek istediklerimi bitirmediğimi düşünerek, kendimi frenlemeye gayret ediyorum.

"Merak ettim... Güzel miydi bari?"

"İstersen resmini göstereyim sana," diye kalkıyor.

Büfenin çekmecesinden çıkardığı gümüş fotoğraf çerçevesini getirip, titremesini önleyemediğim ellerimin arasına bırakıveriyor.

Şöyle bir bakıyorum fotoğrafa. Sorumun yanıtı karşımda.

Umduğumun ötesinde bir güzellikle yüz yüze gelmek, allak bullak ediyor beni. Açık kumral, dalgalar halinde omuzlara dökülen saçlar... Mavi mi yeşil mi olduğunu çıkaramadığım iri gözlerden yansıyan çarpıcı bakış... Dudak kıvrımlarında, hemen dökülüverecekmiş gibi duran gizli gülüş...

"Yalan söyledin bana!" diye haykırıyorum. "Senden önce kayda değer hiç kimse olmadı, derken yalan söyledin. Dünde kalmış bir sevgilinin, gümüş fotoğraf çerçevelerinde işi ne?"

Haşim'in hâlâ sakin kalabilmesi daha da çıldırtıyor beni.

"Yanlış anladın," diyor. "Sana gösterdikten sonra yırtıp atacaktım."

Sözlerini doğrulamak istercesine, çerçeveyi elimden alıyor; arkasını açıp fotoğrafı çıkarıyor.

Ani bir hamleyle elinden kapıveriyorum fotoğrafı. Hemen arkasını çeviriyorum. İnci gibi bir yazı...

"Bir taneme. Sevgiyle, özlemle..."

Dayanma sınırımın sonundayım artık. Haşim'e doğru savuruyorum fotoğrafı.

"Al," diyorum. "Sakın ha yırtma! Sonsuza kadar seninle kalabilir."

"Dur Piraye, sakin ol..."

Duymuyorum bile onu.

"Bitti," diyorum. "Bitti! Artık Piraye diye biri yok senin için."

Çantamı kaptığım gibi kapıya doğru koşuyorum.

"Akşama da, sakın ha gelmeye kalkmayasın! Rezil olursun."

Kapıyı çarpıp çıkıyorum.

Yıldırım hızıyla inmesine engel olamadığım yaşlardan, bastığım yeri zor görüyorum.

Kapıyı ablam açıyor. Akşamki yemek için anneme yardıma gelmiş.

"İyi oldu erken geldiğin," diyor. "İşin bir ucundan da sen tutarsın artık..."

Salondaki yemek masası, Haşim'inkini aratmayacak mükemmellikte, şimdiden hazırlanmış. İğne oyası dantelli masa örtüleri, altın yaldızlı yemek takımları, kristal bardaklar...

İçim bulanıveriyor.

"Haşim gelmeyecek," diyorum. "Hesabınızı ona göre yapın."

Ancak o zaman ayrımsıyorlar bitik halimi, ağlamaktan kıpkırmızı olmuş gözlerimi...

"Ne oldu?", "Ne bu halin?" diye bir ağızdan sorulan soruları yanıtlayacak gücüm yok.

"Hiçbir şey sormayın," diye kestirip atıyorum. "Bitti! Ayrıldık..."

Onları orada, şaşkınlıklarıyla baş başa bırakıp, doğruca odama koşuyorum.

Yatağıma uzanıp gözlerimi sımsıkı kapatıyorum. Yaşadıklarımdan sonra, aradığım dinginliği yakalayabilmem çok zor. Beceremiyorum da zaten.

Derinlerde, bedenimin gözle görülmeyen bir yerindeki derin yaradan kaynaklanan dayanılmaz bir sızıyla uyuşmuş gibiyim. Tüm beyin hücrelerim işlevini yitirmiş. Duygularım benden bağımsız, benim dışımda, bir bilinmeze doğru doludizgin yol almakta... Bedensel ve ruhsal, amansız bir savaşımın ortasındayım.

Haşim'e âşık olmadığımı, hatta onun devasa sevgisine karşılık vermekte yetersiz kaldığımı düşünen ben; onun, eskilerde kalmış, geçerliliğini yitirmiş bir ilişkisinden bu derece etkilenmeme akıl erdiremiyorum.

Baştan beri karşı çıktığım, beraberliklerin doğal sonucu olduğu söylenen sahiplenme duygusunun çok ötesinde, daha önce hiç yaşamadığım; yıpratıcı, yıkıcı, kavurgan bir duygu bu...

Kendimle hesaplaşmam, ablamın gelişiyle bölünüveriyor.

"Çılgın kardeşim benim," diye saçlarımı okşuyor ablam. "Tam da darılacak zamanı buldunuz! Hadi, bari bana anlat neler olduğunu..."

Anlatsam anlayacak sanki... Evlilik içinde ihaneti yaşayan ve kabullenip oturan bir insan, geçmişin sorgulanmasını düşünemez bile. Haşim'in benden önceki ilişkisi, diye başlasam deli gözüyle bakar bana.

Gene de boş çevirmiyorum ablamı.

"Tartıştık," diyorum. "Ama sıradan bir tartışma değildi."

Daha fazla ayrıntıyı gereksiz gördüğümü vurgulamak ister gibi ekliyorum:

"Ayrıldık anlayacağın. Bu akşam gelmemesini söyledim. Bitti..."

Zavallı ablam!

Onun durumunda olmayı düşünemem bile.

Haşim değil, kim olursa olsun; evleneceğim insan, benim varlığımı yok sayarak bir başkasıyla beraberlik yaşayacak ve ben buna seyirci kalacağım ha...

Yazgıymış!

İnanmıyorum yazgıya falan... Onu yaratan da şekillendiren de bizleriz.

Benim yazgım, kendi çizeceğim yoldur!

O yolda beraber yürümeyi kabullendiğim insanı da kimseyle paylaşamam ben.

Ne öncesini, ne sonrasını...

Ablamın ardından annem geliyor.

"Ah deli kız!" diyor. "Bırak şu inadı da, Haşim'i ara. Akşama gelsin. Herkes onunla tanışmayı beklerken..."

"Söylersiniz," diyorum. "Ayrılmışlar dersiniz."

Evin içindeki sesleri kalın bir sis perdesinin ardından izler gibiyim.

Babamın, ardında amcamla yengemin, en son da eniştemin gelişi... Annemin durumu uygun bir dille anlatışı... Üzüntü içeren yorumlar...

Ve ablamın aracılığıyla yapılan çağrıya olumsuz yanıt vererek, katılmayı reddettiğim sofraya bensiz oturmaları... Farklı umutlarla hazırlanan zengin sofranın üzerine çöken ağır havaya inat, sessizliği bölen çatal bıçak sesleri...

Konukların uğurlanışlarının ardından, babamın ağzından çıkıp bana kadar ulaşan sözler...

"Sorumsuz bir davranış! Hele böyle özel bir gecede."

Babamın sevecen sesiyle uyanıyorum. Her pazar sabahı olduğu gibi.

"Günaydın koca tembel," diyor. "Hadi, kalk bakalım. İyi bir kahvaltı seni kendine getirir."

Hemen fırlıyorum. Canlı ve neşeli... Dünü hiç yaşamamış gibiyim.

Doğruca mutfağa koşup, annemin hazırladığı kahvaltılıkları masaya taşımaya başlıyorum.

Tam ekmeği dilimlerken, "Piraye," diyor babam. "Buraya gelir misin?"

Arkası bize dönük, salonun penceresinden dışarıda bir yerlere bakıyor.

Yanına gidiyorum. Bakışlarının odaklandığı noktada donup kalıveriyorum. Caddenin karşı tarafında lacivert bir BMW duruyor. Haşim'in arabası... Kendisi de içinde.

"Haşim değil mi bu?"

Başımı sallıyorum, evet gibisine.

Tepkimi ölçmek istercesine, dikkatle yüzüme bakıyor babam.

"Hadi kızım," diyor yumuşak bir sesle. "Git çağır çocuğu. Gelsin, bari bir pazar kahvaltısı yapsın bizimle."

"Gitmem," diye omuz silkip pencereden uzaklaşıyorum.

"Meseleniz neyse, sonra halledersiniz."

"Mesele falan yok. Bitti..."

"Onun yönünden bitmemiş bir şeyler var ki, kalkmış buralara gelmiş. Bırak inadı. Benim ya da annenin gidip çağırmamızı istemezsin herhalde..."

Gönülsüzce kapıya doğru yürüyorum.

Arabaya yaklaştığımı görünce, hemen camı açıyor Haşim.

Yüzüne bile bakmadan, "Annemle babam, kahvaltıya çağırıyorlar seni," diyorum.

"Tamam," diyor. "Ama önce, seninle konuşmamız gerek."

"Konuşacak bir şey yok."

Sözlerime aldırmadan, "Geç şöyle," diye yanındaki ön koltuğu gösteriyor.

Çaresiz, dediğini yapıyorum.

"Piraye, önce başını kaldır ve bana bak!"

Bakıyorum.

Sapsarı yüzü... Gözlerinin altında halkalar oluşmuş.

"Çok korktum," diyor. "Seni kaybetmekten... deliler gibi korktum."

Sesi titriyor konuşurken.

"Beni yeniden kazandığını düşündürecek bir durum yok ortada," diyorum sertçe. "Seni kahvaltıya davet eden ben değilim; annemle babam."

Duymuyor beni ya da duymak istemiyor.

"Şunu bilmeni istiyorum Piraye," diyor. "Yaşamımda hiç kimseyi seni sevdiğim gibi sevmedim ben. Hiç kimseyle evlenebilmek için böylesine delice bir istek duymadım."

Elimi tutacak oluyor, sertçe geri çekiyorum.

"Eskilerin Haşim Bey'ini ne hale getirdiğini görmüyor musun? Bak, kapına geldim. Dündeki Haşim Ağa yapar mıydı bunları?"

Gerçekten de öyle. İki yıl önceki Haşim Bey'le, karşımda eriyip yiten bu Haşim arasında dağlar kadar fark var. Bu durumun gururumu okşadığı kesin. Ulaşılmazlığımı sürdürmekte zorlanmaya başladığımın da ayrımındayım.

Ama etkilenmeyi yediremiyorum kendime.

"Gidelim artık," diyorum. "Yeterince beklettik bizimkileri..."

Bendeki yumuşama izlerini yakalamanın sevinci var gözlerinde.

"Seni istemeden incittimse, lütfen bağışla beni."

Birden neşeli bir ifade beliriyor yüzünde.

"Dün, senden sonra ne yaptım biliyor musun? O uğursuz fotoğrafı paramparça yırttım. Ama atmadım..."

Hayretle bakıyorum yüzüne.

"Bu kadarı yetmezdi çünkü. Seni üzen en ufacık bir zerrenin, varlığını sürdürmesine izin veremezdim. Yırtık parçaları kül tablasına koyup yaktım. Kül oldular..."

Bunları yaptı diye teşekkür etmemi mi bekliyor acaba?

Beklediği yanıtı vermek yerine, kapıyı açıp arabadan iniyorum.

"İstersen, kahvaltını arabaya getirsinler..."

Hızlı adımlarla apartmana doğru yürüyorum.

Arabayı kilitleyip peşimden geliyor. Giriş kapısında yetişiyor bana.

Elimi tutuyor. Bu kez çekmiyorum. Avucunun içinden yayılan tatlı sıcaklığın bedenimi sarmasıyla, eylemime son veriyorum.

İşi zor Haşim'in... İlk kez geliyor evimize. Üstelik, önceki gecenin kötü izleri üzerine...

Karşılaşacağı davranışlar konusunda hiçbir fikri yok. Gene de kendinden emin, cesur adımlarla yürüyor yanımda.

İlk gerginlik dakikalarını umduğumdan kolay aşıp, kahvaltı masasına oturuyoruz.

Şaşılacak derecede rahat davranıyor Haşim.

"Yirmi dört saattir lokma koymadım ağzıma," diyebiliyor.

Açlıktan kaynaklanan abartılı iştahını gizlemeye çalışmıyor.

"Piraye de öyle," diyor annem. "Dünden beri hiçbir şey yemedi."

Annemle babam, karşımıza geçmişler; benzer yüz ifadeleriyle, iki yaramaz çocuğun iştahla yiyip içmesini seyrediyor gibiler. Her bir lokmamıza hoş görülerini, sevecenliklerini katık ettiğimizi bilmeden... Bugüne kadar yalnız bana gösterdikleri o sıcacık, sevgi dolu bakışlarını ikimize birden paylaştırarak.

"Ellerinize sağlık," diyor Haşim, anneme. "Her şey harikaydı."

Masadan kalkıyoruz.

"Kahvelerimizi de içebiliriz artık," diye salona doğru yürüyor babam.

Gözü bende. Her pazar, kahvaltının ardından, benim pişirdiğim Türk kahvesini içmek, en büyük zevki babacığımın.

Hemen mutfağa koşuyorum.

Elimde kahve tepsisiyle salona döndüğümde, aralarında koyu bir sohbetin, çoktan başlamış olduğunu görüyorum.

Kahveleri verip babamın yanındaki koltuğa oturuyorum.

"Bir şey soracağım," diye gülüyor Haşim. "Kız istemek için, kahvelerin bitmesini beklemek mi gerekir?"

Bilinçli olarak yarattığı hoş ortamın, gereken konuşma zeminini oluşturduğunu düşünerek, konuya giriyor.

"Bu iş tabii ki aileme düşer. Ama bugün, beni ailemin bir elçisi olarak görmenizi istiyorum. Burada konuşacaklarımızı, onlara da aynen ileteceğim."

Böyle bir başlangıcın, babamın çok hoşuna gittiğini görebiliyorum.

Bense, Haşim'in sergilediği bu tavırlarla aramızdaki yaş farkını daha da artırdığını; olgunluk çizgisinde, benden çok babama yaklaştığını görmenin şaşkınlığını yaşıyorum.

Bu kez elinde takvim olmasa da, dün bana anlattığı doğrultuda, tarih sırasıyla söz, nişan, düğün hakkındaki öngörülerini tane tane, son derece etkileyici bir dille sayıp döküyor.

Annemin ve babamın, her konunun böyle inceden inceye, en ufacık ayrıntılarına kadar düşünülmüş olması karşısında, gizli bir hayranlık duyduklarını yüzlerinden okuyabiliyorum.

"Bunların hepsini, dün Piraye'yle de konuşmuştuk," diye sözlerini bitiriyor Haşim.

Bir süre sessiz kalıyor babam. Farklı bir şeyler düşünüyor gibi.

"Peki," diyor bakışlarını Haşim'le benim aramda bölüştürerek. "Evlendikten sonra nerede oturacağınızı da konuştunuz mu?"

Hayır! Benim hiç aklıma gelmeyen (aslında gelmesi gereken!), Haşim'in de nedense gündeme getirmediği çok, ama çok önemli bir konu bu. Daha önce düşünmemiş olduğum için kızıyorum kendime.

Ya Haşim? Beraberliğimizi evliliğe dönüşeceği çizgideki en can alıcı noktayı neden göz ardı etti ki?

"Bu, zaman içinde, ortaklaşa, hep beraber vereceğimiz bir karar," diyor Haşim.

Kısa bir duraklamanın ardından, verilecek kararda etkili olabileceğini düşündüğü gerekçeleri sıralamaya başlıyor.

"Ben, ailemin tek erkek evladıyım. Evli bir ablam ve bizimle oturan bekâr bir kız kardeşim var. Piraye anlatmıştır belki... Aslen Çermikliyiz biz. Ama büyüklerimiz yıllar önce Diyarbakır'a yerleşmişler. Çermik'le ve köyle ilişkilerimiz sürüyor. Anlayacağınız, ailemin benden farklı beklentileri var. Onların arzusu, mezuniyetin ardından Diyarbakır'a dönüp muayenehane açmam. Ancak, Piraye istemezse, aynı konumu burada da gerçekleştirebiliriz. Yani, İstanbul'da bir muayenehane... Kendi fakültemizde, kürsülerden birinde asistan olarak da kalabiliriz. Diyarbakır'da ya da İstanbul'da özel bir diş kliniği açmak da düşüncelerim arasında... Dedim ya, zaman içinde ortaklaşa, sizlerin de görüşü alınarak verilecek kararlar bunlar."

Baştan beri konuşulanları izlemekle yetinen annem atılıveriyor.

"Görüşümüz belli... İstanbul'a yerleşmeniz bizi mutlu eder. Piraye'nin uzaklara gelin gitmesini hiç düşünmemiştik doğrusu."

"Sizi çok iyi anlıyorum," diyor Haşim. "İnanın, hiçbir şey Piraye'nin isteği dışında gerçekleşmeyecek. İçiniz rahat olsun."

Babam, kendince en büyük önemi verdiği bu konuda Haşim'in esnek davranabileceğini görmenin rahatlığı içinde.

"Hayırlı olsun bakalım," diyerek son noktayı koyuyor.

(İstanbul-Diyarbakır arasına konuluveren, hangi noktada sabitleşeceği belirsiz, küçücük bir nokta... Zaman içinde habis bir ur gibi şekil değiştirip, zifir karası dev bir beneğe dönüşeceğini, tüm direnmelere karşın hepimizi içine alıvereceğini bilmiyoruz henüz...)

14

Haşim'in kurduğu saat, tıkır tıkır işliyor. Bizlere düşen, sırası gelmiş, nasıl gerçekleşeceği önceden saptanmış gelişmelere ayak uydurmak yalnızca.

Mezuniyet töreninin ertesi günü, ailesini getirmek üzere, Diyarbakır'a uçuyor Haşim.

Evde hummalı bir hazırlık var. Annem, ablam, yardımcımız Zehra Hanım; salondan mutfağa, odalardan dolaplara, elden geçmemiş en ufacık bir nokta bırakmamak için yarışıyor gibiler.

Haşim'in babası Kenan Bey, babamı arayıp, "Hayırlı bir iş için ziyaretinize gelmek istiyoruz," demiş.

"Buyursunlar bakalım," diyor annem. "Tanımadığımız, bilmediğimiz insanlar... İlk karşılaşmada kızımızı isteyecekler, biz de vereceğiz. İstanbul'da otursalar böyle mi olurdu? Önce tanışırsın, bir zemin oluşturursun..."

"Takma kafana hanım," diyor babam. "İstanbul'da yaşamaları, bizim için yabancı olmaktan kurtarır mıydı onları?"

Yabancılık bir yana; farklı kültürlerden gelen iki ailenin, kız isteme nedeniyle buluşmaları, ilk tanışmanın ardından "dünürlük" adı altındaki zorunlu akrabalığa adım atmaları gerçekten de zor bir iş... Nasıl altından kalkacağız bakalım?

Ablamla eniştem, bu gecenin hatırına, uyumlu bir karıkoca görünümündeler. Çocukları kayınvalidesine bırakmış ablam.

Annemle babamın dışında, aile büyüğü olarak Nusret Amca'yla Nevin Yenge var yalnızca. Karşılayıcıların kalabalık olmasını gereksiz buluyor babam.

Artukoğlu ailesi, tam Haşim'in söylediği saatte kapımızı çalıyor. Baba Kenan Bey, anne Lamia Hanım, küçük kızları Naran, Latife Hala ve Halit Enişte. En geride de Haşim.

İçi çikolata dolu, kocaman bir gümüş gondol; altına çakıl taşları döşenmiş kristal bir vazodan taşan kalabalık bir kırmızı gül ordusu... Konuklarımızın "hoş bulduk" armağanları bunlar.

Haşim'in üstlendiği tanıştırma faslının ardından salona geçiyoruz.

Annemle babam, dünür adaylarına hatır sorarken, oturduğum sandalyenin üzerinde, biricik ilgi odağının ben olduğumun ayrımındayım.

Gözucuyla, Haşim'in aile bireylerini, dış görünüşleriyle de olsa, tanımaya çalışıyorum.

Annesi umduğumdan genç görünüyor. Başında siyah, kenarları iğne oyası işli şifon bir örtü var. Gri, eteği topuklarına kadar uzanan bir döpiyes giymiş. Ayakkabısı, çantası giysisiyle uyumlu. Yüzünde bir dirhem makyaj yok. Kollarındaki dizi dizi altın bilezikler, dış görünümündeki sadeliği dengeliyor gibi. Üzerimde gezinen merak dolu bakışlarında sevecen bir ifade var.

Babası siyah bir takım elbise giymiş. Kravat takmamış. İnce çizgili gömleğinin dik yakası, boynunun tamamını kapatıyor. Tek muhatabı babammış gibi; ne benim, ne de annemle ablamın ve yengemin yüzlerimize bakmamaya özen gösterir tarzda, ortadan konuşması dikkat çekici.

İçlerinde en neşeli olan Latife Hala. Bir yandan, başta ben olmak üzere, hepimizi inceden inceye süzüp tartarken; bir yandan da uzun zamandır tanışıyorlarmış gibi, annemle ve yengemle konuşacak bir şeyler bulabiliyor.

Başı açık halanın. Üzerindeki bordo renkli gabardin döpiyesle, içine giydiği açık pembe ipek gömlekle çok şık. Lamia Hanım'la tek ortak noktaları, takılarının abartılı yoğunluğu.

Haşim'in babasından yaşça büyük olduğunu tahmin ettiğim Halit Enişte'nin yaklaşımı da oldukça sıcak. Babamla Kenan Bey arasında, konuşma konusu üretmeyi iyi beceriyor. Kayınbiraderinin tersine, modern bir giyim tarzı var. Lacivert takım elbisesini, açık mavi gömlek ve çizgili kravatıyla bütünlemiş. Laf arasında, eniştenin, Diyarbakır'da büyük bir beyaz eşya mağazası olduğunu öğreniyoruz.

Herkes aşağı yukarı Haşim'in önceden anlattığı portrelerle örtüşüyor. Naran dışında! Koyu nefti yeşil yünlü elbisesinin esmer tenine yansımasıyla daha da kararan yüzüyle; babasınınkine benzer biçimde, karşısındakiyle konuşurken bile kaçırma çabasına girdiği gözleriyle, ilgi alanımızın dışında kaldığını düşündüğü anlarda dörtbir yanda gezdirdiği meraklı bakışlarıyla, garip bir ürküntü veriyor içime.

Haşim bu zorunlu buluşmanın mimarı olarak; ortamın gitgide ısınmasından, sohbetin ilk tutukluğundan kurtulup samimi bir çehre kazanmaya başlamasından hoşnut, kaçamak bakışlarla bana gülümsüyor.

Ailelerimiz arasındaki paylaşımın ne kadar güdük kalacağını görmekten kaynaklanan, yabansı bir burukluk var içimde.

Taban tabana zıt, farklı dünyalardan koparılıp getirilmiş insanların; zevkleri, yaşam biçimleri, ilgi alanları arasında ortak nokta aramanın hayalcilik olacağı ortada.

Aslında bu konuyu fazla büyütmeye de gerek yok.

Söz konusu bizleriz. Haşim'le ben... Önemli olan da ailelerimizin değil, bizim yaşamdan beklediklerimizin örtüşmesi değil mi?.

Ablam kaş göz işaretiyle mutfağa çağırıyor beni.

"Hoş insanlar," diyor. "Baba biraz sert görünüyor; ama Çermik Beyi'nden, daha ilk karşılaşmada bundan fazlası da beklenemez zaten."

Cezveyi ocağa sürüp, diğerlerini mercek altına alıyor bu kez.

"Anne biraz tutuk. E, kolay mı, oğlunu veriyor bize... Görümce de kendi halinde bir kız. Ama halayla enişte şeker gibi..."

İlk izlenimlerin yanıltıcı olabileceğini düşünerek, onun görüşlerini onaylayacak ya da yadsıyacak bir şeyler söylemekten kaçınıyorum. Kimin ne olduğunun yanıtını, zamanın gizemli kollarına bırakıyorum.

Ablamın doldurduğu kahve fincanlarını tepsiye dizip salona geçiyorum.

İlk olarak Lamia Hanım'a uzatıyorum tepsiyi. Eliyle kocasını gösteriyor. Önce ona vermelisin, der gibi.

Bu ince uyarı, beynimde yerini buluyor: Öncelik erkekte!

Kahveler içiliyor; ablamla beraber fincanları toplayıp yerimize oturuyoruz.

Çıt çıkmıyor salonda. Başım önümde, olacakları bekliyorum.

Halit Enişte şöyle bir doğruluyor.

"Çocuklarımız," diye başlıyor. "Piraye ve Haşim! Pırıl pırıl iki genç... Ve onların gurur duydukları, erdemli aileleri..."

Babama dönüyor.

"Allah'ın emri, peygamberin kavliyle kızınız Piraye'yi oğlumuz Haşim'e istiyoruz."

Herkesin beklediği sözler söylendi sonunda. Şimdi sıra babamın yanıtında.

Ne var ki, ağzına kilit vurulmuş sanki babacığımın. Gözleri benim üzerimde... Konuşamıyor. Kızımı verdim, diyemiyor.

Anneme bakıyor umarsızca. Böyle bir ortamda, hele Diyarbakır geleneklerinin önde gelen savunucularının karşısında bir kadına, anneme söz düşer mi hiç?

Bu kez de, yardım dilenen bakışlarını amcama çeviriyor babam.

Uzayan sessizlik, yüzlere şaşkınlık ve sabırsızlık olarak yansıyor. Haşim'in suratı ise kıpkırmızı.

Sonunda beklenen yanıt amcamdan geliyor.

"Gençlerimiz birbirlerini tanımışlar ve bu beraberliği istemişler. Bizlere de ancak, onlara mutluluk dilemek düşer. Ne diyelim, hayırlı olsun..."

Herkeste belirgin bir rahatlama var.

"Kız vermek zordur," diye gözlerinden süzülen yaşları siliyor Latife Hala. "Çok duygulandırdınız beni Fikret Bey."

Annemin bir baş işaretiyle, Haşim'le aynı anda, yerlerimizden kalkıyoruz.

Büyüklerin elleri öpülecek.

Onların beklentisi baba yönünde olsa da, öncelik annemin!

Elini öpmek için eğildiğimde; Lamia Hanım, çantasından çıkardığı kadife kutuyu açıp, iki parmak eninde, oldukça ağır, şimdiye dek hiç görmediğim türde, değişik bir bileziği koluma takıyor.

"Diyarbakır'ın hasır bileziği," diyor Latife Hala. "Oralarda bu bileziğe sahip olmayan gelin, gelinden sayılmaz."

Sözlerinin kanıtı karşımda: Lamia Hanım'ın da Latife Hala'nın da kolunda aynı bilezikten var.

Yengemle ablam, yemek masasının üstünü donatmaya koyuluyorlar. Önceden hazırlanmış servis tabakları, dantel masa örtüsünün üzerine sıralanıyor. Zeytinyağlı sarmalar, çeşit çeşit börekler, kurabiyeler, tatlılar... Yanı sıra sıcak, soğuk içecekler.

"Diyarbakır'da söz kesildikten sonra şerbet içilir," diyor Lamia Hanım. "Hatta 'söz gecesi' demeyiz biz, 'şerbet gecesi' deriz."

"Her yörenin farklı bir âdeti var," diyor annem. "Keşke önceden bilseydik..."

"Durun bakalım," diye gülerek anneme dönüyor babam. "Şerbet niyetine vereceğiniz bir meyve suyunuz da mı yok?"

Vişne suyu dolu bardakları koltuklar arasında gezdirirken, gerçek bir Diyarbakır gelini olduğumu duyumsuyorum. Üstelik Çermik Beyi'nin geliniyim ben! Bu yeni rolüm, eğlenceli bir oyunun parçası gibi geliyor bana. Biraz mahcup bir yüz ifadesiyle, şerbet yerine meyve suyu sunan, İstanbul asıllı bir Diyarbakır gelini...

"İşte şimdi oldu!" diyor Lamia Hanım. "İç rahatıyla, Haşim'le Piraye'nin şerbetini içtik, diyebiliriz artık."

***

Ertesi akşam, yemekte Artukoğlu ailesiyle beraber olacağız. Tanışmış, kaynaşmış, dünür olmuş iki ailenin söz yemeği bu. Küçük çapta bir kutlama da sayılabilir.

Babamın önceden yer ayırttığı restoranın önünde buluşuyoruz.

Boğaz manzarasıyla kucaklaşan, kalabalığın uzağındaki masaya yerleştiğimizde; konuklarımızın, bu tür hareketli dış ortamları yadırgayan tutuk tavırları, yerini hoşnutluğa bırakıyor.

Haşim'le yan yana oturuyoruz. Evcilik oyununda gelinle damat rolünü üstlenmiş çocuklar gibi...

Bir ara, kulağıma doğru eğilip, "Bizimkilere ne zaman *anne, baba* demeye başlayacaksın?" diye fısıldıyor.

Şaşırıveriyorum. Üzerinde hiç düşünmediğim bir konu bu. Üstelik son derece de saçma geliyor bana.

Benim bir annem, bir de babam var zaten. Beni doğurmayan ya da doğumuma hiçbir katkısı olmayan, daha düne kadar yüzlerini bile görmediğim bu insanlara *anne, baba* demek, yapaylıktan başka ne ki?

Haşim'i de üzmek istemiyorum ama. Hem de, anneme *anne* diye hitap edebildiğini gördükten sonra...

"Artık sözlüyüz," diye gülüyor Haşim. "Annemler böyle olmasını bekler, bilmiş ol."

Kendi kendime prova yapıyorum. Olmuyor. Beceremiyorum bir türlü... Bunun başka bir yolu olmalı, diye düşünürken; beynimde bir ışık yanıveriyor.

Haşim, Lamia Hanım hakkında bir şey anlatırken, *annem* yerine *anne* diyor. "Anneme söyledim," diyeceğine, "Anneye söyledim," gibi, benim alışık olmadığım biçimde cümleler kuruyor. (Söylediğine göre, Diyarbakırlıların tümü böyle konuşurlarmış.)

Ben de, Lamia Hanım'ın adının "Anne" olduğunu yineliyorum kendi kendime. Bu durumda, ona Lamia Hanım diyeceğime, "Anne" diyebilirim pekâlâ...

Bulduğum bu orta yol için kendimi kutlayıp, hemen uygulamaya geçiyorum.

"Rahat mısınız anne? Bir isteğiniz var mı?"

Lamia Hanım'ın yüzünün birdenbire aydınlanıvermesi, bu hitabımdan ne kadar hoşnut olduğunu gösteriyor.

Bense, ağzımı iyice alıştırma çabasındayım.

"Şu tabağı *anneye* uzatır mısın Haşim?" diye gülümsüyorum.

Haşim'den taşan sevinç dalgası, beni de içine alıveriyor.

Sahiplenme içermeyen, yalnızca bir ad olarak dile getirilen *anne* ve *baba* sözcüklerini bu kadar rahat kullanabilmemin, yalnız Haşim'i değil, bizimkileri de şaşkına çevirmesini keyifle izliyorum.

15

İki gün sonra Diyarbakır'a uğurluyoruz Haşimleri.

"Keşke kalabilseydim," diyor Haşim. "Ama hasat zamanı... Köydeki işlerin en yoğun olduğu aylar."

"Alışmalısın," diye ekliyor. "Çiftçi karısı olmaya adaysın artık. Göz alabildiğine uzanan mercimek, arpa tarlalarını getir gözünün önüne. Alın teriyle boy vermiş başakları... Yalnızca bir toprak emekçisi olan farklı Haşim'i... Oralarda, diş doktorluğum para etmez benim."

İstanbul'da da mercimeğin, arpanın sözü edilmez, demek geliyor içimden; susuyorum.

Bir yanı çiftçi, bir yanı diş doktoru; çok yönlü bir Haşim'le yaşamı paylaşmanın ilginçliği de hoşuma gitmiyor değil. En azından şimdilik...

Yaz tatilinden hiçbir şey anlamıyorum. Günlerim, Çınarcık'la İstanbul arasında mekik dokuyarak geçiyor. Nişan tuvaletinin provaları, alışverişler...

Salon konusunda herkes bir şey söylüyor. Benim gönlüm, Esin'in nişanından beri aklımdan çıkmayan Harbiye Orduevi'nde.

Nusret Amca'm, emekli albay kimliğiyle devreye giriyor hemen.

"Bizim de bir katkımız olsun," diyor. "Salon işi tamam."

Artukoğlu ailesi, söze gelişlerinden çok daha kalabalık bir kadroyla, nişandan bir hafta önce, İstanbul'a geliyorlar.

Bu kez Reyyan Abla da aralarında. Eteğinde, araları yalnızca iki yaş olan, kardeşten çok ikize benzeyen Burak ve Burçin'le beraber...

Annem gerek olmadığını söylese de, Lamia Hanım'ın ısrarlarına karşı koyamayarak, nişan alışverişine çıkıyoruz.

Tepeden tırnağa derler ya... İşte öyle; yazlık, kışlık, baharlık elbiseler, etekler, pantolonlar, ceketler, iç çamaşırları, gecelikler, sabahlıklar; nerede, ne zaman giyeceğimi kestiremediğim triko takımlar, ayakkabılar, çantalar, terlikler... Ne görürlerse, gözlerinin takıldığı, kendilerince güzel buldukları her şeyi sardırıp paketletiyorlar.

Nişana iki gün kala, kocaman ceviz bir sandık içinde; ipek, nakışlı bohçalara sarılı olarak gönderiyorlar aldıklarımızı. Yanına annem, babam, ablam, hatta eniştem için elbiselik kumaşlar, gömlekler, terlikler de ekleyerek...

"Tam Diyarbakır usulü," diyor annem. "Nasıl kalkacağız bunların altından?"

Hemen çarşıya çıkıyoruz biz de. Onlarınki kadar olmasa da; Haşim'e elbiselik kumaş, gömlek, iç çamaşırı, pijama; diğerlerine de kumaş ve terlikler alıp dönüyoruz. Bohçaya bohçayla karşılık vermeyi gereksiz buluyor annem; hepsini renkli kâğıtlara sarıp, saten kurdelelerle süsleyip gönderiyoruz.

Bana göre işler değil bunlar! İstemeden bir parçası olduğum abartılı gövde gösterilerinin arasında sıkışıp kalmaktan rahatsızım.

"Çok yakıştınız birbirinize," diyor ablam.

Haşim'le boy aynasının karşısında yan yana durmuş, nasıl göründüğümüze bakıyoruz son kez.

Siyah smokini çok yakışmış Haşim'e. Bugüne kadar gördüğüm, belki de en yakışıklı damat adayı olduğunu söyleyebilirim.

Bana gelince... Kendimi tanımakta güçlük çekiyorum.

Camgöbeği mavi şifon tuvaletim, üzerine serpili minik çiçeklerle bütünleşmiş. İri dalgalar halinde omuzlarıma inen saçlarımın arasında da aynı çiçeklerden var. Abartısız makyajım, heyecandan alev alev yanan yüzümle, aynadaki yansımamı beğeniyorum.

El ele iniyoruz merdivenlerden. Gerçek olamayacak kadar güzel bir düşler âlemindeyim sanki.

Birilerinin yönlendirmesiyle, adımlarımıza eşlik eden müziğin sesine karışan alkışlar arasında, salonun ortasına doğru yürüyoruz.

Küçük, gümüş bir tepside, kırmızı kadife örtünün üzerinde nişan yüzüklerimiz duruyor. Halit Enişte, Reyyan Abla'nın elindeki tepsiye doğru uzanıyor. Yüzüklerimizi o takacak.

Önce, heyecandan içeriğini tam olarak kavrayamadığım, içinde beraberlik ve mutluluk sözcüklerinin sıkça geçtiği kısa bir konuşma yapıyor. Ardından da, kırmızı ince bir kurdeleyle birbirine bağlı nişan yüzüklerini Haşim'le benim parmaklarımıza geçirip kurdeleyi kesiyor.

Büyülenmiş gibi bakıyorum parmağıma. Sıradan bir yüzük değil bu. Beni, Haşim'e bağlayan somut bir simge...

Önce birbirimizi kutluyoruz. Alnımdan öpüyor beni Haşim. Sonra, ayakta yüzüklerin takılmasına eşlik eden yakınlarımızla kucaklaşıyoruz.

Lamia Hanım, kutlamasının ardından, Naran'ın elinde tuttuğu çok sayıdaki kutuları, kendi belirlediği sıraya göre tek tek açıp kollarıma, boynuma, göğsüme bir şeyler takmaya başlıyor. "Dal" dendiğini sonradan öğreneceğim, Diyarbakır işi elmas broş; zincirler, gerdanlıklar; telkâri, burmalı, inceli kalınlı bilezikler...

Onu diğerleri izliyor. Reyyan Abla, Latife Hala ve bizimkiler... Kısa sürede bileklerimden dirseklerime kadar altınla sarmalanan kollarımı taşımakta güçlük çekiyorum. Üzerimdeki yükün ağırlığı bir yana, garip bir mahcubiyet içindeyim de.

Takı töreni bitiyor sonunda. Haşim'le ilk dansımız yapabiliriz artık...

"Şunları kollarımdan sıyırıversem ayıp mı olur?" diye fısıldıyorum kulağına.

"Ayıp olur," diye gülüyor. "Biz bunları boşa mı taktık, demezler mi?"

Haklı galiba... Takanların görmesi, kıvanç duyması için üzerimde kalmalı hepsi.

"Masaları tek tek dolaşıp, 'Hoş geldiniz' dememiz gerek."

Annemin uyarısıyla harekete geçiyoruz.

Önce Diyarbakır grubu!

Tokalaşan, kucaklayan, sarılıp öpen onlarca insan... Kadınlarla erkeklerin haremlik-selamlık düzeniyle, ayrı ayrı oturmalarını yadırgamaktan kendimi alamıyorum. Bu davranışın sahiplerinin, beni ve ailemi kafalarının hangi köşesiyle benimseyebileceklerini ise hiç kestiremiyorum...

Sonra kız tarafı. Uzak, yakın akrabalarımız, gönlümüzü açtığımız tüm dostlar...

Ve arkadaşlarımızın oturduğu masa. En coşkulu, en şirin konuklarımız onlar... Haşim'in sınıf arkadaşlarıyla benimkilerin kaynaştığını görmek çok hoş.

Şöyle bir göz atıyorum masaya. Tüm grup arkadaşlarım burada. Bir tek Ömer yok. Arif bile gelmiş. Dudaklarının kıvrımından gözlerine ulaşamasa da, iğreti bir gülüşle kutluyor bizi.

Pistte dans eden, yalnızca bizim yakınlarımız. Erkek tarafından bir tek Latife Hala'yla Halit Enişte, şöyle bir dönüp oturuyorlar.

"Bak şimdi, nasıl ayağa kaldıracağım bizimkileri," diyor Haşim.

Orkestradaki gençlere bir şeyler söyleyip yanıma dönüyor.

Çalmaya başlayan halayla beraber, kadınlı erkekli tüm Diyarbakırlı konuklarımızın piste fırlamasını hayretle izliyorum. Beni en çok şaşırtan da Çermik Beyi Kenan Ağa'nın, ciddi bir yüz ifadesiyle halay başı olma görevini üstlenmesi.

Latife Hala, elini ağzına bir vurup bir çekerek, şimdiye kadar hiç duymadığım bir bağırışla onların coşkusuna eşlik ediyor. Gırtlağından kopup gelen bu haykırışın ne anlama geldiğini bilmiyorum.

"Bizde, 'tilili' çekmek derler," diye açıklıyor Haşim. "Kulağını alıştır, Diyarbakır düğünlerinde ve kutlamalarında bu sesi hep duyacaksın."

Lamia Hanım, Haşim'le beni kolumuzdan çekip halaya kaldırıyor. Tilili sesleri arasında halay çeken kalabalığın ortasındayım. Onlara ayak uydurmam çok zor; neyse ki, acemi hareketlerim, uzun eteğimin altında kaynayıp gidiyor.

Konukları uğurlamanın ardından, biz de eve dönmeye hazırlanıyoruz.

Haşim arabanın kapısını açıyor. Benim, tuvaletimle geçmemin zor olacağını düşünerek, önce kendisi geçiyor arka koltuğa. Tam adımımı atacakken, benden erken davranan Naran, Haşim'in yanına kuruluveriyor.

"Siz daha çok beraber olursunuz," diyerek.

Bir an kararsız kalıyorum.

"Ama bu, bizim için çok özel bir gece," diyorum. "Böyle bir gecede, nişanlımla aramıza kimsenin girmesine izin veremem."

Haşim, bu çapraşık durumu yalnızca kendisinin çözebileceğinin bilinciyle, oturduğu tarafın kapısını açıp aşağıya atlıyor hemen. Naran'ın gerisingeriye arabadan çıkmasının hoş olmayacağını düşünmüş olmalı.

İster istemez, sol köşeye kayıyor Naran. Haşim ortaya... Ben de sağ köşeye yerleşiyoruz.

Sımsıkı tutuyor elimi Haşim. Bakışları sıcacık. İyi ettin, der gibi. Kendisinin söylemek isteyip de söyleyemediği, buna cesaret bulamadığı şeyleri dile getirmemi onaylarcasına.

Atak ve girişken yönüyle tanıyageldiğim Haşim'in, ailesinin en genç bireyi karşısında bile böyle tutulup kalmasını yadırgıyorum. Şimdi olduğu gibi, onlarla benim aramda mı kalacak hep?

Nicedir beynimde kıvrımlanan soru düğümlerinin çözümünü, belirsiz bir zamana erteliyorum gene... Şu anda, eve ulaşıp ayaklarımı sıkan saten ayakkabılarımı fırlatıp atmaktan başka bir şey düşünecek halde değilim.

"Yeni güne nişanlı bir kız olarak uyanmak nasıl bir şeymiş bakalım?"

Annemin sesiyle yataktan fırlıyorum.

Gece döner dönmez boynumdan, kollarımdan sıyırıp çıkardığım altın yığını, tuvalet masasının üzerinde öylece duruyor.

"Hadi," diyor annem. "Sayımını yapıp, şunları ortadan kaldıralım önce."

"Ne sayımı?" diyorum şaşkınlıkla.

Beni duymamış gibi, tüm takıları elindeki torbaya dolduruyor, salona doğru yürüyor. Ben de peşinden.

Babamla beraber masanın başına geçiyorlar. Bir kâğıda bilezik, kolye, yüzük, küpe, broş, altın lira... ne varsa tek tek yazıp torbanın içine atıyorlar.

"Takmak istediğin bir şey var mı?" diye soruyor annem.

Kızını tanımıyor sanki...

"Yok," diyorum.

Torbayı öylece, annemin mütevazı mücevherlerinin bulunduğu kasaya kilitliyorlar. Büyük bir yükten kurtulmuşçasına ferahlıyorum.

Öğleden sonra, vedalaşmaya geliyor dünürlerimiz... Akrabalık sıralamasında öncelik taşıyan, kalabalık bir grup.

Ablamla beraber, mutfakla salon arasında gidip gelirken, Naran da yardım etme bahanesiyle arkamdan geliyor. Pasta tabaklarını salondaki masaya taşıyor. Ocağın başında, bardaklara çay doldururken, tek başına yakalıyor beni.

"Hiç değilse, bir iki tane bilezik olsun taksaydın," diyor iğneleyici bir sesle. O kadar şeyi, karşımıza böyle çırılçıplak çıkasın diye mi taktık, der gibi.

"Bak Naran," diyorum. "Biliyorsun, birkaç gün sonra okulum açılıyor. Ve... Nişanlı da olsam, öğrenciyim ben."

Yanıtımdan hiç de tatmin olmadığını gösteren bir dudak büküşle salona geçip yerine oturuyor.

Yalnız takı mı? Gönderdikleri onca nişanlık arasından bir elbise seçip giymemiş olmamı, sıradan bir pantolon gömlekle karşılarına çıkmamı yadırgadıklarını da tahmin edebiliyorum.

Ne yapabilirim ki? Benim çizgim bu. Bu çizginin dışına çıkıp kendimden ödün veremeyeceğimi bilmeliler.

16

Ertesi sabah uğurluyoruz hepsini.

Haşim kalıyor. Askerlik öncesi, yalnızca birkaç gün için...

Sonra Diyarbakır'a gidecek. Oradan da üç aylık eğitim dönemini geçireceği İzmir'e, Sıhhiye Okulu'na.

İstanbul'dan doğruca İzmir'e gitmek daha akla yakın aslında... Ama bunu dile getiremiyorum bile. Haşim, baba ocağından uğurlanacak askere. Hem ailesinin, hem de onun, bu konuya ne kadar önem verdiklerini çok iyi biliyorum.

Bana öyle demiyor ama.

"Birkaç gün Diyarbakır'da kalıp, nişan kutlamalarını ikimiz adına kabul etmem gerek," diye bence daha kabul edilebilir bir neden gösteriyor kendince.

Ne olursa olsun, şu birkaç günü elimizden geldiğince iyi değerlendirmeliyiz.

Hafta sonu, arabayla Silivri'ye gidiyoruz. Balık yemeye... Denize karşı güneşin batışını seyrediyoruz. Yaklaşmakta olan ayrılığın ayak seslerini duymamaya çalışarak, her saniyenin tadını çıkarmaya çalışıyoruz.

Pazartesi sabahı, okulun açılış töreninde de yanımda Haşim.

Nişana gelemeyen arkadaşlarımızın tebriklerini kabul ediyoruz.

Ömer de üzerine düşeni yapmakta gecikmiyor.

"Kutlarım sizi," diye önce Haşim'i kucaklıyor, sonra da elini bana uzatıyor.

Benim için her zaman dost kalacağını umduğum bu eli sevgiyle sıkıyorum.

"Nişanlım size emanet," diyor Haşim. "Asker yolu bekleyen arkadaşınızı yalnız bırakmayın...

Gidiyor Haşim. Önce Diyarbakır'a, ardından da İzmir'e.

Her gün yazıyor bana. Fırsat buldukça da telefonla arıyor.

Bense, nişanlı olduğumu anımsatan alyansın dışında, eskilerin Piraye'si konumuna dönmekten memnunum. Haşim'in eksikliğini hafifleten en büyük etken, öğrenciliğimin son birkaç dönemini gönlümce yaşayacağımı düşünmem...

Daha bir hevesle sarılıyorum derslerime. Haftada yirmişer saate ulaşan protez, oral cerrahi klinikleri de hiç gözümü korkutmuyor.

Okulla ev arasında bölüştüreceğim, derslerden artakalan zamanların tadını arkadaşlarımla çıkaracağım, dingin günlere hazırlıyorum kendimi.

Ancak, daha işin başında, umulmadık bir olay tüm dinginlik beklentilerimi altüst ediveriyor.

O sabah, ilk saat dersim yok. Biraz geç gidiyorum okula.

Kapıda Erhan'la karşılaşıyoruz. Yalnızca, son sınıfta ve Erzurumlu olduğunu bildiğim, Haşim'in arkadaşlarından biri.

"Piraye," diye durduruyor beni. "Birisi aradı seni... Serap! Diyarbakır'dan, Haşim ağabeylerin komşusu."

"Buraya mı geldi?"

"Evet. Nişanlandığınızı duymuş; seni görmek, kutlamak istemiş."

Ne yanıt vereceğimi bilememenin şaşkınlığıyla öylece kalakalıyorum.

"Uzaktan yengemiz olur," diye gülerek ekliyor Erhan. "Babamın amcasının oğluyla evli."

"İstanbul'da nerede kalıyor?"

"Görümcesinde. Yani Güven Ağabey'in ablasında. Güner Abla da babamın amcasının kızı oluyor haliyle..."

Gözümün önüne serilen akrabalık ilişkilerini düşünecek durumda değilim.

"Bana adresini verebilir misin?" diyorum. "Ben de görmek isterim onu. Buralara kadar gelmişken, ayıp olmasın..."

"Tabii," diyor Erhan.

Gösterdiğim ilgiden hoşnut, cebinden çıkardığı bloknota adresi yazıyor.

"Çocuğu doktora getirmişler."

"Hangi çocuğu?"

"Bilmiyorsunuz galiba," diye gülüyor. "Dört aylık bir bebekleri var. Görsen, öyle şirin ki..."

Duymuyorum artık onu.

Serap!

Bu nasıl bir merak ki, kucağındaki çocuğu bile bıraktırıp, onu buralara kadar taşıyabilmiş?

Görümcesinin evinden kalkıp, beni görmelere gelmiş... Üstelik, kocasının akrabasını aracı olarak kullanmaktan hiç sıkılmadan.

Ne delice bir cinnet bu!

Madem beni görmek istiyor, görecek... Hem de layık olduğu biçimde.

Elimdeki adrese bakıyorum. 4. Levent'te bir site.

Bir an önce oraya ulaşmak dışında her şeyi siliyorum kafamdan. Gerisingeriye dönüp dışarıya fırlıyorum.

Kapıda Esin'le karşılaşıyoruz.

"Ne bu dalgınlık!" diyor. "Nişanlılık yaramadı sana. Beni bile tanımaz oldun."

Durup konuşarak zaman kaybetmek niyetinde değilim.

"Derse giremeyeceğim," diyorum. "Önemli bir iş çıktı. Notları senden alırım."

Onun şaşkın bakışlarına aldırmadan yolun karşısına geçiyorum. Önüme gelen ilk taksiye atlayıveriyorum.

Yüksek binalardan oluşan sitenin içinde, C Blok, 3. katı bulmam zor olmuyor.

Bir süre soluklanıp, yeterli sakinlik düzeyini yakaladığıma inanarak, kapının ziline basıyorum.

Kısa bir bekleyişin ardından kapı aralanıyor.

"Buyurun..."

İşte o! Karşımda...

"Piraye," diyorum dişlerimin arasından. "Beni görmek istemişsiniz."

"Oo, buyurun, buyurun," diye geri çekilip ardına kadar açıyor kapıyı.

Uzunca bir koridoru adımlayıp salona geçiyoruz.

Şaşırdığı, böyle bir ziyareti hiç beklemediği belli; ama hiç renk vermiyor. Konuksever bir ev sahibi kimliğiyle yol gösteriyor bana.

Başköşeye geçip oturuyorum.

Karşılıklı bir inceleme, ölçüp tartma yarışında gibiyiz. Yüzümde dolaştırdığı merak dolu bakışlarıyla, Haşim'le olan yakınlığının derecesini bilip bilmediğimi kestirmeye çalışıyor sanki.

"Haşim ağabeylerle Diyarbakır'da komşuyuz," diye karşımdaki koltuğa ilişiyor.

"Biliyorum."

Sesimdeki sert ifadeyle, "ağabey" sözcüğüne kanmadığımı göstermek istiyorum aslında.

"Hayırlı uğurlu olsun," diyor. "Nişanlanmışsınız..."

Bu tür ayrıntılarla zaman kaybetmenin gereksizliği ortada. Ama, onu görümcesinin evinde kıstırmış olmanın getirdiği üstünlüğün tadını çıkarmakta sakınca görmüyorum.

Şöyle alıcı gözüyle, tepeden tırnağa inceliyorum Serap'ı...

Loğusalık döneminden tam sıyrılamamış; kilolu, hantal bir görünümü var. Uzun kollu ince bir kazağın üzerine, jile tarzında kolsuz bir elbise giymiş. Altında da pijamayı andıran bir pantolon...

Ancak bu giysilerden arındırıp soyduğumda, fotoğraftaki Serap'a yakın bir görüntüye ulaşabiliyorum. Uzunca bir boy; açık kumral, atkuyruğu şeklinde başının üzerinde toplanmış saçlar; yeşil, hareli gözler...

"Kimler geldi nişana? Reyyan Abla, Naran..."

"Hepsi de geldi!" diye kesiyorum. "Çok güzel bir nişan oldu..."

Alaylı bir gülüşle ekliyorum.

"Keşke siz de gelmiş olsaydınız."

"Keşke," diyor yapay bir hayıflanmayla.

İçeriden gelen bebek ağlamasıyla bölünüyor konuşmamız.

"İzninizle," diyor. "Görümcem de çarşıya çıktı... Bebeği alıp geleyim ben."

Az sonra kucağında dünyalar güzeli bir bebekle geri dönüyor.

Getirip kucağıma bırakıveriyor. Kendini temize çıkaracak, farklı düşüncelere kapılmamı önleyecek, kendince geçerli bir kanıt gibi...

"Henüz dört aylık," diyor.

"Kız mı?"

"Kız. Adı Funda."

Bu şirin bebeğin varlığına rağmen, göze alınanların boyutu, farklı bir ürküntü yaratıyor içimde.

"Ben size bir kahve yapayım," diyor.

"Teşekkür ederim, gerek yok."

"Nedenmiş o? Hep beraber içeriz işte..." diyen yabancı bir sesle irkiliyorum.

Evde bizden başka kimsenin olmadığını düşünmekle yanılmışım.

Genç, yakışıklı bir delikanlı, gözlerini bana dikmiş, karşımda duruyor.

"Tanıştırmayacak mısın bizi yenge?"

"Kayınbiraderim," diyor Serap. "Baran! Burada ablasının yanında okuyor. Piraye de Diyarbakır'dan komşumuzun oğlu Haşim Ağabey'in nişanlısı."

Belli belirsiz bir korkunun izleri var gözlerinde.

Bütün güç, şu anda avuçlarımın içinde. İstesem, görümcesinin evinde, kayınbiraderinin karşısında onu yerin dibine sokabilirim. Bunu çoktan hak etti!

Ama gönlüm elvermiyor. Minik Funda'ya takılan gözlerimden yüreğime akan sıcaklık, böyle çılgınca bir eylemin bana hiç yakışmayacağını fısıldıyor.

Teklifsizce karşıma geçip oturuyor Baran.

"Pek şanslıymış senin şu Haşim Ağabey'in," diye gülüyor Serap'a.

Siyah kısacık eteğim, kırmızı ipek bluzum, dizlerime kadar uzanan çizmelerim; omuzlarıma dökülen saçlarım ve hafif makyajımla, Serap'la taban tabana zıt ve hoş bir görüntü verdiğimin farkındayım.

"Öyle mi diyorsunuz?" diye benzer bir gülüşle Baran'a dönüyorum. "Ama Serap Hanım iyi bilir, nişanlım da çok yakışıklıdır."

Kendiliğinden oluşuveren sohbet ortamını, benim yönümden bir kazanım olarak görüyorum.

Serap'ın getirdiği kahveleri, onun varlığını unutmuşçasına, keyifle yudumluyoruz.

İstanbul Üniversitesi Hukuk Fakültesi'nin dördüncü sınıfında okuyor Baran.

"Hayret," diyor. "Sizi daha önce hiç görmedim."

İstanbul avuç içi kadar bir yer sanki...

"Ama bir yerlerden tanıyor gibiyim. Bizim okulun çaylarına gelir misiniz?"

Haşim'in uyguladığı taktiğin bir benzeriyle karşı karşıya olduğumu bile bile, ayaküstü kuruluvermiş bu tuzağa düşmeye hazırım.

"Kendi okulumuzdakiler dışında, çaylara gitmem pek. Ama, siz de bana pek yabancı gelmediniz..."

Serap, kısa sürede oluşuveren bu yakınlığı sessizce, ama yadırgayan bakışlarla izliyor.

Daha fazla dayanamayıp, "Funda'nın mamasını hazırlayayım ben," diye kalkıyor.

Hemen peşine takılıyorum.

"Bebek size emanet," diyorum Baran'a. "Serap'a anlatacaklarım var."

Mutfağa girip, sürgülü kapıyı kapatıyorum ardımdan.

"Evet Serap Hanım," diyorum. "Şimdi söyle bakalım... Derdin ne senin?"

Anlamamış, saf rolünü deniyor önce. Boş gözlerle yüzüme bakıyor.

"Neden görmek istedin beni?"

"Bir komşumuzun nişanlısını merak etmenin neresi kötü? Hem Haşim Ağabey..."

"Yeter!" diye kesiyorum. "Ağabey, deyip durma. Hiç yakışmıyor ağzına... Her şeyi anlattı bana Haşim. Senin için bir ağabeyin ötesinde anlamlar taşıdığını çok iyi biliyorum. Ama bunların geride kalması gerekmez miydi? Evlenmiş, çocuk sahibi olmuş bir kadının eski sevgilisini ve onun nişanlısını yakın takibe alması normal mi sence?"

"Yok öyle bir şey! Yalan söylemiş Haşim sana..."

"Hah şöyle... Ağabeylikten Haşim'e gelebildin sonunda. Peki, söylediklerinin hangisinin yalan olduğunu iddia ediyorsun?"

"Sana neler anlattı, bilmiyorum. Ama yüzeysel bir arkadaşlık dışında hiçbir şey yaşamadık onunla. Sana hava atmak, kıskandırmak için abartmış herhalde."

Birden karşı atağa geçiyor.

"Ya sen? Senin Haşim'den önce hiç erkek arkadaşın olmadı mı sanki?"

"Olmaz mı?" diye gülüyorum meydan okurcasına. "Hem de çok... Ben İstanbul kızıyım Serap Hanım! Dışa dönük, hatta davranış olarak senden çok daha uçarı... Ama, dürüstlükten asla ödün vermem! Dün, dünde kalır. Geriye dönüp de yeni kurulmuş beraberlikleri sarsmaya yönelik eylemler sergilemem ben. Ortalığı karıştırmak yakışmaz bana..."

Asıl çökertici darbeyi vurmanın tam zamanı!

"Her neyse," diyorum. "Kayınbiraderinin, birkaç dakika içinde nasıl ağzımın içine düşecek hale geldiğini gördün. Dedim ya, İstanbul kızı olmanın getirileri bunlar... Benimle asla başa çıkamazsın sen. Üzerime gelirsen, yürüdüğün bu çarpık çizgide ısrarlı olursan, yapamayacağım hiçbir şey yoktur; bilmiş ol!"

Ürkek bakışlarını yüzümde gezdiriyor.

"Ne yapabilirsin ki?"

"Kocan," diyorum. "Onunla da kayınbiraderinle olduğu gibi bir yakınlığı kolayca kurabileceğimi tahmin edersin. Hele bir de; nişanlımın geçmişte karısıyla yaşanmış ilişkisini öğrenirse, var ya..."

Söylediklerimin etkisini ölçmek için biraz duraklıyorum.

"Yazık olur sana," diyorum. "Özellikle de çocuğuna. Benim kaybedecek hiçbir şeyim yok. Sen zararlı çıkarsın. Nasıl istiyorsan öyle davran."

"Kusura bakma," diyor usulca. "İşin bu noktaya varacağını kestiremedim. Benimki masum bir meraktı yalnızca..."

"Bırak bunları! Masumiyet sözcüğü ağzına nasıl iğreti duruyor, bir bilsen... Tekrar ediyorum, bu doğrultudaki en ufacık bir hareketin karşısında, gözümü kırpmadan kocana giderim. Bugün burada, seni doğduğuna pişman etmediğim için de teşekkür borçlusun bana. Yaratmaya çalıştığın dostluk tablosunu bozmayışım, yalnızca çocuğunun hatırına... Bu iyiliğimi de unutma."

Kapıyı açıp dışarıya çıkıyorum. Serap da elinde biberonla peşimden geliyor.

"İzninizle," diyorum. "Derse geç kaldım."

Hemen yerinden fırlıyor Baran.

"Ben bırakayım sizi."

"Teşekkür ederim," diye gülümsüyorum. "Nişanlı bir kızın dışarlarda, böyle yakışıklı bir delikanlıyla görülmesi, hiç de hoş olmaz."

"Fettan" rolünü geride bırakmış, gerçek kimliğine kavuşmuş bir Piraye olarak, ikisiyle de dostça vedalaşıp kendimi sokağa atıyorum.

Bir aylık eğitim döneminin bitiminde, izinli çıkıyor Haşim. Saçları kısacık; asker tıraşı.

"Yakışmış sana," diyorum. "Yüzün gözün açılmış."

Özlemişiz birbirimizi.

Önce o anlatıyor. Asker ocağında yaşadıklarını; Karafatma Dağı'nın eteklerinde yaptıkları atış talimlerini, yemek konusundaki seçiciliğinin başına dert olduğunu, öğünlerinin çoğunu kantinden aldığı helva ekmekle geçiştirdiğini...

Sonra sıra bana geliyor. Kliniklerin yoruculuğu, derslerin ağırlığı; arta kalan zamanda yaptıklarım... Hepsini ilgiyle dinliyor Haşim.

"Bir de..." diyorum. "Serap'la tanıştık!"

İğne batırılmış gibi, olduğu yerde irkiliveriyor.

"Üstelik ziyaretine gittim," diye devam ediyorum.

Ve baştan sona, en ufak ayrıntısına kadar, tüm yaşadıklarımı anlatıyorum. Serap'ı, Funda bebeği, Baran'ı...

Sözlerimi bitirdiğimde, uzunca bir süre, ifadesiz bir yüzle düşünüyor Haşim.

"Yani, açık açık flört ettin oğlanla?"

Bu noktaya takılacağını beklediğimden, hazırlıklıyım.

"Evet," diyorum kayıtsızca. "Öyle gerekiyordu, öyle oldu."

Kızmak istiyor, kızamıyor. Haklı gerekçelerim olduğunun ayrımında.

"Korkulur senden," diye başını iki yana sallıyor.

"Kork!" diye bağırıyorum. "Bu konuda yapamayacağım şey yok benim."

"Gözdağı mı veriyorsun bana?"

"Nasıl istersen öyle yorumla. Yalnız bu meselede değil, beraberliğimizin hangi safhasında olursa olsun, gelişebilecek benzer durumlarda, karşında bambaşka bir Piraye görürsen hiç şaşırma..."

"Böyle bir durum, bir daha asla olmayacak."

"O halde sorun yok."

"Benim miladım seninle başladı Piraye. Seninle de sürecek..."

"Umarım. Baştan söylemiş olayım da, adımlarını ona göre at sen de."

Biraz sahiplenme, biraz da kıskanma ve sakınma içeren sözlerim, hoşuna gitmiş gibi... Kayıtsız şartsız bana bağlı kalma yolunda yürümeye hazır görünüyor.

Kendi bilir...

Üç aylık eğitim döneminin sonunda kura çekecek Haşimler.

"Keşke İstanbul olsa," diyor. "Hemen evleniveririz."

Onun bu isteğini paylaşamıyorum. Öğrenciliğim bitmeden evlenmekten yana değilim ben. Gene de varsayımlar üzerinde konuşup, onunla ters düşmeyi istemiyorum.

Birbirine zıt yönde yoğunlaşmış dualarımızdan, yerine ulaşan benimki oluyor. Kurada, İzmir'i çekiyor Haşim.

Telefondaki sesi buruk.

"Beceremedim," diyor. "Ah, bir İstanbul olsaydı..."

Üzüntüsüne katılmasam da, "İstanbul'a yakın hiç değilse," diye avutmaya çalışıyorum onu.

17

Son sınıf öğrencisiyim artık.

Bu yaz tatili, öncekilerden çok farklı benim için. İçinde pek çok "son"u barındırıyor çünkü.

Gelecek yıl Çınarcık'a gelsem de, eski Piraye'den bambaşka bir çizgide olacağımı biliyorum. Evli, kendi arzusuyla olsa da, özgürlüğünü rafa kaldırmış genç bir kadın...

Son yazımı, bağımsız geçireceğim bu son günleri gönlümün dilediğince, doyasıya yaşamak istiyorum.

Haşim yaz boyunca iki kez geliyor Çınarcık'a.

Babamla mangal başı keyfini paylaşıyorlar. Annem sevdiği yemekleri pişiriyor ona.

Baş başa kaldığımızda, geleceğe yönelik konularda, birbirimize daha ciddi öneriler sunuyoruz artık. Ben protez kürsüsünde asistan kalmayı gündeme taşıyorum. Haşim'in kafasında ise baştan beri muayenehane açma fikri var. Zaman içinde kararlarımızın kesinleşeceğini düşünüyoruz.

İzmir'i çok sevmiş Haşim.

"İstersen İzmir'e yerleşebiliriz," diyor.

Pek gönüllü yaklaşmıyorum bu öneriye. İstanbul dururken, daha çok sayıda seçenek arasından seçim yapma şansımız varken... İzmir düşüncesine ısınamıyorum bir türlü.

Kurban Bayramı ile çakışan yarı yıl tatili öncesi, "Diyarbakır'a gidelim," diyor Haşim. "Hep beraber..."

Neden olmasın? Nişanlımın memleketini görmek, onun durup dinlenmeden tanıtmaya çalıştığı şehri yakından tanımak fikrinin çekiciliğine kapılıveriyorum.

"Ben gelemem," diyor babam.

Gerekçe olarak da muayenehaneyi ve randevulu hastalarını öne sürüyor.

Sonunda, annemle beraber gitmeye karar veriyoruz.

Diyarbakır'a, Haşim'in ailesinin evine konuk olmak, gelin adayı Piraye için farklı heyecanlar içeriyor. Orada neler yaşayacağımın, ne tür izlenimlerle geri döneceğimin merakı içindeyim.

Havaalanını şehre bağlayan yolda hızla ilerliyoruz.

"Burası Diyarbakır'ın Yenişehir bölümü," diyor Haşim. "Surların içinde kalan eski şehir, kapılarından dışarı açılıp alabildiğine yayıldı ve büyüdü. Özellikle de son yıllarda... Ama tarihi solumak istersen, surların içine girmen gerekir."

Doğduğumdan bugüne, kısa geziler dışında İstanbul'dan ilk çıkışım. Gördüğüm her yeni şey, bilmediğim ufuklara taşıyor beni.

"Eski Diyarbakır'ı ne zaman görebileceğiz?" diyorum sabırsızlıkla.

"Merak etme," diye gülüyor Haşim. "Onun için de fırsat yaratacağız."

Arabanın durmasıyla, Haşimlerin evine geldiğimizi anlıyorum.

Haşim, annemle benim arabadan inmemize yardım ediyor. Nereden çıkıp geldiklerini anlayamadığım birileri, bavullarımızı alıp, parmaklıklı demir kapının gerisinde kayboluveriyorlar.

Geniş bir bahçenin içine oturtulmuş, üç katlı bir konak burası. Bahçeyi çepeçevre saran yüksek duvarların üzerindeki demir parmaklıklar sarmaşıklarla örtülü. Ancak dikkat edilince görülebilen binadan çıkan birilerinin bize doğru geldiklerini ayrımsıyorum.

Lamia Hanım, Kenan Bey, hemen arkalarında da Naran... Sevecen, sıcak bir kucaklamayla karşılıyorlar bizi.

Sağa doğru kıvrılan merdivenleri çıkıp alçak zemin katının üzerindeki orta kata ulaşıyoruz.

Kemerli sokak kapısından geniş bir hole, oradan da yüksek tavanlı büyük bir salona geçiyoruz. Salonun iki duvarı, boydan boya uzanan sedirle çevriii. Üzerine (sonradan adının "kadamalı yastık" olduğunu öğreneceğim), sırma işli duvar yastıkları dizilmiş.

Orta yerde; alçak, ahşap bir dörtayak üzerinde; kocaman, bakır bir sini var. Hemen çaprazındaki bakır mangalla uyum içindeler. Duvarlara bakır-gümüş karışımı işlemelerle bezeli tabaklar serpiştirilmiş. Salonun sol köşesinde, antika olduğunu tahmin ettiğim, ceviz bir konsol duruyor.

Yerler, duvardan duvara el dokuması halılarla kaplı. Naran, bu halılara ayakkabıyla basılamayacağını anlatmak ister gibi, annemle benim ayağımıza birer çift terlik uzatıyor.

Koltuk alışkanlığımızı bir yana atıp, yerden epey yüksek olan sedirlere yerleşiyoruz annemle.

Lamia Hanım bir kez daha kucaklıyor bizi.

"Evimize hoş geldiniz!" diyor.

Sonra geriye dönüp, Naran'a belli belirsiz, bir şeyleri ima eder gibi bakıyor.

Hemen dışarı fırlıyor Naran. Birazdan, elinde bardak dolu gümüş bir tepsiyle geri geliyor.

"Bir yorgunluk şerbeti içersiniz artık," diye gülümsüyor Lamia Hanım. İstanbul'dakinden çok daha sıcak, konuk ağırlamanın gereklerini severek yerine getiren bir ev sahibi kimliğinde.

Naran'ın uzattığı tepsideki bardaklardan birini alıyorum. Renksiz, şekerli su gibi bir şey. Ama kokusu hoş, içine kavrulmuş badem atılmış. Söz gecelerinde içtiklerini söyledikleri şerbet bu mu acaba?

Daha çok annemle Lamia Hanım arasında geçen, Kenan Bey'in nadiren katıldığı, Haşim'le benim izlemekle yetindiğimiz sohbetin ardından, yemeğe buyur ediyorlar bizi.

Bu kez, biraz öncekine eşit büyüklükte, ikinci bir salona geçiyoruz.

Upuzun bir masa... Üzeri pek çoğunu tanımadığım yiyeceklerle donatılmış. Tam ortada, kocaman bir sininin içinde, görünümünden pek hoşlanmadığım bir yemek var.

"Kibe mi yaptınız anne?" diyor Haşim. "Sevmeyebilirler..."

"Evet," diye gülüyor Lamia Hanım. "Kibe bumbar..."

Sonra açıklamaya girişiyor.

"Kibe, işkembe dolması; bumbar da bağırsak. Diyarbakır'ın özel yemekleri bunlar."

"Merak etme oğlum," diye Haşim'e dönüyor. "Sevmezlerse başka yemekler de var. Aç bırakmayız konuklarımızı."

Tabağıma konulan kibeyle bumbara içim bulanarak bakıyorum. Ayıp olmasın diye, kibenin dış kabuğunu çıkarıp, içindeki pilav benzeri pirinç-kıyma karışımından bir çatal alıyorum. Hiç de fena değil. Biberli, baharlı, naneli bir iç.

Lamia Hanım'ın başka yemekler dediği, upuzun bir liste oluşturuyor. İçli köfte, kaburga dolması, su böreği... Bunca yiyeceğin bizim için hazırlandığını düşünmek hoşuma gidiyor. İşte Diyarbakır, diyorum içimden. Anadolu insanı böyle ağırlıyor konuğunu.

Lamia Hanım, yediğimiz her lokmanın açıklamasını yapıyor.

"Diyarbakır'ın içli köftesi farklıdır. Antepliler dışına kıyma koyarlar. Bizimki yalnız bulgurdur. Tüm zenginliği içine katarız."

Gerçekten de zengin içi. Biberli, baharlı, bol cevizli kıymanın, dış kabuğu oluşturan bulgurla uyumu kusursuz. Köftelerin bir kısmı haşlanmış, bir kısmı yumurtaya belenerek kızartılmış.

"Ben kızarmış olanını severim," diyor Haşim.

Ona katılmıyorum. Haşlaması daha hafif geliyor bana.

Kaburga dolmasının da Diyarbakır'ın başta gelen yemeklerinden olduğunu öğreniyoruz. Yumuşacık pişmiş etlerle kaynaşan iç pilav, tek kelimeyle nefis.

Bu kadar yemeğin ardından su böreğine yerimiz kalmıyor. Kırk kat elde açılmış ince yufkayla hazırlanan, emek ürünü, yörenin ünlü Nuriye tatlısından ancak birer lokma alabiliyoruz annemle.

"Her öğünde bu kadar yersem, dönünceye kadar tombul bir nişanlın olacak," diye fısıldıyorum Haşim'e.

"Her halinle kabulümsün," diye gülüyor.

Yemeğin ardından, "mırra" dedikleri acı kahveyi içiyoruz. Kulpsuz, küçük, buraya özgü fincanlarda... Süzme, özel bir kahve mırra. Ağızda acı, buruk; ama hoş bir tat bırakıyor.

"Yorucu bir gün geçirdiniz," diyor Lamia Hanım. "Odanıza çıkıp dinlenmek istersiniz belki..."

Üst kata çıkan merdivenlerin bitiminde geniş bir sofa, sofanın çevresinde de çok sayıda oda var.

Lamia Hanım sağdan ikinci kapıyı açıyor. Bavullarımız odamıza taşınmış bile.

"İyi bir karşılamaydı," diyor annem baş başa kaldığımızda, ilk söz olarak.

Doğru, bu kadarını ben bile beklemiyordum doğrusu.

Geniş konuk odasındaki karyolalardan pencereye yakın olanını seçiyorum. Saten, üzeri Çin iğnesi işlemeli yatak örtüsünü kaldırıp, kalın yün yorganla sakız beyazı çarşafların arasına süzülüveriyorum.

Sabah Naran'ın sesiyle uyanıyoruz.

"Piraye..."

Kapıyı aralıyorum.

"Kahvaltı hazır. Bayram kahvaltısı..."

Bunun ne anlama geldiğini açıklamak anneme düşüyor.

"Geciktik," diyor. "Bayram namazı dönüşü, kahvaltıya oturulur buralarda..."

Çarçabuk giyinip aşağıya iniyoruz. Kenan Bey, Lamia Hanım ve Haşim, salonda oturmuş bizi bekliyorlar.

Beni görünce hemen yerinden fırlıyor Haşim.

"Bak, ne göstereceğim sana," diye kolumdan tutup pencerenin önüne götürüyor.

Bahçede bir değil, iki değil, üç değil; tam dört tane kurbanlık koyun var.

"Hadi," diyor Lamia Hanım. "Aşağıya inelim de, kurbanlıkları sahiplerine teslim edelim."

Ne demek istediğini tam çıkaramıyorum. Önümüzde Lamia Hanım, annemle beraber bahçeyle buluşan merdivenleri iniyoruz. Haşim'le Kenan Bey de arkadan geliyorlar.

"Bu senin gelin hanım," diyor Kenan Bey.

Kurbanlıklar içinde en gösterişlisi olan kocaman koça hayretle bakıyorum. Koçun boynuzuna kırmızı kurdeleyle bağlanmış üç sıra bileziği gördüğümde, hayretim ikiye katlanıyor.

"Bayram takını almayacak mısın?" diye gülüyor Lamia Hanım.

İlk şaşkınlığımı atıp, iri nohut büyüklüğündeki taneciklerin birbirine eklenmesiyle oluşmuş bilezik dizisini elime alıyorum.

"Diyarbakır'ın haplı bileziği," diye açıklıyor Lamia Hanım. "İki parçası uç uca eklendiğinde kolye oluyor. Yani, bir kolyeyle bir bilezik gibi de düşünebilirsin. Ya da üç ayrı bilezik olarak kullanabilirsin."

Şimdiye dek benzerini hiç görmediğim bu değişik üçlü, ilk kez altın takıya karşı bir heves oluşturuyor içimde.

Haşim bileziklerden birinin kancasını açıp koluma takıyor. Çok güzel...

"Teşekkür ederim," diye Lamia Hanım'ın boynuna sarılıyorum.

"Koç için bir şey söylemedin ama," diye gülüyor Kenan Bey.

"Zahmet etmişsiniz," diyorum. "Teşekkür ederim. Ama onun kesilmesini görmek istemem."

"Bizde âdettir," diyor Lamia Hanım. "Kurban Bayramı'nda geline koç gönderilir."

"Ya diğerleri?" diye soruyorum.

"Biri benim, biri Kenan Bey'in, diğeri de Haşim'in."

Arkamızda, elleri önde saygıyla bekleyen, birazdan kasap olduklarını öğreneceğim, birilerine dönüyor Kenan Bey.

"Vekâletlerimizi verip gidelim. Kesilişini göstererek, üzmeyelim gelinimizi..."

Kasaplar bizim yerimize kurbanlıkları kesebilmek için, hepimizden tek tek vekâlet alıyorlar.

"Hadi," diyor Lamia Hanım. "Artık kahvaltımızı yapabiliriz..."

Yemek salonunda, özenle hazırlanmış bir sofra bizi bekliyor.

Laf arasında, Lamia Hanım'ın sabah namazıyla kalktığını, çok sayıda yardımcıyla beraber de olsa, bayram çöreği ve şekerlokum dedikleri bir kurabiyeyi pişirdiğini öğreniyoruz.

Naran'ın sürekli, mutfağa gidip gelerek, sofraya bir şeyler taşıdığını görmek beni de hareketlendiriyor.

"Yardım edeyim sana," diye peşine takılıyorum.

Aslında, böyle bir konağın mutfağını görmenin merakı içindeyim.

Lamia Hanım kafamdan geçenleri okuyor sanki.

"Siz de buyurun," diyor anneme. "Mutfağımızı da görmüş olursunuz."

Salondan çıkıp kısa bir koridor boyunca yürüyoruz. Önce, sol tarafta bir kapıyı açıyor Lamia Hanım.

"Kilerimiz," diyor.

Kocaman, penceresiz bir oda. Duvarları, boydan boya raflarla çevrili. Rafların üzerinde, ne içerdiklerini belirten etiketleriyle, küçüklü büyüklü tenekeler, bez torbalar, şaşırtıcı bir düzen içinde sıralanmışlar.

Kilerin hemen yanındaki büyük kapıdan mutfağa geçiyoruz.

Buraya, yalnızca "mutfak" demek haksızlık olur. Fakültedeki laboratuvarlarımızı çağrıştıran bir yanı var. Eskiyle yeniyi, klasikle moderni uyumla kaynaştırmış. Bir yanda iki kapılı devasa buzdolabı; yanı başında ise büyük şehirlerde kullanımdan kalkmış bir tel dolap. İçinde dizi dizi reçel, salça ve baharat kavanozları...

Mermer tezgâhı bölen elektrikli fırın ve bulaşık makinesi, yeniyi simgeliyor. Ama karşı köşedeki, dökme saçtan yapılmış kuzine, eskinin görkemli bir temsilcisi olarak, dimdik duruyor karşımızda.

"Çörekleri, kurabiyeleri bu kuzinede pişiriyoruz," diyor Naran.

Ortada, kare şeklinde dev bir masa var. Üzerinde de dizi dizi sıralanmış Diyarbakır çöreği ve şeker-lokum tepsileri...

"Gece yatmadan hamurunu yoğurduk, sabah da pişirdik," diyor Lamia Hanım.

"Senin yaptığın peksimete benziyor," diyorum anneme Diyarbakır çöreğini göstererek."

"Yiyince farkını göreceksiniz," diye gülümsüyor Lamia Hanım. "Çok değişik ilaçlar katarız içine. Burada 'çörek dermanı' diye bir karışım satarlar. Ama ben, tek tek alıp kendim karıştırıyorum. Kara çörekotu, mahlep, mayana, anason tohumu, susam..."

"Ama," diyorum. "Şeker-lokum, bizim un kurabiyemizin aynısı."

"Bak ona hayır diyemem Piraye'ciğim; gene de 'şeker-lokum' demekten vazgeçemiyoruz biz."

Sofraya götürülmek üzere hazırlanmış çörek dolu servis tabaklarından birini de ben alıyorum.

Lamia Hanım'ın yüzünde sıcacık bir gülümseme dolanıyor.

"Hep bugünü bekledim," diyor. "Gelinimin gelmesini, evimin içinde böyle salınarak gezmesini..."

Konuşması içten. Gelinini böyle özlemle bekleyen bir kayınvalidem olduğu için, çok şanslıyım galiba.

"Çöreğin en iyi arkadaşı, Diyarbakır peyniridir," diyor Kenan Bey.

Diyarbakır yöresine özgü; örük ya da top şeklinde, bazılarının içine ot konulmuş, farklı bir peynir bu.

"Baharda, peynir şenliği yaparız," diyor Lamia Hanım. "Kilolarca taze peyniri alır, büyük kazanlarda kaynayan suya atıp eritir, sonra da bu gördüğünüz şekilleri veririz. Ardından tenekelere basıp, üzerine tuzlu su dökerek, ağızlarını lehimletir, soğuk hava depolarına göndeririz. Sonbaharla beraber tenekeler gelir, ağızları açılır ve afiyetle yenir."

Peynirin içindeki ot, dereotunu andırıyor; ama farklı, baharatlı bir tadı var.

Zeytinleri de bizimkine benzemiyor. Normal zeytinin iki katı büyüklüğünde, yeşil-mor arası, kırma zeytin... İşlenmemiş olarak alınıp kırıldıktan sonra, özel leğenlerde suya konulup acısının gitmesi bekleniyor, sonra da terbiye edilip yenilecek hale getiriliyormuş.

Yemek konusuna verilen önem, harcanan bunca emek, bizim alışkanlıklarımızın çok ötesinde. Hatta, yeme içme konusu, yaşamlarının ağırlık merkezini oluşturuyor da denilebilir.

Benim gibi, boğazına pek düşkün olmayan birisi için, zaman kaybından başka bir şey değil. Gene de, her biri ayrı öyküye sahip çörekleri, peynirleri, zeytinleri iştahla atıştırmaktan kendimi alamıyorum.

"Kurban Bayramı'nın ilk günü, en yakınlar dışında kimse kimseye gidip gelmez," diyor Lamia Hanım. "Fırsat bu fırsat, biz kurban işini yoluna koyarken, Haşim de sizi gezdirsin biraz..."

Bu iyi işte! Diyarbakır'ı turist kimliğiyle gezmeye can atıyorum.

Kesilmiş, parçalara ayrılmış kurban etlerini görmemeye çalışarak, merdivenlerden aşağıya, uçarcasına iniyorum.

Kenan Bey, arabasının anahtarını Haşim'e uzatıyor.

"Haşim'in BMW'sinin konforu yok ama... İdare edin artık."

Kenan Bey'in beğenmediği, biraz eski model bir Mercedes.

"Haşim," diye sesleniyor arkamızdan Lamia Hanım. "Gecikmeyin. Akşamüzeri Reyyanlar gelecek..."

Diş doktoru olmasa, başarılı bir turist rehberi olabilirmiş Haşim. İlgi alanı Diyarbakır'la sınırlı kalsa da...

"Burası Dağkapı," diyor, Diyarbakır'ın tarih kokan eski dokusuna doğru yol alırken. "Buna benzer üç kapımız daha var: Urfakapı, Mardinkapı ve Dicle Kapısı."

Önce, Haşim'in belki yüzlerce kez geçtiği, her adımını ezbere bildiği Diyarbakır caddelerinde tur atıyoruz. Caddelerin sokaklara, sokakların iyice daralıp incecik yollara dönüştüğü köşelere götürüyor bizi Haşim. Arabanın giremeyeceği darlıktaki sokaklarda, gezimizi yürüyerek sürdürmek zorunda kalıyoruz.

Gri-siyah, iri bazalt taşlarıyla örülmüş; yüzyıllar öncesinden bize ulaşabilen surların görkemli duruşu karşısında büyülenmiş gibiyim. Ardı ardına çektiğim fotoğraflarla gördüklerimi belgelemeye çalışıyorum.

"Diyarbakır surlarını, şehri saran basit bir duvar olarak görmeyin sakın," diyor Haşim. "Kuruluşundan bu yana, bu topraklarda yaşayan uygarlıkların en güzel göstergesidir surlar... Bir açık hava müzesi de diyebilirsiniz buna."

Diyarbakır surlarının, dünyanın en büyük kalesi; kale olarak birinci, uzunluk olarak da Çin Seddi'nden sonra dünyada ikinci olduğunu öğreniyoruz.

Kapılar için de ilginç şeyler anlatıyor Haşim.

"Yüz yıl öncesine kadar bu kapılar; güneşin doğuşuyla açılır, batışıyla kapanırmış. Kapılar kapanınca, kimse içeri giremez ya da dışarı çıkamazmış. Bunun nedenini, Diyarbakır'ın birkaç kez salgın hastalık yaşamasına bağlıyorlar. Ortadoğu'nun büyük ticaret, özellikle de ipek merkezlerinden biri olduğundan, gelene gidene dikkat etmek durumundalarmış. Yabancılar şehre girmeden önce, kapının hemen girişinde yer alan hamamlara sokulur; ancak yıkanıp paklandıktan sonra şehre girmelerine izin verilirmiş.

Onun için de kentin dört kapısının içindeki girişlerde bir hamam, bir han, bir cami olurmuş. Ne yazık ki, bu hanların, hamamların çoğu yok artık. Ya bakımsızlıktan yıkıldı ya da sahipleri tarafından. Yerlerine pasaj yaptırmayı daha kârlı gördüklerinden..."

Ardından, Alipaşa Mahallesi'ne götürüyor bizi Haşim. Şehrin gecekondularla dolu, kenar mahallesine... Daracık sokaklar arasında, inişli yokuşlu zemin üzerinde yürümeye çalışırken, buraya neden geldiğimize bir anlam veremiyorum.

Evlerin önünde yüzü gözü kirli, her yaştan çocuk toza toprağa aldırmadan oyun oynuyor. Bizi fark eden birkaç tanesi peşimize takılıyor. Yanım sıra yürüyen çocukların gülümseyen yüzlerine bakıyorum. Ve hepsinde var olan ortak bir özelliği keşfediyorum: Gözleri! İri, kömür karası, ateş gibi; yabansı bir çekim gücüyle içlerine alıveriyorlar insanı...

Haşim, gecekondu görünümündeki evlerden birinin üzerindeki kitabeyi gösteriyor.

"Gördüğünüz gibi," diyor gururla. "Diyarbakır'ın her zerresinden tarih fışkırıyor."

Yeniden arabaya biniyoruz.

"Sizi burçlara götüreceğim," diyor Haşim. "Surların üzerindeki seksen iki burçtan en ünlülerine..."

Surların Şehitlik bölümüne doğru hızla ilerliyoruz.

"Her burcun ayrı bir öyküsü, yüzyıllar öncesinden günümüze ulaşan birer efsanesi var," diyor Haşim.

Yedikardeş Burcu'nun önündeyiz.

Çift başlı kartal ve aslan kabartmaları, ustaca işlenmiş kitabeler, gerçek bir tarih hazinesinin karşısında olduğumuzu fısıldıyor bize.

"Yedikardeş, bir umut burcudur," diyor Haşim. "Çocuksuz kadınlar, çocuklarının erkek olmasını bekleyenler buraya gelir, dua eder, adaklar adar, bez bağlarlar. İlginç de bir efsanesi var buranın..."

"Ne duruyorsun, anlatsana..." diyorum sabırsızlıkla.

"Sizi sıkmaktan korkuyorum," diye gülüyor.

"Öyle şey olur mu hiç?" diyor annem. "Zevkle dinliyoruz seni."

İlgimizin yoğunluğu Haşim'i sevindiriyor. Masal tadında bir anlatımla, Yedikardeş efsanesiyle buluşturuyor bizi:

"Çocuğu olmayan bir kadın, her gün kocası tarafından dövülmektedir. Canından bezen kadın, burcun üzerine çıkar. Kayaların üstünden atlayıp intihar etmekten başka umarı kalmamıştır. Tam kendini atacağı sırada, Hızır görünür gözüne. Kadını intihardan vazgeçirir. Evine gitmesini ister. Bir süre sonra hamile kalır kadın. Hamileliği boyunca her gün burca gelip, Hızır'ı gördüğü yerde, çocuğunun erkek olması için dua eder. Duaları kabul olur ve nur topu gibi bir erkek çocuk doğurur.

Sonraki yıllarda, peş peşe altı erkek çocuk daha doğurur. Çocuklar büyür, cesur birer delikanlı olurlar. Annelerinin vasiyeti üzerine, üç katlı burcun içine yedi oda yapıp, buraya yerleşirler.

Bir sabah uyandıklarında, kalenin kalabalık bir düşman ordusunca kuşatıldığını görürler. Burcu almaya gelen düşmanla cesurca savaşırlar. Surların büyük bir bölümünü ele geçiren düşman komutanı, burcun düşmemesine kızmıştır. Kendisi başta olmak üzere, kalabalık bir grupla saldırıya geçer. Teslim olmayı akıllarına bile getirmeyen, ölümüne savaşan yedi kardeş, bedenlerinin her yanına, çok sayıda dinamit bağlayıp ateşlerler.

Dinamitlerin patlamasıyla, burcun üzerindeki askerler, başlarındaki komutanla beraber havaya uçar. Yedi kardeş de şehit olurlar. Komutanını kaybeden düşman ordusu, büyük kayıplar vererek dağılır. Yedi kardeşin sayesinde kale kurtulmuştur. Havaya uçan burcun yerine, bu yedi kardeşin anısına, yeni bir burç yapılır."

"Hüzünlü bir öykü," diyor annem.

"Kafama bir şey takıldı," diye araya giriyorum. "Çocuğu olmayan kadınların kocaları tarafından dövülmesi de Diyarbakır âdetlerinden biri mi yoksa?"

"Yok canım," diye gülüyor Haşim.

Uzun yanıtlar vermek yerine, "Bu da Evli Beden Burcu," diye, Yedikardeş'in karşı tarafındaki burcu gösteriyor bize.

En az Yedikardeş kadar görkemli burçtan gözlerimi alamıyorum.

"Onun da bir efsanesi var mı?"

"Var. Ama, öncekinden de hüzün verici ne yazık ki..."

"Olsun. Gene de anlat sen."

"Benden günah gitti... Hükümdarın emri üzerine, Evli Beden'in yapımını mimar İbrahim, Yedikardeş'in yapımını da oğlu Yahya üstlenir.

Baba oğul aynı gün işe başlar ve bir yıl sonra, aynı gün eserlerini bitirirler. Her iki burç da birbirinden güzel olmuştur. Ancak, bu görüntüler iki ustayı da tatmin etmez. Önce baba İbrahim, karşı burçtaki oğluna seslenir. 'Seninki daha güzel olmuş,' diye. Kendi yaptığı burcun üzerinde, babasının eserini hayranlıkla seyreden Yahya, avazı çıktığı kadar bağırır: 'Hayır, seninki daha güzel olmuş!'

Karşılıklı bağrışmaların sonunda, baba İbrahim 'Ya Allah,' deyip kendini burçtan aşağı atar. Onu gören oğlu Yahya da üzüntüden kahrolarak, aşağıya atlar. İkisi de kayalara çarpa çarpa can verirler.

Bu olaydan sonra burçlara ve şu gördüğünüz vadiye *Ben-ü Sen* adı verilir. Önceleri meyve ağaçlarıyla dolu, içinde buz gibi sular kaynayan, kentin mesire yeri olan yemyeşil vadi, kırsal kesimden gelen göçlerle, gecekondu cennetine dönüştü ne yazık ki..."

"Şu anda bizi, işin tarihi yönü ilgilendiriyor," diyorum. "Sosyolojik cephede alınan yenilgiler bu eşsiz tabloyu gölgeleyemez."

"Öyle," diyor Haşim biraz buruk bir tavırla. "Şehirleşme adına örselenmiş olsalar da, Ben-ü Sen Vadisi'yle iki yanında sekiz yüz yıldan beri ayakta duran bu iki muhteşem anıtın bizler için önemi büyük."

Saatine bakıyor.

"Dönelim mi artık?"

Bana kalsa, turistik yönü ağır basan gezimizi sürdürmeyi yeğlerim. Ama Lamia Hanım'ın son uyarısını yok saymak ayıp olacağından, gönlümü burçların üzerinde takılı bırakarak, "Dönelim," diyorum.

Reyyan Abla, kocası Cevdet Enişte ve çocukları çoktan gelmişler. Lamia Hanım ve Kenan Bey'le beraber, salonda oturmuş bizi bekliyorlar.

"Nasıl buldunuz Diyarbakır'ımızı?" diye soruyor Kenan Bey.

"Harika," diyorum. "Tek kelimeyle harika!"

"Sağ olsun, Haşim görülmesi gereken her yeri gösterdi bize," diyor annem de.

"Yalnızca küçücük bir bölümünü," diye düzeltiyor Haşim.

"En iyisi, tatilinizi biraz daha uzatmak," diye gülüyor Lamia Hanım. "Yalnız Diyarbakır şehri değil, görülmesi gereken Diyarbakırlıları da düşünürsek... Onca akraba, eş dost var geride."

Kibarca yapılmış, açık bir uyarı bu. Şehir gezisi bu kadar; bundan sonrası akraba ziyareti, demeye getiriyor. Kendince haklı. Gelinini ve annesini yakınlarıyla buluşturmak, tanıştırmak, gerekli bayram ziyaretlerini beraberce gerçekleştirmek istiyor haliyle.

"Bu kadar düşünmeyin canım," diyor Reyyan Abla. "Diyarbakır'ı da Diyarbakırlıları da görecek bol bol vaktiniz olacak nasılsa."

Düğüne geldiğimiz zamanı kastediyor olmalı.

Evet, Haşim'le ve babamla da konuştuğumuz gibi, düğünümüzü burada yapacağız. Ama o telaş içinde, gezmeye fırsat bulabileceğimizi hiç sanmıyorum doğrusu.

"Yorulmuşsunuzdur," diyor Lamia Hanım. "Güzel bir çay iyi gelecek hepimize..."

Onun bu sözleri, Reyyan Abla'ya ve Naran'a salonla mutfak arasındaki taşıyıcılık görevlerini hatırlatmaya yetiyor. İkisi birden yerlerinden fırlayıveriyor.

İçeride çok sayıda yardımcı olmasına karşın, servisi kendilerinin yapması dikkatimden kaçmıyor. Bunu, konuğa gösterilen saygı olarak algılıyorum.

Reyyan Abla'nın, evlenip bu evden ayrılmış olsa da, kendini en az Naran kadar bu evin kızı konumunda gördüğü belli. Ben de gelin kimliğimle, üstüme düşeni yapmam gerektiğini düşünerek peşlerinden gidiyorum.

Ortadaki masanın üzerindeki önceden hazırlanmış servis tabaklarını alıp, hep beraber salona taşımaya başlıyoruz. Mercimekli köfte, Diyarbakır çöreği, şeker-lokum...

"Akşamı düşünerek, ikindi çayını hafif tuttuk," diyor Lamia Hanım. "Kurban kavurmasına yer kalsın diye..."

Elimdeki tabaklardan birini Kenan Bey'in, diğerini Haşim'in önüne bırakıyorum.

"İşte istediğin oldu anacığım!" diyor Reyyan Abla. "Gelinin geldi, etrafında dönüyor. Hele bir düğün olsun, tam olarak kavuşacaksın gelinciğine..."

Yanlış mı duydum? Lamia Hanım'ın gelinciğine tam olarak kavuşması... Ne anlama geliyor bu?

Günlerdir her fırsatta yinelenen, şu ana kadar gözüme son derece masum görünen; gelin özleminin dışavurumu şeklinde maskelenmiş art niyetler, Reyyan Abla'nın ağzında gerçek yüzüne kavuşuyor galiba.

Ne düşünüyor bunlar?

Düğünün ardından Diyarbakır'a yerleşeceğimizi, hatta bu eve gelin geleceğimi mi?

Beynime ulaşan tatsız iletilerin, orada bulunanların üzerindeki yansımasını görmek için, neşeyle gülüşüp söyleşen kalabalığı şöyle bir tarıyorum.

Annem, Lamia Hanım'la bir şeyler konuşuyor. Söylenenleri ya duymadı ya da anlamadı. Haşim, Reyyan Abla'nın kızı Burçin'i dizlerinde hoplatıyor. Kenan Bey'le Cevdet Enişte, köyle ilgili derin bir sohbete dalmışlar.

Yanıldım mı acaba, diye düşünürken; Naran'ın yüzünde hınzırca bir ifade yakalıyorum. Ablasına bakıp hafifçe gülümsüyor.

Şu an için en iyisi, anlamamış görünmek... Ama beklenmedik gelişmelere karşı hazırlıklı olmakta yarar var.

Bayramın ikinci günü, tam bir ziyaretçi akınına uğruyor ev.

Önce Çermik'ten, köyden, kalabalık bir konuk grubu geliyor. Kenan Bey ve Haşim, onları bahçede karşılıyorlar.

Köylüler önce Kenan Bey'in, sonra Haşim'in önünde yere kapaklanıp, bana çok itici gelen bir tarzda saygılarını gösteriyorlar. Ayağa kalkınca da iki ellerini önlerine bağlayıp, hiç konuşmadan, öylece duruyorlar. Kenan Bey neyse de, Haşim'in ağalığını çok yadırgıyorum.

Bahçeye tepsi tepsi şerbet taşınıyor.

Sonra, geldikleri gibi, otobüslere binip köylerine dönüyorlar.

"Zaman olsa, köye de götürürdük sizi," diyor Lamia Hanım. "Bir dahaki sefere inşallah."

Geleceğe yönelik öneriler, beni ürkütüyor artık. Doğal olarak söylenseler bile, her şeyden farklı anlamlar çıkarır oldum. Sözcüklerin altında amacını aşan niyetlerin barındığını düşünmek, gitgide saplantı haline geliyor bende.

Günün geri kalanı, gene konuk ağırlamakla geçiyor. Bayram ziyareti mi, yoksa gelin görmek için mi bunca kalabalık; çözemiyorum. İç içe geçmiş akrabalık ilişkilerini algılamakta güçlük çekiyorum. Kim kimin amca oğlu, kim kimin babasının uzaktan akrabası... Bunları öğrenmem ya da aklımda tutmam gerektiğini de hiç sanmıyorum.

Bitmek tükenmek bilmeyen konuk akınına, meraklı komşuların da eklenmesiyle tablo tamamlanıyor.

Herkesin gözü benim üzerimde. Lamia Hanım'ın gelinini inceden inceye süzüp, hakkındaki yorumlarını paylaşmak için kapıdan çıkmayı bile beklemeden, hemen oracıkta, açıktan açığa fısıldaşıp duruyorlar.

Robotlaşmış adımlarla, Artukoğlu ailesinin yıllardır özlemi çekilen gelini rolünde, ortalıkta dolanıp duruyorum.

Annem hiçbir şeyin ayrımında değil. Böyle olması daha iyi galiba. Tam açıklık kazanmamış kuşkularıma onu da ortak etmenin anlamı yok.

Bayramın üçüncü gününün programını çoktan yapmış Lamia Hanım.

"Bugün gelin gezdirme günümüz," diye müjde veriyor kendince. "Seni görmek isteyen o kadar çok kişi var ki..."

Dünküler yetmedi mi, diye geçiriyorum içimden.

Neden bütün Diyarbakır'ın beni görmesi gerekiyor ki?

"Önce Ofis'ten başlayalım," diyor Haşim'e. "Sonra da Ayişe bibiye(*) gideriz."

(*) bibi: hala.

Annemle bana dönüyor.

"Ayişe bibi, ailemizin hayatta kalan en yaşlı kişisi. Eski şehirde, torunuyla beraber oturuyor. Böylelikle, sur içindeki tarihi Diyarbakır evlerinden birini de görmüş olacaksınız."

Cılız bir sevinç kaplıyor içimi. Eski Diyarbakır'da beni çeken bir şeyler var... Özgün ve doğal oluşu belki de.

Ne var ki bu doğallığa kavuşabilmek için, Yenişehir'in Ofis semtinde saatlerce, kapı kapı, akraba, eş dost ziyareti yapmamız gerekiyor.

Adlarını ve yüzlerini, Artukoğlu ailesine yakınlık derecelerini asla hatırlayamayacağım onlarca insan... Lamia Hanım'ın kafasında oluşturduğu belli bir sıraya göre, bir apartmandan diğerine, bahçeli evlerden saray yavrusu konaklara gire çıka "gelin gezdirme" eylemimizi tamamlıyoruz.

İkram edilen, ayıp olmasın diye yiyip içmek zorunda kaldığım çay, kahve, şerbet; çikolata ve tatlılardan içim bulanıyor.

"Tamam," diyor sonunda Lamia Hanım. "Sıra geldi Ayişe bibiye..."

Arabayı sokağın başında bırakıp, iki yanında küçüklü büyüklü evlerin sıralandığı daracık yolda yürümeye başlıyoruz.

Önceki gün yaptığımız turistik gezideki Haşim'in rehberlik görevini Lamia Hanım üstlenmiş görünüyor.

Onun ağzından, Diyarbakırlıların sokağa "küçe" dediklerini, eski Diyarbakır sokaklarının ve evlerinin son yıllarda sur içindeki dengesiz yapılaşma sonucu yıkılmaya ve kaybolmaya başladığını, farklı mimarideki bu evlerin iklim koşullarına uymak için bitişik ve taştan yapıldığını öğreniyoruz.

Kemerli bir kapının önünde duruyor Lamia Hanım.

"Burası!"

Ufak tefek bir genç kızın açtığı kapıdan küçük bir hole, oradan da geniş avluya geçiyoruz.

Avlunun ortasındaki küçük havuzun, çevresindeki renk renk çiçeklerle beraber, serin ve keyifli bir yaz ortamı oluşturacağını tahmin etmek zor değil.

Bizi karşılayan genç kızın peşinden, yüksek tavanlı, ferah ve geniş bir odaya giriyoruz.

"Ayişe bibi!" diye kollarını açıp, sedirde oturan, yaşlılıktan küçülmüş, minicik kalmış kadına doğru koşuyor Lamia Hanım.

Onun ardından önce Haşim, sonra da ben, Ayişe bibinin elini öpüyoruz.

"Gel bakalım Lamia Sultan," diye yanındaki yeri gösteriyor yaşlı kadın. "Siz de şöyle oturun çocuklar... Hoş geldiniz!"

Doksan yaşın üzerinde olmasına karşın, konuşmaları tutarlı ve akılcı.

Yüzünde iki nokta gibi duran küçücük gözlerini daha da kısarak beni süzüyor bir süre.

"Gelinim," diyor Lamia Hanım. "Elini öpmeye getirdim."

Kaşlarını çatıyor Ayişe bibi.

"Düğün yaptın da haberim olmadı ha..."

"Yok bibi, düğüne daha var. Nişanlılar henüz."

"Şöyle yanıma gel kızım," diyor bana.

Gidip yanına oturuyorum.

"Güzelmiş gelinin," diyor Lamia Hanım'a. "Hayırlı olsun."

Çok şirin bir ihtiyarcık. Bir anda kanım kaynadı, derler ya; işte öyle, aramızda görünmez bir bağ oluşuveriyor sanki.

"Bak Lamia, sen sen ol; sakın ha gelinini ezeyim deme! Tanrı'nın emaneti o sana. Evini bırakıp geldi diye, zaten kolu kanadı kırıktır garibimin; bir de sen vurma ona."

Lamia Hanım gülüyor.

"Yok bibi, olur mu hiç?"

"Sen de kendini ezdirme güzel kızım," diye elimi okşuyor Ayişe bibi. "Saygıda kusur etme ama, başını da dik tut!"

"Şehriban," diye seslenerek kapının önünde ayakta duran torununu yanına çağırıyor, kulağına bir şeyler fısıldıyor.

Genç kız, kapıdan dışarıya süzülüp, az sonra yanımıza dönüyor. Elindeki küçük, üstü oymalı ceviz kutuyla ipek bohçayı sedirin üstüne bırakıyor.

Ayişe bibi kutuyu açıp ne olduğunu anlayamadığım; oymalı, süslü metal bir yuvarlağı bana uzatıyor.

"Sürmedan," diyor. "Hacdan getirmiştim. O güzel gözlere yaraşacak sürme..."

Bir de sarı, akik bir tespih çıkarıyor kutudan.

"Allah bilir, doğru dürüst dua okumayı bile bilmezsin sen... Ama için sıkıldığında, dara düştüğün zamanlarda alırsın bu tespihi eline; 'Sabır ya Allah' diye çekersin tanelerini... Yüce yaradan darda koymaz seni."

Kadife gibi yumuşacık sesi etkileyici. Söylediği her söz yüreğime işliyor. Parmaklarımın arasındaki tespih taneleri, onun sesiyle nesnelliğinden sıyrılıp canlanıveriyor sanki. Ellerimden tüm bedenime yayılan yabansı bir güçle sarmalanmış gibiyim.

Bu kez de ipek bohçayı açıyor Ayişe bibi. İçinden çıkardığı ipek seccadeyi Haşim'e uzatıyor.

"Bu da senin. Gerdeğe girmeden önce, bunun üzerinde kılarsın namazını."

Ayişe bibinin ufacık kalmış bedeninden yayılan gizemli çekimin etkisindeyiz hepimiz. Soluduğumuz büyülü havayı bozmamak için, çıt çıkarmadan dinliyoruz onu.

Bu büyülü havayı yaşamsallığa dönüştürmek, gene ona düşüyor.

"Yemeğe kalırsınız, değil mi Lamia? Şehriban size bir şeyler hazırlar."

"Bağışla bizi Ayişe bibi. Akşama Reyyanlardayız. Bir dahaki gelişimize artık..."

Ziyaretimizi noktalayan bu sözlere yanıt olarak, Ayişe bibinin, sitemli ve buruk bir iç çekişle söylediği sözler kalıyor kulaklarımda.

"Bir dahaki sefere beni bulabilirseniz..."

Reyyan Abla yemeğe çağırmış bizi... Gelinlerinin bu kez de kendi evinde salındığını görmek için can atıyor olmalı.

Aslında Haşim'in tüm aile bireylerinin paylaştığı beyinsel tasarımlar, şimdiye dek yalnızca Reyyan Abla'nın dilinde şekil buldu. Ona karşı her an tetikte durmam gerektiğini düşünmem de buradan kaynaklanıyor galiba.

Giyinip hazırlandıktan sonra, elimde Ayişe bibinin armağan ettiği sürmelikle, salona iniyorum.

"Nasıl sürülür bu?"

Lamia Hanım, benden beklemediği bu yaklaşımdan hoşnut, "Naran yardım eder sana," diyor.

Yuvarlak metal gövdenin üzerindeki oymalı, yassı kapağı birkaç kez çeviriyor Naran. Kapağın altında, simsiyah sürmeye belenmiş, uzunca bir çubuk var.

"Bunu gözkapaklarının arasına, kirpik diplerine yerleştirip çekivereceksin," diyor Naran.

Aynanın karşısına geçip söylediklerini yapıyorum. Gözlerimi açtığımda, bambaşka bir Piraye'yle yüz yüze geliveriyorum. Ayişe bibinin gizemselliğini yansıtan bakışların kendisine ait olduğuna inanmakta güçlük çeken bir Piraye...

"Başını dik tut," demişti Ayişe bibi. "Başını dik tut!"

Gözlerimdeki sürmenin verdiği garip güçle başımı dikeltiyorum.

İçgüdüsel olarak, beklenmedik gelişmelere kucak açacağını duyumsadığım bu geceye hazırım artık...

Diyarbakır'a geldiğimiz günden beri, biteviye kurulup kaldırılan bu tür zengin sofraları kanıksadım artık.

Reyyan Abla da tüm becerisini ortaya koyup elinden geleni yapmış, gelinine ve onun annesine yaraşır yetkinlikte bir sofrayı sermiş önümüze.

Kendi evinde gösterdiği, her zamankinden sıcak ve sevecen tavırları yadsımak, bizi en iyi şekilde ağırlama çabalarını görmezden gelmek haksızlık olur.

"Sıkma-pilav yaptım size," diyor.

Sıkma dediği; kıymanın yalnızca tuz, karabiber ve baharla yoğrulup, minik köfteler halinde kızartılarak, nar ekşisi katılmış salçalı suda pişirildiği ve kâseler içinde sofraya getirildiği, bizim için farklı bir yemek. Düz tabaklara konulan pilavın üzerine, kaşıkla sıkma taneleri ve suyundan alınarak yeniyor. İlk kez tanıştığım bu tadı seviyorum.

Tüm Diyarbakır sofralarının değişmez ikramı içli köfte de masadaki yerini almış. Yanı sıra çiğ köfte de var bu kez. Burada çiğ köfteyi yoğurmak erkeklerin işi. Bizim yediğimiz köfteyi de Cevdet Enişte yoğurmuş. Biraz acı, ama yavaş yavaş bibere alışan damak tadımla hoş bir uyum sağlıyor.

Tatlı olarak, Diyarbakır'ın ünlü burmalı kadayıfı geliyor tabaklarda. İnce kadayıfın arasına ceviz konularak, kendi çevresinde sarılmasıyla oluşturulan nefis bir tatlı.

"Salona geçelim isterseniz," diyor Reyyan Abla. "Kahvelerimizi orada içeriz."

Naran'ın pişirip getirdiği kahveleri yudumlarken, Kenan Bey'le Lamia Hanım'ın bakışlarının ortak bir noktada buluştuğunu ayrımsıyorum.

"Ayhan Hanım," diye anneme dönüyor Kenan Bey. "Fikret Bey aramızda değil. Onun gıyabında da olsa, düğün konusundaki ayrıntıları konuşalım isterseniz..."

"Tabii," diyor annem de. "Fikret yok ama, bizler buradayız."

Kenan Bey'in söyleyecekleri bu kadar... Gözlemlerimden çıkardığım sonuçları doğrular tarzda, kısa bir açış konuşması yapıp; sözü asıl sahibine, Lamia Hanım'a bırakıyor.

Çermik Beyi olsa da, önünde yere kapaklanan yüzlerce köylünün ağası sayılsa da; söz üstünlüğü, her konuda karar alma ve uygulama önceliği hep Lamia Hanım'da. Gerçek bir hanımağa o!

Yumuşacık bir sesle konuşmaya başlıyor Lamia Hanım.

"Ayhan Hanım... Haşim'in terhisine çok az bir zaman kaldı. Askerliği bitince, muayenehane işini yoluna koyar. Bu arada

Piraye'nin okulu da bitmiş olur. Düğünlerini yaparız. Yaz başı, sizin için uygun mu?"

"Aman Lamia Hanım," diye gülüyor annem. "Onca hazırlığımız var daha. Bize biraz zaman tanıyın. Yaz sonu desek?"

"Olabilir... Ama nikâh işlemlerine şimdiden başlayabilirler. Yalnızca gün almaya kalır iş."

Hepimiz tek kulak olmuş, iki annenin bu önemli konuşmasını dinliyoruz. Buraya kadar, benim yönümden sakıncalı hiçbir nokta yok.

Ne var ki Reyyan Abla, ulaşılmak istenen hedefe yönelik ilk adımı atmakta gecikmiyor.

"Gelinin için, yeşil odayı mı hazırlayacaksın anne?"

Lamia Hanım'ın yüzünde çekingen bir ifade dolanıyor.

Reyyan Abla, annesinin yanıtını bize iletmek görevini de seve seve üstleniyor.

"Üst katta, geniş bir verandayla Diyarbakır'ı kucaklayan, annemin yıllardır kapalı tuttuğu, kimseleri sokmadığı, biricik oğlu ve gelini için beklettiği oda..."

Bu sözlerin anlamı çok açık.

Annemle göz göze geliyoruz. Şaşkınlıktan dili tutulmuş gibi.

Ani bir kararla, "Çok haklısınız Reyyan Abla," diyorum. "Baksanıza; Lamia anne, annemle benim için bile açmadı o odayı. Evlendikten sonra, Haşim'le beraber konuk olarak geldiğimiz zamanlara saklıyor olmalı..."

Buz gibi bir hava gelip salonun üzerine oturuveriyor.

"Konuk olarak değil," diye soğuk bir sesle düzeltiyor Reyyan Abla. "Oğlunun ve gelininin yaşayacağı oda orası!"

Lamia Hanım, iyice gerginleşen ortamı yumuşatmak amacıyla anneme dönüyor.

"Tek oğlumuz," diyor. "Hep bugünü bekledik. Yanımızda, bizlerle olmasının dışında bir seçeneği hiç aklımıza getirmedik."

"Bizim de gözünün içine baktığımız bir tanecik Piraye'miz var," diye gülümsemeye çalışıyor annem. "İsterseniz bırakalım da, nerede ve ne şartlarda yaşayacaklarına kendileri karar versinler."

Haşim'e bakıyorum... Gözleri yerdeki halının motiflerine kilitlenmiş, put gibi oturuyor.

Kendimi, yaşamımı, geleceğimi savunacak tek kişi benim. Bu bilinçle, biraz da gözlerimdeki kara sürmeden aldığım güçle, başımı dikleştiriyorum.

"Babam da önceleri muayenehanesinde beraber çalışmamız üzerine planlar kurardı," diyorum. "Artık bunları dile getirmiyor bile."

Derin bir soluk alıp devam ediyorum.

"Haşim muayenehane işini nasıl halleder bilemiyorum; ama benim işim hazır. Protez ya da ortodonti bölümünde asistan olarak kalacağım. Dönünce, kürsü başkanı hocalarımla görüşüp bu kararımı kesinleştireceğim."

Bunların hepsini Haşim de biliyor, diyemiyorum. Babam, nereye yerleşeceksiniz diye sorduğunda, zaman içinde beraberce karar vereceğiz dediğini de...

Böyle bir oldubitti karşısında, ikimizin yerine yaptığım isyan dolu çıkışlarla, hırçın bir gelin adayı görüntüsü vermem de kaçınılmaz oluyor haliyle.

"Durun bakalım," diyor Kenan Bey. "Önümüzde epey zaman var. Elbet bir yolunu buluruz..."

Bu uğursuz geceye konulan son nokta...

Ardında heykel kıpırtısızlığındaki yüzler, ne yana kaçırılacağı bilinmeyen öfke dolu bakışlar ve kördüğüm olmuş bir çözümsüzlük yumağı bırakan kapkara bir nokta bu.

Olmadı Ayişe bibi, olmadı! Başaramadım.

Senin söylediklerin de bir işe yaramadı.

Dimdik tutmaya çalıştığım başım eğik şu anda. Ağlıyorum...

Bana güç veren sürmelerin karası, yaşlarla beraber süzülüyor yanaklarımdan. Karanlık, incecik iki yol gibi...

Kahvaltı sofrasında, zorunlu konuşmalar dışında kimse ağzını açmıyor. Dün gecenin izleri hepimizin içine işlemiş gibi.

Yüzü sapsarı Haşim'in. Ailesiyle benim aramda kalmanın ezikliğini yaşıyor.

"Başka bir programınız yoksa, Piraye'yle Ayhan anneyi Gazi Köşkü'ne götürmek istiyorum," diyor Lamia Hanım'a.

"İyi düşünmüşsün. Gelmişken, Gazi Köşkü'nü de görmüş olurlar."

"Sen de gelirsin, değil mi?"

"Yok," diyor Lamia Hanım. "Bayramın son günü. Gelen giden olur. Evi boş bırakmayayım."

Onlar bizden, biz onlardan uzak durmak için, ortaya çıkan bu fırsata dört elle sarılıyoruz. Buradaki son günümüzün, diğerlerine oranla tatsız geçeceği baştan belli. Aynı ortamda bulunmamak, en iyi çözüm.

İçimde biriken öfkenin asıl sorumlusu Haşim!

İstanbul'daki Haşim Bey'in; Diyarbakır'da baba evine girmesiyle, ailesinin sözünden çıkmayan, kendi geleceğiyle ilgili konularda bile ağzını açmaktan kaçınan, pasif ve silik bir kişiliğe bürünmesi çileden çıkarıyor beni.

Bu haliyle beni, İstanbullu Piraye'yi Artukoğlu ailesine nasıl kabul ettirdiğini ise hiç çözemiyorum. Kendi yakın çevrelerinden bulacakları bir kız, benden daha uygun olmaz mıydı onlar için? Neden karşı çıkmadılar ki Haşim'e?

Aslında her şey ortada. Baştan beri, gelinlerini eve alacaklarını düşünüyorlardı. Haşim'in ağzından da ters yönde bir öneri çıkmayınca... Çevrelerinde salınıp gezecek gelinin Diyarbakırlı ya da İstanbullu olması ne fark edecekti ki? Oğullarının gönlünce, ama ellerinin altında tutacakları bir gelin adayını onaylamak, pek de zor gelmemişti onlara.

Hesaplarına ters düşen tek şey; Haşim'in bir kenara çekilivermesiyle umarsızca çırpınan, ortak geleceğimiz uğruna tek başına savaşım veren ben ve benim karşı çıkışım oldu.

Ama artık biliyorlar. Evlerinin bir odasına kapatacakları, tüm dünyası o odayla sınırlı, uysallık ve söz dinleme konusunda Haşim'e benzer bir gelin olamayacağımın bilincindeler.

Bu şartlarda beni kabullenmelerini beklemek, aşırı saflık olur.

Çok iyi biliyorum ki, bizi ayırmak için ellerinden geleni yapacaklar.

İtirazım yok. Zaten, verilen emirleri yerine getirmek dışında kişisel işlevi olmayan bir Haşim'in de benim yanımda yeri olamaz!

Kendisi bilir. Kendileri bilirler...

Arabaya bindikten sonra da, uzunca bir süre suskunluğumuzu sürdürüyoruz.

Sessizliği bozan Haşim oluyor.

"Merak etmeyin," diyor gözünü yoldan ayırmadan. "Her şey yoluna girecek."

"Gerçekten inanıyor musun buna?" diye sinirle gülüyorum.

Bana yanıt vereceğine, arka koltukta oturan anneme dönüyor.

"Dün gece için bizimkiler adına sizden özür dilerim anne," diyor.

"Herkes kendi özrünü kendi dilemeli," diyor annem sitemle. "Biz seninle İstanbul'da, daha işin başında çok farklı şeyler konuşmamış mıydık?"

"Değişen bir şey yok," diyor Haşim. "Göreceksiniz, kendi çizdiğimiz yolda yürümeyi sürdüreceğiz Piraye'yle..."

Dayanamıyorum.

"Ağzını açıp tek söz etmeden, bunu nasıl başaracağını merak ediyorum doğrusu."

"Burası Diyarbakır Piraye. Gelenek ve göreneklerimize karşı gelemem. Babamın olduğu kalabalık bir ortamda, ona ve aileme ters düşecek davranışlar bekleme benden. Ama şu kadarını söyleyebilirim ki, son söz benimdir. İçiniz rahat etsin."

Eski günlerdeki güçlü Haşim'i çağrıştıran bu sözlere inanmak istiyorum. Ama, benzer şekilde ailesiyle de, "Merak etmeyin siz, ben onları yola getiririm," gibi konuşmalar yapabileceğinin kuşkusunu da taşıyorum.

Eski neşesine kavuşmuş gibi Haşim.

"Dün geceyi hiç yaşanmamış sayın," diyor. "Şimdi gideceğimiz yer, size her şeyi unutturacak güzellikte..."

Dicle'yi sol yanına almış, nehir seviyesinden yüksekçe bir yolda hızla ilerliyoruz.

Yolun alt tarafında uzanan karpuz tarlalarını gösteriyor Haşim.

"İşte," diyor. "Ünlü Diyarbakır karpuzları burada yetişiyor. Suların taşıdığı toprakla oluşmuş kumluk arazide... Karpuzumuzu farklı kılan, güvercin gübresiyle beslenen bu topraktır. Eskiden, sırf bu iş için kurulmuş güvercinlikler vardı. Şimdilerde bu zahmete katlanmıyorlar pek. Yapay gübreyle yetişen yeni karpuzların tadı da eskisini aratıyor haliyle."

Haşim'in bana gönderdiği bir kartpostal geliyor aklıma. Kocaman bir karpuz içine oturtulmuş çocuğun renkli fotoğrafı. Karpuzun büyüklüğünü vurgulamak, bilmeyenlere göstermek amacıyla çekilmiş demek.

Yolun sağ tarafında, yemyeşil çimlerle örtülü yamacın üzerinde yükselen yapıyı gösteriyor Haşim.

"İşte Gazi Köşkü!"

Yukarıya doğru kıvrılan yolu izleyerek, köşkün alt kısmına ulaşıyoruz. Arabadan inip, sağlı sollu, iki koldan köşkle buluşan ve çok hoş bir görüntü oluşturan merdivenlerden yukarı çıkıyoruz.

Eski Diyarbakır evleri gibi, köşk de taştan yapılmış; ince bir mimarinin, ustalıklı bir işçiliğin ürünü olduğu belli.

Önünde kocaman bir havuz var.

"Bu havuzun başında, Atatürk için sofralar kurulurmuş," diyor Haşim. "Diyarbakır'a geldiğinde burada kalmış ve köşkü çok beğenmiş. Sahibi de Ata'ya armağan edivermiş. Eski adı Sâmanoğlu Köşkü. Atatürk'le beraber *Gazi Köşkü* olarak anılmaya başlamış."

Her taraf renk renk, mis kokulu çiçeklerle bezeli. Güller, özellikle de menekşeler, yağlıboya bir tablodan fırlamış gibiler.

Havuzun bitimindeki büyük kemerle geniş bir avluya; avlunun yan kapısından da köşkün içine giriyoruz.

Üst kattaki büyük salonda, duvara dayalı vitrinlerin içinde Atatürk'ün sofrasında kullanılan tabak, bardak, fincan takımları dizili.

Salondan geniş bir balkona çıkılıyor. Harika bir manzara... Dicle ayaklar altında. Köşkten aşağı yola kadar uzanan yeşillikler arasında, sağ tarafa düşen ağaçlık bir bölüm var.

"Burada aklınıza gelebilecek her türden meyvenin ağacı vardır," diyor Haşim.

Üst kattaki diğer odalar da Atatürk'ten bu yana, bırakıldığı gibi korunmuş. Burası Gazi Köşkü adının yanı sıra; Gazi Müzesi, diye anılmayı da hak ediyor.

Yeniden avluya, oradan da havuz başına iniyoruz. Köşkün sağ tarafına kıvrıldığımızda, küçük bir yapı ilişiyor gözüme.

"Bekçi evi," diye açıklıyor Haşim.

Evden çıkan kadınlı erkekli bir grup, Haşim'i saygıyla selamlıyor.

"Hoş gelmişsin Haşim Beyim," diyor en öndeki yaşlıca adam.

"Hoş bulduk," diyor Haşim de. "Nişanlım ve annem," diye tanıştırıyor bizi.

Hemen koşup sandalye getiriyorlar. Oturuyoruz. Onlarla konuşmak, köşk hakkında gördüklerimizin ötesinde öyküler dinlemek, çözümsüzlüklerden bunalmış beynime ilaç gibi geliyor.

Gözünü yerden kaldırmayan mahcup tavırlı bir genç kızın getirdiği tavşankanı çaylarımızı keyifle yudumluyoruz.

Tam kalkmaya hazırlanırken, bekçinin küçük oğlu, kocaman bir demet menekşe getiriyor bana. Şimdiye kadar aldığım çiçeklerin belki de en güzeli...

"İyi ki bizi buraya getirdin oğlum," diyor annem. "İçimiz açıldı..."

"Ben de sık sık gelirim köşke," diyor Haşim. "Özellikle de bunalımlı zamanlarımda. Sıkıntılarımı Dicle'nin sularına gömer, içim ferahlamış olarak şehre dönerim..."

Lamia Hanım sakin görünüyor. İçindeki çalkantıları maskelemeyi becermiş; doğala yakın, sevecen tavırlarla karşılıyor bizi. Aramızda, geçici bir barış köprüsü kurulmuş gibi.

Ben de elimdeki menekşe demetini ona vererek payıma düşeni yapıyorum.

Akşam yemeğinin ardından, eşya toplamak bahanesiyle, önceki gecelere göre daha erken bir saatte odamıza çekiliyoruz annemle.

İçeriye girmeden, kısa bir süre, kaçamak bakışlarımı üst katın derinliklerinde gezdiriyorum. Hole ya da koridora açılan kapılardan hangisinin gerisinde gelin odasının yer aldığının merakındayım. Ama bunu öğrenmek için çaba göstermek niyetinde değilim doğrusu.

Artukoğlu ailesinin yakın akraba grubunu oluşturan herkes, bizi uğurlamaya gelmiş. Ev halkı dışında Reyyan ablalar, Latife Hala, Halit Enişte...

Uçuş kartlarımız alıp, kalkış saatine kadar ayaküstü sohbet ediyoruz. Zorunlu olarak dudaklardan dökülen, dostluk ya da yakınlık içermeyen, tekdüze tınılı sözler gidip geliyor aramızda. İlk üç günün sıcaklığını hep beraber paylaşan bizler değiliz sanki.

Lamia Hanım da Reyyan Abla da sözleşmiş gibi, benzer tarzda, yüzüme bakmamaya özen göstererek, öylesine konuşuyorlar. Gözlerime bakarlarsa, içlerini okuyacağımdan korkar gibi.

Naran ise ağzına kilit vurmuş. İçindeki nefret kıvılcımlarını kolayca ayrımsayabildiğim kavurgan bakışlarını yüzüme dikmiş, anlatacaklarını gözleriyle dile getiriyor.

Güvenlik kontrolünden geçip uçağa doğru yürürken, arkama dönüp geride kalanlara el sallamak istiyorum. Lamia Hanım'la Reyyan Abla kafa kafaya vermiş, el hareketleriyle destekledikleri heyecanlı bir konuşmaya dalmışlar bile.

Kazan şimdiden kaynamaya başladı... Aç gözünü Piraye!

O kazana düşmemek için çok, ama çok dikkatli olmalısın...

18

Bizi İstanbul'a bırakıp İzmir'e dönüyor Haşim. Askerliğinin son ayını tamamlamak üzere...

Bense, tümüyle derslerime veriyorum kendimi. Yaklaşan yıl sonu sınavları -ki artık mezuniyet sınavı da diyebiliriz bunlara- için var gücümle çalışıyorum. Aklıma hiçbir yan düşüncenin takılmasına izin vermeden... Duygusal dünyamdaki çalkantıların üzerini kalın bir perdeyle örterek.

Annemle ortaklaşa aldığımız karar doğrultusunda, Diyarbakır gezimizin yalnızca ilk üç gününü anlatıyoruz babama. Sonrasında yaşananların gelecek günlere yansımasını hep beraber göreceğiz nasılsa.

Kâbus gibi geçen son iki günü bir tek ablamla paylaşıyoruz.

"Boş ver," diyor. "Erkekte biter iş. Kocan arkandaysa, hiç korkma; güvendesin demektir."

Öyle mi gerçekten?

İçgüdülerim onu doğrulamasa da, ablamın sözlerine inanmak istiyorum.

Haşim geliyor... Askerliğini bitirmiş olmanın gururuyla ve özlemle.

Kırmızı, ekose desenli bir etek getirmiş bana.

"Ağa parasıyla, baba harçlığıyla değil," diyor. "Teğmen maaşımla aldım bunu."

Seviniyorum. Gözümde daha farklı bir değer kazanıyor armağanı.

"Ben geldim diye, derslerini aksatmak yok Piraye Hanım!" diyor. "Sen okuluna, ben de iş konusundaki araştırmalarıma..."

Diyarbakır'da son gün söylediklerini uygulamaya kararlı görünüyor.

Geldiğinin haftasına da müjdeyi veriyor.

"Tamam," diyor. "İşim hazır!"

Sonra da ayrıntıları açıklamaya girişiyor.

"Bizden iki dönem önce mezun olmuş bir arkadaşım var. Mehmet! Malatyalı, dürüst bir çocuktur. Şişli'de bir diş kliniği açmış. İşi iyi. Kliniği genişletmek, ek bölümlerle daha geniş kitlelere ulaşmak istiyor. Ortak olmamızı önerdi bana. Hemen kabul ettim. Parasal olarak belli bir yatırımım olacak. Sonra da beraber çalışacağız."

Annemle babamın yanında olduğumuza aldırmadan, sevinçle boynuna sarılıyorum Haşim'in.

"İstersen, sen de bizim klinikte çalışabilirsin," diyor.

"Sen çalış yeter," diye gülüyorum. "Asistanlık konusunda kararlıyım ben."

Mehmet'le, sevgili iş ortağıyla tanıştırıyor beni Haşim. Anlattığı, öve öve bitiremediği kadar var. Güven verici, ayağı yere basan biri; üstelik iş konusunda da deneyimli.

Artık daha az görüyorum Haşim'i. Hiç şikâyetçi değilim bu durumdan.

Mehmet'le beraber klinikte yapılacak değişiklikleri saptamalarını, kafa kafaya verip en iyisini gerçekleştirmek için kurdukları planları uzaktan uzağa, Haşim'in ağzından da olsa, heyecanla izlemekteyim.

Tasarım safhasını geride bırakıp, işe başlama aşamasına geldiler artık...

"Az kaldı," diyor Haşim. "Hele bir Diyarbakır'a gidip geleyim..."

Asker dönüşü annesinin, babasının elini öpmedi henüz. Bu konunun iki taraf için de ne kadar önemli olduğunu biliyorum ama; garip, sızılı bir kıpırtının yüreğime oturuvermesini de engelleyemiyorum.

"En çok bir hafta," diyor Haşim. "Bu kadar iş beni beklerken, daha fazla kalamam."

Nikâh başvurusu için nüfus cüzdanımı alıyor.

O konuda baştan beri hemfikiriz; düğünümüz Diyarbakır'da olacak. Haşim'in baba ocağında...

Gidiyor Haşim.

Bunun son ayrılığımız olacağını yineleyerek kendimi avutmaya çalışıyorum.

Her gün konuşuyoruz Haşim'le. Asker dönüşünü kutlamaya gelenlerin yoğunluğunu, tüm akrabaların onu ağırlama yarışına girdiklerini, her gece bir yerde yemeğe konuk olduklarını anlatıp duruyor.

Gideli beş gün oldu. Verdiği süre dolmak üzere.

"Ne zaman dönüyorsun?" diye soruyorum.

"Köyle ilgili sorunlar var," diyor. "Diyarbakır tatilimi biraz uzatmak zorundayım."

"İyi de," diyorum. "Buradaki işler ne olacak?"

"Mehmet'le konuşurum ben..."

Bir hafta daha geçiyor üzerinden.

Huzursuzum. Diyarbakır'da bir şeyler oluyor, ama ne? Haşim'in dönüşünü engelleyen nedeni bilmeyi çok istiyorum. Ama bir o kadar da korkuyorum bundan...

✣✣✣

"Seni görmek isteyen biri var," diyor Sibel. "Sabahtan beri bekliyor."

Mehmet!

"Biraz konuşalım mı Piraye?" diyor.

Bahçedeki kanepelerden birine oturuyoruz.

Yüzü sapsarı Mehmet'in.

"Görüyor musun nişanlının yaptıklarını?" diye giriveriyor konuya.

"Ne yapmış?" diyorum öğreneceklerimin ürküntüsüyle, ürpererek.

"Diyarbakır'da muayenehane açıyormuş."

Günlerdir içimi kasıp kavuran, yüzleşmeyi ertelemeye çalıştığım bilinmezle tanışmanın şaşkınlığı içindeyim. Söylediklerini duymamış ya da algılayamamış gibi, boş gözlerle öylece bakıyorum Mehmet'e.

"Olacak iş mi?" diyor gizlemeye gerek duymadığı bir öfkeyle. "Tüm bağlantılar yapıldı, projeler çizildi, iç düzenleme için dekoratörlerle anlaşıldı. Başlamak üzere Haşim Bey'imizi beklerken, ondan gelen habere bak..."

Benim donuk, kıpırtısız, tepkisiz halimi ayrımsıyor birden.

"Haberin yok muydu senin?"

Gözlerim uzaklarda bir noktaya dikili, başımı iki yana sallıyorum.

"Bağışla," diyor. "Senin için de beklenmedik bir durum olmalı."

Beklenmedik bir durum ha...

Değil! Diyarbakır'daki son iki günün ardından, cezalandırılacağımı biliyordum. Ama böylesi hiç aklıma gelmemişti.

Kendi derdini bir yana bırakıp, beni avutmaya çalışıyor Mehmet.

"Ne yapmayı düşünüyorsun Piraye?"

Aldığı yaranın benimkinin yanında ne kadar küçük kaldığını kavramış gibi, acırcasına bakıyor bana.

Ne olacak ki; kliniğini kendi olanaklarıyla genişletir, başka bir ortak bulur ya da kaldığı yerden, eski şartlarda çalışmasını sürdürebilir.

Ya ben?

Her şeyi sineye çekip, el ele çıktığımız yolda beraberliğimizi ayakta tutmayı düşünsem bile, nasıl güveneceğim karşımdaki insana? Her an yüzüstü bırakılıverme korkusunu silip atabilir miyim yüreğimden?

"Haşim Diyarbakır'da muayenehane açıyormuş," diyorum. Sıradan bir haber verir gibi, kayıtsızca.

Annemle babamın şaşkınlıkla birbirlerine bakmalarını; ardından, ayrıntıları açığa çıkaracak sorular yağdırmakla, beni avutmak için ne söyleyeceklerini kestirmek arasında yaşadıkları bocalamayı sakin bir şekilde izliyorum.

"Merak etmeyin," diyorum. "İyiyim ben. Ama bu iş bitti! Daha yolun başındayken bana yalan söyleyen, kendi kararlarını almaktan aciz bir insanla asla beraber olamam."

Ne yanıt vereceklerini bilememenin suskunluğu içindeler. Onları öylece bırakıp odama gidiyorum.

İlk işim, nişan yüzüğünü çıkarıp yastığımın altına koymak oluyor.

Hayır, tam olarak çıkarmadım henüz... Yarın sabah okula giderken, gene parmağımda olacak. Tek başına takmadım bu yüzüğü, tek başına çıkaramam da.

Bu iş için Haşim'le konuşmamız ve kesin bir ayrılık kararı almamız gerek...

Mezuniyet sınavlarına yalnızca bir hafta kaldı.

Alabildiğine örselenmiş duygularımı çoktan askıya aldım. Yalnızca beynimle yaşamaya çabalıyorum.

Karşılaştığım olumsuzluklar, doludizgin bir hırs halinde yansıyor bedenime. Derslerime daha sıkı sarılıyorum. Hiç kimse, hiçbir olay, hiçbir neden beni başarısız kılmamalı.

Hüzünler de sevinçler gibi ertelenebilir. Önceliği sınavlara vererek, beynimi olumlu-olumsuz tüm yan düşüncelerden arındırarak sabahlara kadar çalışıyorum. Delicesine bir istekle; benim bile şaştığım, öfkeyle beslenmiş devasa bir güçle...

İlk sınavıma girmeden önceki akşam Haşim arıyor.

"Piraye," diyor hafiften titreyen sesiyle.

Duraklıyor.

"Piraye," diye yineliyor. "Mehmet aradı bugün..."

Anlaşıldı, benim için bilinmez diye bir şeyin kalmadığını öğrenmiş.

"Böyle olmasını istemezdim. Yani, bir başkasının ağzından duymanı..."

"Ya siz ne zaman anlatacaktınız Haşim Bey?" diyorum alayla. "Diyarbakır'da yaşadığınız o önemsiz ayrıntıyı ne zaman açıklayacaktınız bana?"

"Senin sınavlarının bitimiyle İstanbul'a gelecektim. Telefonda olmaz diye düşünüyordum. Karşılıklı konuşmak istiyordum seninle..."

"Ne değişirdi ki? Ulaşılan nokta aynı olduktan sonra..."

"Lütfen Piraye," diyor yalvarır gibi. "Beni biraz dinler misin?"

Susuyorum. Anlatsın bakalım; zayıflığını, ailesi söz konusu olduğunda tüm direncini neden yitirdiğini, kendisi yetmiyormuş gibi beni de, hiç gözünü kırpmadan, kurban niyetine önlerine nasıl atıverdiğini...

"Geldiğimde, hiç ummadığım bir sürprizle karşılaştım," diyor. "Annemle babam Gazi Caddesi'nde, tam çarşının göbeğindeki yeni yapılan iş hanında muayenehane satın almışlar bana. Cihazlarını yurtdışından satın almak için, beni bekliyorlardı."

"Kutlarım onları," diyorum. "Oğullarını çok iyi tanıyorlar. Beraberliğini onaylamadıkları kızlardan ayrılması için önüne atacakları bedeli çok iyi biliyorlar. Bir zamanlar araba... Şimdi de muayenehane."

"Yanılıyorsun... Kimse beni senden ayırmaya çalışmıyor. Kimse buna cüret edemez. Seni gelinleri olarak buraya bekliyorlar."

"Benim gelmeyeceğimi, doğal olarak da ayrılıvereceğimizi biliyorlar ama."

"Şöyle düşün Piraye," diyor beni duymamış gibi. "Bir tarafta ortaklık; 'benim' diyemeyeceğim bir iş. Diğer tarafta mülkü bile bana ait, üstelik kendi memleketimde, müşterisi hazır, kusursuz bir muayenehane... Hayır demek hangi mantığa sığar?"

"Ne diyelim, hayırlı olsun. Sana bol kazançlar dilemekten başka ne kaldı ki bana?"

"Senden bir tek şey istiyorum Piraye... Mesleğimize burada, kendi muayenehanemizde adım atmamızın o kadar da ürkütücü bir yanı olmayacağını düşünmeye çalış."

"Beni ürküten Diyarbakır'da oturmak ya da orada çalışmak değil!" diye bağırıyorum. "Beni ürküten, senin kişiliğinde gördüğüm tutarsızlıklar. Daha iyisini verdiklerinde, elindeki oyuncağı fırlatıp atıveren çocuklar gibi davranan birisiyle, yaşamımı paylaşamam ben."

"Bu böyle olmayacak," diye kendi kendine söyleniyor Haşim. "Benim İstanbul'a gelmem gerek! Hem de en kısa zamanda."

"Sakın ha!" diyorum. "Sınavlarımın arasında, sana ve uzlaşılmaz önerilerine ayıracak bir dakikam bile yok."

"Haklısın," diyor. "Ama bilmiş ol; sınavlarının bittiği gün oradayım."

19

Okulda, durumu bilen tek kişi Esin. Annemle babamla hatta ablamla bile konuşamadıklarımı onunla rahatça paylaşabiliyorum.

Ardı ardına girip çıktığımız sınavlardan sonra, Esin'le Nişantaşı'nın farklı ortamlarında yemek yiyerek ödüllendiriyoruz kendimizi.

Gene böyle bir gün, ama bu kez grup halinde gittiğimiz bir yemekte, yalnızca Esin'le ikimizin arasında kaldığını sandığım konunun, herkesçe az çok bilindiğini şaşkınlıkla görüyorum.

"Haşim Şişli'deki klinikten vazgeçmiş galiba," diyor Sibel. "Diyarbakır'a gelin gideceğini duyduk."

Esin'in, orada burada konuşmadığına adım gibi eminim. Mehmet'in yakın çevresinden yayılmış olmalı. Zaten öğrenecekleri, ama şimdilik saklı tutmakta yarar gördüğüm sırrımın dillerde dolaşması canımı sıkıyor.

"Hele bir mezun olalım," diye gülüyorum. "Kimin nereye gideceği hiç belli olmaz."

Girdiğimiz sınavların sonuçları, sınavı izleyen iki, üç gün içinde açıklanıyor. Hem ders, hem de klinik notlarım oldukça yüksek.

"Pes doğrusu," diyor Esin. "Senin durumunda ben olsam, sınıfta kalırdım. Gör bak, bu not ortalamasıyla, dereceye bile girersin sen."

Onun da desteğini arkama alarak, protez kürsüsü başkanımızın kapısını çalıyorum.

"Eğer uygun görürseniz, kürsünüzde asistan olarak kalmayı isterim."

"Sevindim," diyor hocamız. "Senden iyisini mi bulacağız? Ama önce sınava girmen gerek, biliyorsun.

"Yalnız," diyor birden aklına gelmiş gibi. "Nişanlı değil miydin sen?"

Bu konuyu gündemden uzak tutmaya çalışarak, "Evet," diyorum kısaca.

"Yakışıklı nişanlın nerelerde?"

"Diyarbakır'da. Muayenehane açıyor."

Kaşları çatılıveriyor.

"Peki, nasıl olacak bu iş? Yoksa, evlenip bizi yarı yolda bırakacak bir asistan adayı mı duruyor karşımda?"

"Hayır efendim, o iş bitti."

Gözü parmağımdaki yüzükte.

"Ya bu ne?"

"Beraber taktığımız gibi, beraberce çıkarmak için onun gelmesini bekliyorum."

Koltuğun arkasına yaslanıyor, alaycı bakışlarla gözlerimin içine bakıp uzun uzun gülüyor.

"O zaman," diyor. "Yüzüğünü çıkar, öyle konuşalım..."

Son sınavımıza yarın sabah gireceğiz. Diş Hekimliği Tarihi. Haftada bir saatlik, en rahat dersimiz. Uzun boylu çalışmaya gerek yok.

Ablamla çocuklar bu akşam bizdeler. Enişte'm, kendi yarattığı iş gezilerinden birinde gene...

Dışarıdan gelen gürültülere kulaklarımı kapatmış, ders notlarıma göz atıyorum. Kapının zilini umursamıyorum bile. Annem ya da ablam açar nasılsa. Şu sıralar benim görevim değil bu iş... Sınav döneminin getirdiği ayrıcalığın keyfini yaşadığım son günün tadını çıkarıyorum.

Kapının ardından, "Piraye," diye sesleniyor annem. "Konuğumuz var. Haşim!"

Yerimden fırladığım gibi salona koşuyorum.

Günlerdir beklediğim, kozumuzu paylaşmak için sabırsızlandığım, yaşamımdaki uzunca bir döneme nokta koymak için yolunu gözlediğim Haşim karşımda işte...

Annemle babamın varlığını umursamadan, sımsıkı sarılıyor bana. Hemen geri çekiliyorum.

"Hoş geldin," diyorum yüzüne bile bakmadan.

Oturuyoruz.

Babam zor bir işi üstlendiğinin bilincinde; Haşim'le bana eşit uzaklıkta, karşımızda yerini almış.

Bizim ailece, nasıl davranacağımızı bilmez tavrımıza karşın, Haşim son derece rahat ve kendinden emin görünüyor.

Asıl muhatabı babammış gibi, benim zaten bildiğim gelişmeleri, sohbet havasında bir kez de babama anlatıyor. Muayenehaneyi, hazırlık aşamalarını; cihazların ısmarlanmasına, bekleme odasının koltuklarının seçiminde yaşadığı kararsızlığa kadar sayıp döküyor.

Sonunda, en can alıcı cümleyle bağlıyor sözlerini.

"İzniniz olursa, Piraye'yi muayenehanenin açılışına götürmek istiyorum."

Babam hiç beklemediği bu öneri karşısında duraklıyor bir an.

"İzin söz konusu değil," diyor. "Nereye isterse, oraya gidebilir Piraye."

İster istemez, tüm gözler üstüme çevriliyor.

"Piraye istemiyor!" diyorum kesin bir ifadeyle. "Benim yokluğumla kurulan bir yer, ben olmadan da açılabilir."

Sıcacık bakışlarını yüzümde gezdiriyor Haşim.

"Olur mu hiç? Bu kadar yol geldim seni almak için. Babama veda bile etmeden, işleri öylece bırakıp koştum buraya. Bir tek anneme söyledim, 'İstanbul'a gidiyorum,' diye. 'Hemen döneceğiz Piraye'yle,' dedim."

"Hata etmişsin. Benim adıma konuşman anlamsız."

Bu kez anneme dönüyor Haşim.

"Siz de bir şeyler söyleyin lütfen," diye yardım istiyor.

"Neyse," diyor annem. "Yemek hazır. Sofraya geçelim. Sonra konuşur, kararınızı verirsiniz."

Teklifsizce, masaya babamın yanına kuruluyor Haşim. Arada hiçbir şey olmamış, onca tatsızlık yaşanmamış gibi; buradan gittiği günün ucuna bugünü bağlayarak, kendince doğal, bana göre vurdumduymaz tavırlarını yemek boyunca sürdürüyor.

Boşalan tabakları içeriye taşırken, ablam, mutfağın kapısında durduruyor beni.

"Aklını başına topla," diyor. "Gitsen ne kaybedersin? Bu kadar yol, seni götürmek için kalkmış, gelmiş. Onu yalnız gönderince ne olacak? Bu işten sorumlu tuttuğun insanları sevindirmekten, onların ekmeğine yağ sürmekten başka ne geçecek eline?"

Ablamın yapıcı, uzlaştırıcı yaklaşımlarını, kendi mutsuzluğundan kaynaklanan iç sızısının dışavurumu olarak görmüşümdür hep. Ama bu kez, söylediklerinde gerçek payı var galiba.

"Bir düşün," diyor. "İlerde kendini suçlamayacak mısın? Keşke gitseydim, görseydim diye hiç mi hayıflanmayacaksın? İçinde kalmayacak mı göremediklerin? Git, o eve gelin gir, demiyorum ki sana... Yalnızca, fırsat varken görmen gerekenleri gör, diyorum."

Haklı. Gelecekte, "keşke" diyen bir Piraye yerine, "iyi ki" diyebilen bir ben olmak, bana da daha akılcı geliyor.

Gene de düşünmem gerek. Vereceğim, kolay bir karar değil.

Kalkıyor Haşim.

"Yarınki Diyarbakır uçağında iki kişilik yer ayırttım," diyor. "Sınav sonrası çıkarız yola. Eğer istersen..."

Haşim'in ardından, beyinlerimizi kemiren çelişkili düşüncelerin dilimize vurduğu kilidi uzun süre çözemiyoruz.

Sonunda, "Biraz konuşalım seninle Piraye," diyor babam.

Önemli bir kararın arifesinde, en doğruyu bulup çıkarmamda bana yardımcı olmakla, kendi yürüyeceğim yolda beni özgür bırakmak arasında bocalıyor gibi.

"Kızım," diyor yumuşacık sesiyle. "Diyarbakır'a gitmen, gerçekleştirmekte kararsız olduğun evliliğin de önünü açacak. Kaçınılmaz bir sonuç bu..."

"Hayır," diye karşı çıkıyorum. "Muayenehanenin açılışından sonra dönüp geleceğim ben."

"Baksana, gitmeyi kabullenmişsin bile," diye gülüyor. "Bunun için seni yargılayacak ya da suçlayacak değilim. Söylemek istediğim şu: beklenmedik gelişmelerin doğuracağı koşullara boyun eğmek durumunda kalır da bu evliliği içine sindirirsen eğer..."

Kısa bir süre duraklıyor.

"Yapabilirim, bu işin altından kalkabilirim, diyecek gücü kendinde bulursan... bizi düşünme! Yaşamını şekillendirecek tüm kararlar sana ait olmalı. Ancak, arkasında durabileceğin adımları atmaya çalış ki, sonradan değil bizi, kendini bile sorumlu tutmayasın.

Çözümsüzlüklerinle boğuşurken, bir de 'Yapacaklarımla ailemi üzer miyim?' düşüncesini aklına bile getirme. Bizim tek arzumuz, senin mutlu olduğunu görmek."

Canım babam benim!

Keşke Haşim'in ailesi de benimki kadar anlayışlı davranabilseydi. Kuracağımız, ikimize ait yaşamın mimarlarının da yalnızca Haşim'le ben olmamız gerektiğini düşünebilselerdi...

Sınav çıkışında, Haşim'i kapıda, beni bekler buluyorum.

Günlerdir, gizliden gizliye dedikodu kazanını kaynatan arkadaşlarımın gözleri üzerimizde. Bu beklenmedik gelişme karşısında yaptıkları yorumu az çok kestirebiliyorum. Haşim'in Diyarbakır'a gidip işini orada kurmaya kalkmasıyla çatırdayan birlikteliğimizin, yeniden eski rayına oturduğunu düşünüyor olmalılar.

Onları yadsıyacak herhangi bir açıklama yapmayı gereksiz buluyorum. Bir tek Esin'le paylaşıyorum içimdekileri.

"Yalnızca muayenehanenin açılışı için... Bir arkadaşın işyerini görmek, bir görevi yerine getirmek de diyebilirsin buna."

Bizi sessizce izleyen Haşim'e dönüyorum.

"Sen de gelişime bunun ötesinde anlamlar yüklemeye kalkma lütfen..."

Açılışta giyeceğim elbiseyle birkaç parça eşyamı küçük el çantasına atıyorum. Kapının önünde sıralanmış annemin, babamın, ablamın, bir bilinmeze yolcu ettikleri kızlarına yönelttikleri umarsız bakışları görmemeye çalışarak, hepsini tek tek kucaklayıp, Haşim'le beraber baba evimin kapısından çıkıyorum.

Birkaç gün sonra döneceğim umuduyla. İçimin derinliklerinden kopup gelen, beynimin kıvrımlarında yer bulan; bu dönüşün pek de kolay olmayacağını fısıldayan aykırı sesi duymamaya çalışarak...

20

Havaalanından şehre uzanan yol boyunca, Artukoğlu ailesi için beklenmeyen, hatta onun da ötesine istenmeyen bir konuk olmanın huzursuzluğuyla boğuşup duruyorum.

Kapıyı Naran açıyor. Yüzünde şaşkınlıkla gülümseme arası, kararsız bir ifadeyle bir adım geri çekilip, "Buyurun," diyor. "Hoş gelmişsiniz."

Ürkek adımlarla, doğruca salona yürüyen Haşim'in peşinden gidiyorum.

Bizi görmesiyle yerinden fırlaması bir oluyor Lamia Hanım'ın. Haşim'den önce bana sarılıp yanaklarımdan öpüyor. Gelişime sevindiği belli.

Neden sevinmesin ki? İstediğini yaptırmış, gelin adayını ayağına getirmiş... Beni bağrına basarak, bu zaferin kutlamasını yapıyor aslında.

Kenan Bey ise geldiğimizin ayrımında değilmiş gibi, gözlerini pencerenin dışında bir noktaya dikmiş, öylece oturuyor.

Nedeni belli! Haşim ondan habersiz İstanbul'a geldi ya... Koskoca Kenan Ağa'nın kabullenebileceği, içine sindirip oturacağı bir davranış mı bu?

"Hoş geldin kızım," diyor Lamia Hanım. "Ne iyi ettin de geldin..."

"Çok zor razı ettim," diyor Haşim. "Gelmiyordu. Sen olmadan açılış olmaz, diye saatlerce dil döktürdü bana."

Kenan Bey'e dönüyor Haşim.

"Hoş bulduk baba," diyor sitemli bir gülüşle.

Kenan Bey kıpırtısız; sessiz duruşunu bozmak niyetinde görünmüyor.

"Seninle ilgisi yok," diye fısıldıyor Lamia Hanım. "Bütün tavrı Haşim'e."

Haşim, küskün ve sert duruşuna aldırmadan, ani bir hareketle babasının elini tutuyor. Kenan Bey de aynı hızla geri çekiyor.

Yılmıyor Haşim. Yeni bir hamleyle, sıkıca kavramayı başardığı eli dudaklarına götürüp öpüveriyor. Sonra da, özrünün kabul edilip edilmediğini anlamak ister gibi geri çekilip beklemeye başlıyor.

"Ah deli oğlan!" diye derin bir iç çekişle çözülüveriyor Kenan Bey. "Öldürmek mi istiyorsun beni? Haber vermeden, en ufacık bir açıklama yapmadan ortadan kaybolmak da neyin nesi oluyor? Veda ederek ayrılmış gibi, bir de 'Hoş geldin' dememi bekliyor benden..."

"Geldik işte," diye mırıldanıyor Haşim. Suçlu, suçunun bilincinde, bağışlanmayı bekleyen küçük bir çocuk gibi.

"Neyse," diyor Kenan Bey. "Gelin kızımızın hatırına say. Bu kez affediyorum ama, bir daha olursa külahları değişiriz, bilmiş ol."

Bana dönüyor.

"Hoş gelmişsin kızım," diye öpmem için elini uzatıyor.

"Ortada sorun kalmadığına göre, çaylarımızı içebiliriz artık," diye gülüyor Lamia Hanım.

Bunu bir işaret olarak algılayan Naran kapının ardında kayboluyor.

Birazdan, elinde çay tepsisi; yanında, pasta tabaklarını taşıyan ufak tefek bir genç kızla beraber salona dönüyor.

Şehriban değil mi bu? Ayişe bibinin torunu...

Soran bakışlarım, Lamia Hanım'ın hüzünlü gözlerinde yanıtını buluyor.

"Ayişe bibiyi kaybettik," diyor alçak sesle. "Sizi uğurladığımızın haftasına... Tam da istediği gibi, uyurken gitti bibimiz. Çekmeden, çektirmeden. Şehriban'ı aldım geldim. Kimi kimsesi yok zavallının. Bizimle yaşayacak artık."

Ayişe bibinin son sözleri yankılanıyor kulaklarımda. Bir dahaki sefere beni bulursanız, demişti... Önceden bilmiş gibi. Garip bir ürperti sarıyor her yanımı...

Şehriban, elindeki tabakları sehpalara dağıtıp önümde duruyor. Biraz önce Haşim'in yaptığına benzer bir hareketle elimi tutup öpmeye çalışıyor. Hemen geri çekiyorum.

"Olur mu hiç?" diye gülüyorum. "Daha el öptürecek yaşa gelmedim ben."

Sımsıkı kucaklıyorum Şehriban'ı. Minicik bedenini kaldıramayacağı derin acıyı biraz olsun hafifletmek ister gibi. Zeytin karası gözleriyle sımsıcak bakıyor yüzüme.

Bu küçük, kavruk kızda beni çeken, garip bir güç var sanki. Ayişe bibinin torunu olmasından kaynaklanan, kalıtsal bir gizemsellik belki de...

Ortada açıktan açığa söylenen bir söz olmasa da, Şehriban bana yardım etmekle görevlendirilmiş gibi. Etrafımda dönüp duruyor.

Beraberce üst kata, daha önce annemle kaldığımız konuk odasına çıkıyoruz. Yatağa temiz çarşaflar seriyor; komodinlerin, tuvalet masasının tozunu alıyor. Bunları yaparken, arada bir sevecen bakışlarla beni süzmeyi de ihmal etmiyor.

İşini bitirince karşıma geçip gözlerini yere dikiyor.

"İyi ki geldin gelin abla," diyor. "Sensiz olmazdı."

Bir kez daha kucaklıyorum onu. İçinden kopup gelen o saf, o katkısız sevgi iletisini bilinçsizce, ama bir o kadar de bilgece yansıtıyor bana.

Aramızda güçlü bir dostluk bağının kurulduğunu duyumsayabiliyorum. Hatta bir adım öteye geçerek, buradaki art niyetsiz, biricik dost yüzünün Şehriban'a ait olduğunu düşünüyorum.

Ertesi sabah muayenehaneye gidiyoruz Haşim'le.

Dağkapı'dan geçip Dörtyol'a, oradan da Gazi Caddesi'ne ulaşıyoruz. Sağ tarafta, çok katlı bir iş hanının önüne arabayı park ediyor Haşim.

"Burası."

Asansörle üçüncü kata çıkıyoruz. Haşim'in anahtarıyla açtığı kapı, beni, alışılmış ölçülerdeki tek ya da iki odalı küçük bir muayenehaneye değil, geniş ve konforlu bir apartman dairesine taşıyor.

Girişin hemen yanındaki modern tarzda döşenmiş, salon büyüklüğünde bir bekleme odası; en ileri teknikle donanmış son model cihazların yer aldığı tedavi bölümü; çekilen filmlerin banyo edileceği, diş kalıplarının alınacağı, protez çalışmalarının yapılacağı birimleri içeren geniş laboratuvar odası; duvarları boydan boya ceviz dolaplarla kaplı, bulaşık makinesinden fırına her ayrıntısı düşünülmüş, eksiksiz bir mutfak...

Her diş doktorunun gönlünde yatan yetkinlikteki bu yer, içimde karmaşık duygular uyandırıyor. Bunca hazırlığın benim dışımda gerçekleşmiş olmasından mı, yoksa bana karşı Haşim'in önüne konulan seçeneğin kusursuzluğundan mıdır bilmem, garip bir tutukluk içindeyim.

"Gel," diyor Haşim. "Bu kadar değil."

Küçük bir koridorun iki yanındaki odalardan biri yatak odası, diğeri oturma odası olarak döşenmiş.

"Bu bölüm, yalnızca bize ait," diyor. "Yorulunca dinlenmek; ciddi yüzlü bir işyerinde değil, sıcak bir yuvada bulunduğumuzu duyumsamak için."

En hoşuma giden, modern çizgili rahat koltuklarla çalışma masasının yer aldığı, gerçek bir ev havasını çağrıştıran oturma odası oluyor.

Üçlü kanepenin, içine gömülme isteği uyandıran yumuşacık yastıklarına daha fazla karşı koyamıyorum.

Haşim de karşımdaki koltuğa geçip oturuyor.

"Biraz konuşalım seninle," diyor. "Konuşalım ve kesin bir kararla çıkalım buradan..."

"Sen kararını çoktan vermişsin. Ama bu durum beni bağlamaz tabii."

Gördüklerimden etkilenmemiş, umursamaz bir tavır içindeyim.

"Bırak bunları," diyor Haşim. "Bir kez de benim gözümle bakmayı dene. Elinin tersiyle itebileceğin, arkanı dönüp gidebileceğin bir yer mi burası? Böyle bir muayenehaneyi İstanbul'da açmanın ne denli zor olduğunu, sen benden daha iyi bilirsin. Geniş bir çevre; eş dost, akraba... Müşteri yönünden hiçbir sıkıntı yok. Soruyorum sana; İstanbul'da ya da burada olması ne fark ediyor? Ha... Ev konusunu açacaksan, seninle hemfikiriz orada. Baba evinde oturmayı ben de istemezdim. Ama bizimkileri tanıdın artık. Burada 'gelini dışarı çıkarmak' derler. Çermik Beyi'nin gelinini dışarı çıkarması da yakışık almaz Piraye'ciğim."

Sakin sakin dinlerken, hatta anlattıklarında akılcı yanlar olduğunu düşünmeye başlamışken, söylediği bu son cümleyle birden alevleniveriyorum.

"İstanbullu Piraye'ye de böyle kaynanalı, kaynatalı, görümceli bir eve gelin gitmenin yakışmayacağını hiç düşünmüyorsun ama."

"Haklısın. Hem de yerden göğe kadar... Ama dediğim gibi, zorunlu bir durum bu. Bir yıl, yalnızca bir yıl dişini sıkmanı istiyorum senden. Onların gönlü olsun. Sonra ayrı eve çıkarız seninle."

Kabul etmeliyim ki, Artukoğlu konağında oturmanın dışında, karşı çıkacağım fazla bir şey yok. Kusursuz bir işyeri; anlamsız kaprislerle geri çevrilemeyecek, uygun şartlar...

Git gör, ne kaybedersin, demişti ablam. Haklıymış.

Söylediklerinin bir adım ötesine geçince, farklı bir pencere açılıyor önüme... Ağa evine gelin gitmemek uğruna, son aşamaya gelmiş evliliğimi rafa kaldırırsam; ileride dönüp baktığımda, 'Keşke deneseydim, belki yapabilirdim,' diye hayıflanmaz mıyım acaba?

Tut ki Haşim'i ve Diyarbakır'ı böylece bırakıp gittim... Karşıma çıkacak her kişide ondan izler aramayacak, her yeni koca adayını onunla karşılaştırmayacak mıyım? Üstelik bu karşılaştırmadan galip çıkacak insanı bulmanın zorluğu ortadayken...

İstanbul'da "keşke"lerle örülü bir yaşantının Piraye'si olmaktansa, Diyarbakır'da "iyi ki" diyen bir ben olmayı yeğleyemez miyim?

Sonuç kötü de olsa, 'İyi ki denedim, içimde kalmadı,' diyebilmek, kendime karşı suçlu durumuna düşmemden daha iyi değil mi?

Uzun suskunluğumu yanlış değerlendiriyor Haşim.

"Söz veriyorum sana," diye yineliyor. "En geç gelecek yıl bu zamanlar, ayrı eve çıkacağız seninle."

"Verdiğin diğer sözlerin yanına yaz bunu da," diyorum alayla.

"Hayır," diyor kesin bir ifadeyle. "Diyarbakır'a yerleşmem, işimi burada kurmam yeter onlara... Yetmeli!"

Sesinin tınısında, ailesinin tutumuna karşı belli belirsiz bir karşı çıkış var. İçinde umarsızlığı da barındıran cılız bir isyan kıpırtısı...

Uzanıp elimi tutuyor. Davranışlarındaki içtenlik, karşı koymamı engelliyor.

"Piraye," diyor gözlerimin içine bakarak. "Nikâh işlemlerimiz tamam. Gün almaya kaldı iş. Açılışımızı yapar, ardından da düğün hazırlıklarına başlarız. Bitsin artık bu belirsizlik..."

Büyük bir kumar bu... Ya hep, ya hiç!

Tutarsa, bir ömür boyu sürecek mutluluk var gerisinde.

Ya tutmazsa... İçinde bulunduğum şu ana dönmekten başka ne kaybım olur ki?

Evet, hayatımın kumarını oynamak üzereyim.

"Tamam," diyorum. "Ama benim de bazı şartlarım olacak."

Heyecanla yerinden fırlayıp sımsıkı kucaklıyor beni, öpücüklere boğuyor.

"Biliyordum," diyor. "Beni böyle bırakıp gidemeyeceğini biliyordum."

Yaptığımın yalnızca kendim için olduğunun ayrımında bile değil.

"Dur lütfen," diye uzaklaştırıyorum. "Şartlarımı söylemedim henüz."

"Dinliyorum..."

"Düğün istemiyorum! Sade bir nikâh yeter de artar bile... Sevdiklerimin, arkadaşlarımın gelemeyeceği bir Diyarbakır düğünü mutlu etmez beni."

Kısa bir duraklamanın ardından, "Tamam," diyor. "Sen istemedikten sonra... Önemli değil."

"İkincisi... En az bir yıl çocuk bekleme benden. Senin ve bana yaşatacaklarının denenme süresi bu."

"Bir tür sınav yani?" diye gülüyor.

"Nasıl yorumlarsan... Sınavı geçtin, geçtin. Geçemezsen, şu andaki konumumuza döneceğiz. Küçük bir farkla; ayrılma arifesindeki nişanlı bir çift değil de, ayrılma arifesindeki evli bir çift olarak.."

"Bu tehlike her zaman için geçerli, mi demek istiyorsun?"

"Öyle."

"Tamam," diyor. "Hepsi kabulüm. Bu kararı aldığına pişman etmeyeceğim seni."

Haşim'le aramızdaki kırıklığın düzelmesi, evdekilerin gözünden kaçmıyor. Hoş geldin demek için uğrayan Reyyan Abla'yla, Lamia Hanım ve Naran'ın bir bana, bir Haşim'e bakarak, neler olup bittiğini çözmeye çalışmalarını sessizce izliyorum.

Haşim fazla merakta bırakmıyor onları.

"Nikâh günü için gelininle konuşabilirsin anne," diyor.

Sevinçle bana dönüyor Lamia Hanım. Haşim'den duyduğunun tersini söylememden korkar gibi. Tüm şartlarının kabul edildiğinden kuşkulu...

Başımı hafifçe sallayarak Haşim'i onaylıyorum.

"Açılıştan sonra İstanbul'a döneceğim," diyorum. "Sonra, nikâh tarihine göre, annemlerle beraber geliriz artık..."

"Ne gerek var?" diye araya giriveriyor Reyyan Abla. "Gelmişsin işte... İstanbul'a dönüp de ne yapacaksın?"

Tam ona yakışan bir davranış! Evinden kaçmış, zorunlu olarak yavuklusunun ailesine sığınmış, yeniyetme, cahil bir kız yerine koyuyor beni. Hem de hiç sıkılmadan...

"O da ne demekmiş?" diye sertçe susturuyor Lamia Hanım. "Gidecek, hazırlıklarını yapacak; sonra da çeyizini alarak, baba evinden anlı şanlı çıkıp buraya, evimize gelecek. Bizim gelinimize de ancak böylesi yaraşır."

Beni daha fazla aşağılanmaktan kurtaran bu sözler için, minnet borçluyum Lamia Hanım'a. Sevgili kızını azarlama pahasına bana arka çıkması, bekleyebileceğimin çok ötesinde bir davranış.

"Haydi gel," diyor Lamia Hanım. "Seni yeşil odayla tanıştıralım artık."

Dillerde dolaşan, benim de için için merak ettiğim gelin odasını görmenin zamanı geldi galiba.

Hep beraber, merdivenlerden üst kata çıkıyoruz. Bizim kaldığımız konuk odasının ilerisindeki koridoru adımlayıp, kemerli bir kapıdan, evden bağımsızmış gibi duran bölüme geçiyoruz.

Karşımıza küçük bir hol daha çıkıyor. Lamia Hanım holün sağındaki kapıyı açıyor, bir adım geri çekilip önce benim, ardından de diğerlerinin içeriye girmemizi bekliyor.

Yüksek tavanlı, alabildiğine geniş, loş bir oda. Lamia Hanım'ın, kalın kadife perdeleri çekmesiyle içeri dolan ışık, tüm belirsiz çizgileri aydınlatıveriyor.

İlk gözüme çarpan, karşıdaki duvarı ortalayacak şekilde yerleştirilmiş, normal boyutların üzerinde, geniş bir karyola. Karyola başlığı ile yatak takımının odaya serpiştirilmiş diğer parçaları; tuvalet masası, komodinler, soldaki duvarı boydan boya kaplayan gömme dolap beyaz lake. Lake zeminin üzerinde, uçuk renklerde mineli ve sedef kakmalı işlemeler var.

Yerdeki duvardan duvara halı, duvarlarla aynı renkte, açık yeşil.

"Yeşil murattır," diyor Lamia Hanım. "Benim en büyük muradım da oğlumun bu odada damat olmasıydı."

Yatak takımının, halıların ve perdelerin duvarlarla oluşturduğu renk uyumu göze hoş görünüyor. Ama benim en çok ilgimi çeken, odanın birbiriyle kesişen iki duvarının boydan boya cam olması.

Kapının girişinde, sağ taraftaki duvar boyunca uzanan pencere dizisi, bitişiğindeki duvarda; yerini, balkona açılan geniş, sürgülü bir cam kapıya bırakıyor.

Karyolayla balkon arasında büyücek bir alan var. Karşılıklı yerleştirilmiş iki berjer koltuk, aralarındaki yuvarlak sehpayla beraber, küçük bir oturma grubu oluşturuyor.

"Buraya televizyon gelecek," diye köşedeki boş yeri gösteriyor Lamia Hanım.

Koltukların arkasından geçip, yatak odasının neredeyse yarısı büyüklüğündeki, korkuluğunu boydan boya uzanan mermer bir çiçekliğin oluşturduğu, çiçek yoğunluğuyla daha çok bir bahçeyi andıran balkona çıkıyoruz.

"İşte Diyarbakır!" diyor Lamia Hanım gururla.

Gerçekten de harika bir manzara. Ama bunu itiraf etmek pek de işime gelmiyor. Bir zamanlar bu odayı görmemek için o kadar direnmişken...

"Güzelmiş," diye gülümsüyorum Lamia Hanım'a.

Beğenimi, gerekenin alt sınırlarını zorlayan tek bir sözcükle dile getirmeyi yeterli buluyorum.

İçeri giriyoruz. Bu kez de odanın hemen yanındaki kapıyı açıyor Lamia Hanım.

Geniş, ferah; mermerle fayansın uyumla dans ettiği, düş gibi bir banyo...

"Burası da özel banyonuz."

Geldiğimiz koridorun sağ köşesinden aşağıya doğru kıvrılan merdivenleri gösteriyor Lamia Hanım.

"Buradan doğruca bahçeye inilir," diyor. "Ya da aşağıdan üst kata bu yolla çıkılabilir. Ama biz, evin içindeki yolu kullanırız genellikle..."

Tüm anlatılanlar, aynı çatı altında olsak da, birbirimizden bağımsız yaşayabileceğimizi vurgulamaya yönelik.

Koridoru geçip, şu anda kaldığım konuk odasının önüne geliyoruz yeniden.

"Gelin," diyor Lamia Hanım.

Bu kez sağ tarafa doğru uzanan küçük koridoru adımlayıp; bizim odamıza ters konumda, ama tıpatıp ikizi olan, kendi yatak odasının kapısını açıyor Lamia Hanım.

"Binanın üst katı simetrik olarak yapıldı," diye açıklıyor. "Orta bölümdeki konuk odalarının bir yanında bizim, diğer yanında Haşim'in odası olacak şekilde düşünüldü. Tek farkı, bizimkinin yeşil değil, mavi oluşu."

Bu düzenleme hiç de fena değil doğrusu. Koca konağın bir yanında biz, bir yanında onlar...

Aklımdan geçenleri Lamia Hanım'a sıcacık bir gülümseme olarak yansıtırken, "İyi düşünmüşsünüz," diye mırıldanıyorum.

Merdivenlerden inerken, "Çok iş var, çok..." diye kendi kendine söyleniyor Lamia Hanım. "Odayı tepeden tırnağa elden geçirmek gerek."

Geride kalmayı fırsat bilen Haşim kulağıma eğilip, "Nasıl," diye soruyor. "Beğendin mi?"

Beğenileceğinden öylesine emin ki... Tersi bir yanıtı hiç beklemiyor.

"Harika," diyorum. Artık alışageldiğim, Lamia Hanım oldubittilerinin en güzel örneği. Tüm ayrıntıları düşünülmüş, benim en ufacık bir katkım olmadan, fikrim alınmadan hazırlanmış bir gelin odası... O odada, senin için özenle seçilmiş, özel bir aksesuardan başka neyim ben?

Haşim'in yaşamındaki en nadide aksesuar rolünü hiç yüksünmeden, kolayca benimseyiveriyorum. Kendi kurguladığım yeni oyunun başrol oyuncusu kimliğiyle...

Açılış günü daha da belirginleşiyor bu konumum.

Muayenehane bir yana, gelen konukların tüm ilgisinin benim üzerimde yoğunlaştığını görmekten garip bir zevk duyuyorum.

Haşim'in gölgesinde kalmış silik bir gelin adayı değil, hayranlık içeren bakışların odak noktasında ışıl ışıl parlayan bir tek taş... Ama gene, Haşim'e ait bir mücevher.

Lamia Hanım masanın üzerindeki sümenin arasına, konuklara göstermemeye çalışarak, karınca duası yerleştiriyor. Müşterisi bol olsun diye.

"Aman anne," diyorum. "Karıncalar basmasın her yanı..."

"Âdettendir," diye gülüyor. "Bak gör; karınca yuvası gibi hasta kaynayacak burası."

Ona ne şüphe! Kenan Ağa'nın oğlu Haşim Bey'in hastası olmayı kim istemez ki? Diyarbakırlıların, bu ayrıcalığı en iyi şekilde değerlendireceğinden hiç kuşkum yok.

Annemle babam çiçek göndermişler. Kırmızı ve beyaz güllerin uyumla kaynaştığı harika bir tanzim. Kalabalığın dağılmaya yüz tuttuğu bir sırada da kutlama telefonu açıyorlar Haşim'e.

"... Teşekkür ederim," diyor Haşim cıvıl cıvıl bir sesle. "Ama asıl kutlamamız geride."

Ahizeyi bana uzatıyor.

"Buradaki işim bitti," diyorum Haşim'inkine benzer bir cıvıltıyla. "Yarın dönüyorum. Şimdiden hazırlanmaya başlayın siz de. Hem beni karşılamaya, hem de nikâhımız için..."

Karşı taraftaki sessizliğe aldırmadan devam ediyorum.

"Bir ay sonrasına gün almayı düşünüyoruz. Sizin için uygun mu?"

"Sen nasıl istersen öyle olsun," diyor babam.

Sesi mi titriyor, bana mı öyle geliyor, kestiremiyorum. Onlara yansıtmaya çabaladığım abartılı neşenin ne kadarının gerçek, ne kadarının yapay olduğunu bilemediğim gibi...

21

İstanbul günlerim, telaşlı bir koşuşturma içinde geçiyor.

"Önce gelinlik işini halletmeliyiz," diyor annem.

"Lamia Hanım Diyarbakır'da diktirelim, diye ısrar etti," diyorum. "Ben de bilmiş bilmiş, 'Yatak odasını hazırlamak kız tarafına düşer. Madem o işi siz üstlendiniz, gelinlik konusunu da bize bırakın,' dedim."

"İyi etmişsin. Sahipsiz bir kız verir gibi, her şeyi onlara mı bırakacaktık?"

Oturacağım ev; yaşayacağım, kocamla birlikteliğimi paylaşacağım odam bile onların eseri. Benim zevklerim, isteklerim göz önüne alınmadan, hazır bir lokma halinde sunuldular bana.

Benim diyebileceğim tek şey bu gelinlik! Biricik özgürlüğüm o benim. Gönlümce, dilediğimce seçimini yapabileceğim bir tek o var avuçlarımın içinde.

Parlak taşlarla ya da incilerle işlenmiş süslü gelinlikler bana göre değil. Tülle organzeyi uyumla buluşturan, kabarık eteği üzerine serpiştirilmiş küçük çiçekler dışında abartısı olmayan, sade bir model beğeniyorum. Yanı sıra; kısa olmasını istediğim duvağım, elimde tutacağım çiçek buketi ve yüksek ökçeli gelin ayakkabıları...

Yıllardır özenle hazırladığı çeyiz bohçalarını ortaya döküyor annem. İğne oyası dantel takımlarını, Çin iğnesi işli masa örtülerini Lamia Hanım'ın evinin neresine sereceğimi bilemiyorum.

"Kalsın bunlar, gerektiğinde alırım," diye geri çevirmeye kalkıyorum.

"Olur mu hiç?" diyor annem. "Kızımızı çeyizsiz mi göndereceğiz?"

Bu durumu kabullenmem gerekiyor galiba. Yalnız Lamia Hanım değil, annem de benim fikirlerimi hiçe sayıyor.

Ardı ardına açılan bohçaları, temizleyiciye gönderilen ya da evde yıkanıp ütülenen yatak takımlarını, örtüleri, dantelleri sesimi çıkarmadan izlemekle yetiniyorum artık.

Bununla da kalmıyor. Üstümü başımı, yeni geline yakışır tarzda donatmaya girişiyor annem. Nerede, ne zaman giyineceğimi kestiremediğim, tarzıma hiç uymayan döpiyesler, ağır havalı elbiseler, pantolon-ceket takımlar...

Bana ters gelen bu sıkıcı uğraşlardan uzak durmamı sağlayacak, zevkli bir işi üstleniyorum ben de: Davetiyelerin dağıtılması!

Babamla beraber, göndermemiz gereken kişilerin listesini yapıyoruz önce. Sonra da bir kısmını elden, diğerlerini postayla, sahiplerine ulaştırmaya çalışıyoruz.

Davetimize ilk yanıt Esin'den geliyor. Telefondaki sesi heyecanlı.

"Gelinlerin en güzeli," diyor. "Uzaklara gitsen de, hep yanımda olacağını düşüneceğim senin..."

"Yapma," diyorum. "Ağlatacaksın beni."

"Sakın ha! Hep o gülen yüzünle, cıvıl cıvıl sesinle kalmalısın aklımda."

"Dur bakalım, daha buradayım."

"Asıl onun için aradım ya... Arkadaşlarla, seni aramıza alıp son kez güzel bir geceyi paylaşmak istiyoruz. Cumartesi akşamı boş musun?"

"Harikasınız," diyorum. "Hepinizi bir arada görmek için sabırsızlanıyorum."

Cumartesi akşamı, Esin'le Korhan beni evden alıyorlar.

"Elinizi bizden çabuk tuttunuz," diyor Korhan. "Bizim düğün, benim askerliğimden sonraya kaldı."

"Özgürlüğün keyfini biraz daha süreceğim anlayacağın," diye gülüyor Esin.

Yemek için Boğaz'a karşı, şık bir restoranı seçmiş bizimkiler.

İçeriye girer girmez, öğrencilik günlerimi paylaştığım can arkadaşlarım, yerlerinden kalkıp beni kucaklama yarışına giriyorlar. Sibel, Ali, Turan, Ayşe. Ve Ömer...

Nişanıma gelmekten bile kaçınan Ömer'i veda yemeğimde görmek, tam bir sürpriz benim için.

"İşte bu gecenin mimarı," diye Ömer'i gösteriyor Turan.

"Eğlence ve gezi konusundaki etkinliklerini hâlâ sürdürüyor demek," diye gülüyorum.

"Bu son," diyor Ömer. "Bu gece istifamı veriyorum."

Ne kadar özlemişim bu havayı solumayı... Bir daha kim bilir ne zaman görebileceğim bu dost yüzleri beynime, seslerini yüreğime kazıyorum bir bir...

Yemeğin ardından, kahvelerimizi içmek üzere yan taraftaki Boğaz manzaralı bölüme geçiyoruz.

Esin'le yan yana oturmuş kahvelerimizi yudumlarken, Ömer gelip aramıza giriveriyor.

Yarı şaka, yarı ciddi, "Demek sonunda Diyarbakır gelini olmaya karar verdin," diyor.

"Öyle," diye gülümsemeye çabalıyorum. Bu saatten sonra derin konulara girmeye niyetim yok.

O ise üzerime gelmeye kararlı.

"Ne büyük aşkmış böyle! Özgürlük âşığı Piraye'mizi İstanbul'dan Diyarbakırlara gelin götürecek kadar..."

Kendimi savunma güdüsü, konuşmama kararıma baskın çıkıyor.

"Sandığın gibi değil Ömer," diyorum. "İçimde ukde kalmasın diye... Sonradan kendimi suçlamamak için... Denemem gerekiyordu."

"Deneme ha..." diyor sertçe. "Evliliğin denemesi mi olurmuş? Göle yoğurt mayalamak gibi bir şey desene şuna... Ya tutmazsa?"

"Tutmazsa dönerim," diyorum kararlılıkla.

"Bak," diyor sakin bir sesle. "Bu söylediğin neye benziyor, biliyor musun? Billur, kırılgan, el sürmeye kıyılamaz güzellikte bir köşk düşün...

Doğduğun günden bu yana, yavaş yavaş, her seferinde küçük bir billur tanesi ekleyerek; emekle, sabırla oluşturduğun, göz kamaştırıcı güzellikte bir köşk... Ve sen bunu bir anda yerle bir etmeye karar veriyorsun. Geride kalacak enkazı diriltmeye gücün var mı? Aynı görkemdeki bir köşkü yeniden inşa etmek olası mı?"

"O köşkü yıkmıyorum ki! Yalnızca olduğu yerden alıp uzaklara taşıyorum. Oraya yakışıp yakışmadığını görmem gerek."

"Temeli İstanbul'da kalmış bir yapının ayakta durabileceğini düşünmek, hayalcilik değil de nedir?"

O anda, Ömer'i susturmak için dayanılmaz bir istek duyuyorum içimde. Kimsenin düşünmediği, aklına bile getirmediği bu ilginç yorumları dinlemek istemiyorum artık.

Yüreğimi acıtan bir şeyler var söylediklerinde. Benliğimin derinliklerinde, üstünü örtmeye çabaladığım gizli yaralarıma tuz basıyor sanki. Hem de bile bile... Beni herkesten iyi tanımanın ayrıcalığını sonuna kadar kullanarak.

Esin'in yerinden kalkıp karşımda durması ve ne anlama geldiğini anlayamadığım alkışlarla bölünüyor konuşmamız.

Esin elindeki kutuyu açıp; ortasına küçük, tek taş bir pırlanta yerleştirilmiş, kalp şeklinde bir kolyeyi boynuma takıyor.

"Yüreklerimizin seninle attığını unutmaman için..."

Can arkadaşlarım benim!

Gözlerimden inen yaşları engelleyemiyorum.

Onların olmayacağı bir nikâh töreninin yavanlığı, şimdiden içimi kavurmaya başladı bile...

Dönüş yolunda, Korhan'ın arabasının arka koltuğunda oturuyoruz Esin'le. Sımsıkı tutuyor elimi.

"Güçlü olacaksın!" diyor. "En çok altı ay sonra döner Piraye, diyorlar arkandan. En azından onları haklı çıkarmamak için, güçlü olmak zorundasın."

Gerçekten de altı ay sonra döner mi Piraye?

Ya da temeli İstanbul'da kalmış, billur bir köşkü yerle bir edip; yıkıntısı üzerinde ağıtlar mı yakar?

Bir bilebilsem...

22

Ablam ve çocuklar yalnız geliyorlar Diyarbakır'a. Eniştem, iş bahanesiyle sıyrılmayı becermiş gene.

Nusret Amca'yla Nevin Yenge'nin katılımıyla İstanbul grubumuz tamamlanıyor.

Kenan Bey babama telefon açıp, "Gelin almaya gelelim," demiş. Artık unutulmaya yüz tutmuş eski âdetlerden biri daha. Babam da gerek olmadığını söylemiş zaten.

Gelin almaya gelmeseler de, büyük bir kalabalıkla gelin karşılaması yapmaktan geri kalmıyorlar. Hem de davul zurna eşliğinde...

Havaalanındaki yolcuların, yakınlarını uğurlamak ya da karşılamak için orada bulunan herkesin gözü üzerimizde.

Haşim, kocaman bir gül demetiyle kucaklıyor beni.

Konvoy halindeki arabaların susmayan korna sesleri, Diyarbakır'a gelin oluşumu, Haşim'in hemşehrilerine müjdeliyor sanki.

Konağın kapısından adımımı atarken, Lamia Hanım yardımcılarından birinin getirdiği testiyi yere atıp kırıyor. Göksel'le Gökçe, korkuyla ablamın arkasına saklanıyorlar.

"Bizde âdettir," diyor Kenan Bey. "Gelinin ayağı uğurlu gelsin diye... Bereket, bolluk için."

Benim artık kanıksadığım yöresel âdetler karşısında bizimkilerin sergilediği şaşkın tavırlar görülmeye değer.

Üst kattaki konuk odalarının tümü açılmış. Daha önce annemle kaldığımız odayı bu kez ablamla ve çocuklarla paylaşacağız. Sağ yanımızda annemle babam, tam karşımızda da Nusret Amca'yla Nevin Yenge kalacaklar.

Eşyalarımı geçici olarak konuk odasına yerleştiriyorum. Şehriban her zamanki gibi yanı başımda, bana yardım ediyor.

"Gelin abla," diyor usulca. "Haşim Ağa'm seni çok, ama çok seviyor."

"Nereden biliyorsun?" diye gülüyorum.

"Gözlerinden belli. Bana, anasına, babasına, bacılarına bakışları başka; sana bakışı başka. Senin gözlerinde eriyor sanki Haşim Ağa'm..."

Bu kızda beni şaşırtan, çözemediğim farklı bir şeyler var.

Anlamak ister gibi, dikkatle yüzüne bakıyorum. O ise ellerini açmış, gözleri yumulu, kendinden geçercesine dua ediyor.

"İnşallah hep böyle sürer... Hep böyle, bugünkü gibi."

Konuşanın Şehriban değil de Ayişe bibi olduğu duygusuna kapılıyorum bir an. Bunları söyleyen oymuş, duaları benimleymiş gibi garip, açıklanması güç bir seziyle ürperiyorum.

"Odanın son halini görmek istersin sanırım," diyor Lamia Hanım.

Bu kez önde ben, arkamda ailem; Haşim'le paylaşacağımız, evin bize ait bölümüne geçiyoruz.

Çok beğeniyorlar.

"Deli kız," diye kulağıma fısıldıyor ablam. "Bunca şeyi tepip İstanbul'a dönecektin ha..."

Söylediği gibi, odayı baştan sona elden geçirmiş Lamia Hanım. Her yer pırıl pırıl. İlk gördüğüm tablonun üzerine, bir fırça darbesiyle parlak bir cila çekilmiş gibi.

Gelinlik kutusunu getirip odanın ortasına bırakıyor ablam.

Haşim'in gelinliğimi görmek isteğini geri çeviriyorum.

"Damadın önceden görmesi iyi sayılmaz," diyorum. "Bizim âdetimiz de böyle..."

"Burada bir arkadaşım var," diyor amcam. "Turan. Harp Okulu'nda aynı devredeydik. Arayıp nikâha davet edeyim."

"Tabii," diyor Kenan Bey. "Memnun oluruz."

Nikâhta, ailem dışında, kız tarafından bir yakınımızın daha bulunacak olması, benim yönümden sevindirici.

Kalabalık yüzüyle görmeye alışık olduğum konak, bir de "düğün evi" sıfatını kazanınca, neredeyse tüm şehri barındırdığını düşündüğüm bir yoğunluğa ulaşıyor.

Salon düğünü istememekle, tüm ağırlığı konağa yüklediğimin, Lamia Hanım'ın başına çok daha zahmetli bir iş açtığımın ayrımındayım. Ama, yalnız nikâh dense de, hazırlıkların düğün havasında geliştiğini de görebiliyorum.

Nikâh gündüz kıyılacak. Ardından beş günlük kısa bir balayı için önce İstanbul'a, oradan da İzmir'e gideceğiz.

Böyle olmasını ben istedim. Yani, Lamia Hanım'ın dediği gibi, yeşil odada damat olamayacak Haşim. Bunca kalabalığın arasında; kız tarafı, oğlan tarafı karmaşasının içinde, özellikle de kendi ailemin bulunduğu ortamda bir de gerdek olayını kaldıramayacağımı düşündüm.

İstanbul'un benim için taşıdığı anlam, ilk gece seçimimizde belirleyici oldu. İzmir ise Haşim'in önerisi. Askerlik günlerinin unutulmazları arasına balayı günlerimizi de katmak istemesini seve seve onayladım.

Düğünden önceki gece, dini nikâhımız kıyılıyor.

Lamia Hanım'ın verdiği eşarpla başımı örtüp, Haşim'in yanında yerimi alıyorum.

Hocanın, pek çoğunu anlayamadığım sözlerinin ardından, bana dönerek "Kaç akçe?" diye sormasıyla irkiliyorum.

"Güven akçesi," diye alçak sesle açıklıyor Haşim. "Senden boşanırsam, vermem gereken bedel."

Sembolik bir miktar olmalı, diye düşünürken; Kenan Bey yardımıma yetişiyor.

"İki yüz altın, diyelim."

Bana son derece gülünç gelen bedel saptamasından sonra, karı koca olduğumuzu söylüyor hocamız.

Tanrı'nın huzurunda karı kocayız artık Haşim'le...

Düğün sabahı, her zamankinden de kalabalık ve hareketli bir güne uyanıyoruz.

"Sen bu telaşın dışındasın," diyor Lamia Hanım. "Tek işin kendini hazırlamak."

Eve özel olarak kuaför gelmiş. Bir kuaför, üç de yardımcısı...

Ağırlık benim üzerimde haliyle. Ama önce annem, ablam, yengem, Reyyan Abla ve Naran'ın saçları yapılıyor.

Sonunda sıra bana geliyor.

Karışık dalgalar halinde omuzlarıma dökülen saçlarımı, tepede serbest topuz şeklinde topluyorlar. Buklelerin arasına gelinliğimdeki minik çiçeklerden yerleştiriliyor. Her zamanki doğallığımın biraz üzerine çıkan, abartısız bir makyajla noktalıyoruz bu faslı.

Yeşil odada ablamın yardımıyla gelinliğimi giyiyorum. Başımda duvağım, elimde çiçekler...

"Çok güzel bir gelin oldun," diyor ablam.

Merdivenlerin başında Haşim'le buluşuyoruz. Açık renk smokininin içinde, her zamankinden de yakışıklı.

Bir süre tepeden tırnağa süzüyor beni. Gözlerinde, Şehriban'ın söylediği, bana özel bakışları yakalıyorum o an.

"Su perisi gibi olmuşsun Piraye," diye fısıldıyor kulağıma.

Merdivenlerden alt kata, oradan da konağı çepeçevre saran bahçeye iniyoruz.

Yemyeşil çimenlerin üzerine atılmış çok sayıda masa, kaç kişi olduklarını asla kestiremeyeceğim, yoğun bir kalabalığı ağırlıyor.

Alkışlar arasında bahçenin tam ortasına, herkesin görebileceği şekilde yerleştirilmiş nikâh masasına doğru yürüyoruz.

"Şimdi sıra, kul huzurundaki nikâhta," diye fısıldıyor Haşim.

Kenan Beyin yol gösterdiği nikâh memuru karşımıza oturuyor. Benim şahitliğimi Nusret Amca'm, Haşim'inkini de Halit Enişte yapacak.

Gerçekte değil de; sisler arasında, inanılmaz bir düşte yaşıyor gibiyim.

Nikâh memurunun, "Sizi karı koca ilan ediyorum," demesiyle kendime geliyorum.

Ama beni daldığım düş âleminden ayıran, onun ağzından dökülen bu sözler değil; babamın hıçkırıkları...

O ana kadar kendini tutmuş, bir tanecik Piraye'sinin özgür kanatlarıyla uçmasına seyirci kalmayı yeğlemiş babam, hıçkıra hıçkıra ağlıyor. Daha önce yaşanmış, buna benzer hiçbir sahne yok belleğimde.

Nikâh memuru evlenme cüzdanımızı bana veriyor.

Ardından da babama dönerek, "Kız babası olmak zor iş," diyor. "Ama bilmenizi isterim ki, çok iyi bir yere gelin verdiniz kızınızı... Bu aileyi yakından tanırım. Kalabalıkları çoktur. Her hafta en az bir nikâhlarını kıyarım. Akraba gibi olduk artık..."

Bu esprili sözlerin etkisi mi, yoksa toparlanması gerektiğini düşündüğünden midir bilmem; bu beklenmedik eylemini noktalayıveriyor babam.

Nikâhın bitmesiyle, masanın önünde uzun bir kuyruk oluşuveriyor. Kutlama ve takı töreni için...

Nişandakine benzer, ama çok daha abartılı bir tören bu. Haşim'in, ceketinin üzerine attığı, bu iş için özel dikilmiş enli saten kumaş, altın liraların altında kayboluvermiş. Bense, takılan bileziklerin ağırlığından, kollarımı hareket ettiremiyorum.

Lamia Hanım, altın bir kemer takıyor belime. Üç parmak eninde, balık sırtı desenli, özel bir takı. Lamia Hanım'a yaraşır görkemde...

Amcamla yengem, yanlarında tanımadığım bir çiftle, kalabalığın arasından güçlükle sıyrılarak yanımıza geliyorlar.

"İşte Diyarbakır'daki can dostum," diyor amcam. "Turan. Ve eşi Ümran Hanım. Bizim yerimize onları amca ve yenge olarak görebilirsin."

Ümran Hanım uzun zamandır tanışıyormuşuz gibi, candan ve sevecen tavırlarla kucaklıyor beni.

"Ben de kızımı İstanbul'a gelin verdim," diyor. "Gurbet acısını iyi bilirim. Sen annenden, ben kızımdan uzakta; birbirimize destek oluruz artık..."

"Evet," diyor Turan Bey de. "Kapımız her zaman açık sana."

İçime su serpiyor bu sözler. Şu anda içinde kaybolduğumuz kalabalık dağılıp da kendi başıma kaldığımda, böyle bir yakınlığa gereksinim duyabilirim.

Bahçenin arka tarafında, kazanlar içinde pişirilen yemekler, ev çalışanları tarafından masalara taşınıyor.

Ağa evine yaraşır bir ikram bolluğu içinde, bugüne kadar gördüğüm, yeme fırsatı bulduğum, neredeyse tüm yöresel yemeklerin konuklara sunulduğunu uzaktan uzağa izliyorum.

Bizim masamıza da tepsi içinde, küçük tabaklarda bir şeyler getiriyorlar. Dokunmuyorum bile. Yalnızca bir bardak limonata içiyorum; o da kuruyan boğazımı yumuşatmak için. Haşim'in durumu da benden farklı değil. Yemek tepsisini öylece geri götürüyorlar.

Yeme içme faslı sürerken, eğlenceyi de unutmuyorlar ama. Davul zurna eşliğinde çalınan Diyarbakır ezgilerinin yerini yavaş yavaş oyun havaları, halaylar almaya başlıyor.

Gördüğüm kadarıyla; halay, Diyarbakır kültürünün vazgeçilmez bir parçası. Eğlencenin ötesinde, onlara var olduklarını duyumsatan, sevdikleriyle kaynaşmalarını sağlayan, içlerindeki ortak coşkuyu dışa vurmanın en iyi yolu.

Beni asıl şaşırtan, haremlik-selamlık tarzında ayrı oturdukları zamanlarda bile, halay sayesinde ortak bir noktada buluşmaları; kadın-erkek ayrımı gözetmeden, omuz omza, kendilerinden geçercesine halay çekmeleri.

Kenan Bey, düğün sahibi olarak, halay başı olma görevini üstlenmiş. Başı dik, gururla ve kabul etmeliyim ki ince ve zarif hareketlerle, çok güzel oynuyor bu oyunu.

Lamia Hanım da, topluca bedeninin yükünü yadsırcasına, kalabalığın coşkusuna kendini kaptırmış, tüy gibi hafif; kâh çömelerek, kâh zıplayarak halayın hakkını vermekte.

Haşim'i de aralarına almalarıyla, kadınların gırtlağından yükselen "tilili" sesleri koro haline dönüşüveriyor. Bu da, coşkularını farklı bir yolla ifade ediş biçimleri.

"Az kaldı uçağa," diyor Reyyan Abla. "Ancak hazırlanırsınız."

Can simidi gibi sarılıyorum bu uyarıya. Kalabalığın içinden güçlükle yol açıp, konağa çıkıyoruz.

İlk işimiz, kilolarca altını Lamia Hanım'a teslim etmek oluyor.

Üstümüzü değiştirip, yolculuk için hazırlanabiliriz artık.

Gelin karşılamasından çok daha kalabalık bir konvoyla havaalanına ulaşıyoruz.

Garip bir ikilemin ortasındayım. Bir an önce bu karmaşadan kurtulmakla, ailemden kopuşumu geciktirmek arasında gidip geliyorum.

Annemler bizden sonra, iki gün daha Artukoğlu ailesinin konuğu olacaklar. Ama, döndüğümüzde onları burada bulamayacağımı düşünmek, dayanılmaz bir acı veriyor bana.

Annemle ablamın, gizli gizli gözlerini sildiklerini görebiliyorum. İşimi zorlaştırmak istemediklerinden olsa gerek, dudaklarına yerleştirdikleri iğreti bir gülüşle maskelemeye çalışıyorlar üzüntülerini.

Çok iyi anlıyorum, hepsi bitik durumda. Bunun tek sorumlusu benim.

Babamın yüzüne bakmaya cesaretim yok. Hem de hıçkırıkları hâlâ kulağımdayken... Onu ilk kez ağlarken gördüm bugün. Bir daha yinelemese de, bundan sonraki gözyaşlarını yüreğine dökeceğini çok iyi biliyorum.

Hüzünle sevincin yoğrulmasıyla oluşmuş, tatlıyla tuzlunun karışımışı gibi, tatsız bir veda bu.

Annem, babam, ablam... Eksikliğimle oluşuverecek büyük boşluğa yuvarlanmaya hazırlanıyorlar.

Güçlükle kopuyorum kollarından.

Koşar adımlarla kapıya doğru yürüyorum.

Usulca elimi tutuyor Haşim. Avucundan tüm bedenime yayılan sıcaklığı duyumsamaya çalışıyorum. Ondan alacağım iletinin mucizevi gücüne sığınmaktan başka umarım yok...

23

Büyük Tarabya Oteli...

İlk gecemizde, balayı odasında ağırlayacak bizi.

"Önce güzel bir yemek yiyelim," diyor Haşim.

"Yalnızca gelinle damadın bulunacağı, iki kişilik bir düğün yemeği," diye gülüyorum.

"Böylesi daha iyi değil mi? İki kişilik dünyamızda, herkesten uzak, baş başa... Benim hiç şikâyetim yok."

Yaşamımızdaki belki de en özel gece bu.

Mum ışığı altında, kulaklarımıza dolan hafif müziğin kollarında, yinelenmesi güç bir düşü paylaşıyoruz Haşim'le.

Balık ısmarlıyoruz. Yanı sıra beyaz şarap.

"Balık kısmettir," diyor Haşim. "Berekettir... Uğur getirecek evliliğimize."

Masanın üzerinden uzanıp elimi tutuyor. Gözlerinden taşıp beni içine alıveren sıcacık dünyasına dalıp gidiyorum.

Şarap, buğusunu damarlarıma bırakırken, ben de üzerimdeki tutukluğu sıyırıp atmaktayım. İlk gecelerini yaşayacak yeni evliler gibi değil de, eski günlerdeki Piraye'yle Haşim gibi, konuşup gülmeye başlıyoruz.

"Takıları anneme bırakmayacaktın," diyor Haşim. "Bozdurup kaçıverirdik seninle."

"Böyle de kaçabiliriz," diyorum. "Yeter ki sen iste."

Kaçtık işte, diyemiyorum. Bir geceliğine de olsa, İstanbul'u yaşamanın, yaşamımdaki en güzel kaçamak olduğunu söyleyemiyorum ona. Boğazın, üzerine inen ışıklarla harelenen sularına dalıp gidiyor gözlerim.

Kocaman bir sepet içinde, çiçeklerin arasına gömülmüş bir şişe şampanya ve çikolata. Otelimizin balayı çiftine gönderdiği armağanlar...

Şampanyayı açıp kadehlere boşaltıyor Haşim.

"Mutluluğumuza," diyor.

"Mutluluğumuza," diyorum.

Elimdeki kadehi alıp sehpanın üzerine bırakıyor. Omuzlarımdan tutup kendine çekiyor beni.

"Güzel karım benim," diye fısıldıyor kulağıma.

Bu yepyeni hitap şeklini yadırgıyorum. Utanıyorum nedense... Bir ürkeklik tülü gelip oturuveriyor gözkapaklarıma.

Beni bu halimle görmesin diye, başımı omzuna gömüyorum Haşim'in. Ondan kaçmak isterken, ona sığınmak gibi bir çelişkiye düştüğümü bile bile...

Başım dönüyor. Şarapla şampanyanın el ele verip bana oynadıkları oyundan belki. Ya da Haşim'e ilk kez bu kadar yakın olmanın sarhoşluğu.

Bilemiyorum... Bilmem de gerekmiyor zaten.

Haşim'in güvenli kollarına bırakıveriyorum kendimi...

Ertesi sabah İzmir'e geçiyoruz. Oradan da Çeşme'ye, Altın Yunus'a.

Bana kalsa, balayımızın tümünü İstanbul'da geçirmeyi isterdim. Ama Altın Yunus'u görünce, Haşim'in seçiminde ısrarcı olmasına hak veriyorum.

Maviyle yeşili kucaklaştıran doğasıyla, konukları memnun etmek için gereken tüm ayrıntıların düşünüldüğü modern ve konforlu yapısıyla, cennetten fırlayıp gelmiş, kusursuz bir tatil ortamı burası.

Bu kez balayı çifti olduğumuzu söylemiyoruz. Meraklı bakışların merceğinden kurtulmanın en iyi yolu bu.

Uzun bir çalışma döneminin ardından tatile çıkmış iki yaramaz çocuk gibi, Çeşme'nin billur kumlu plajıyla Altın Yunus'un havuzu arasında bölüştürüyoruz zamanımızı.

Her suya girişimde, "Ayağını suya bile sokmayasın. Yumurtalıklarını üşütürsün. Havuz da deniz de yasak sana," diyen Lamia Hanım'ın kulaklarını tatlı tatlı çınlatıyorum.

Şaşılacak derecede iyi yüzüyor Haşim. Neredeyse denizin içinde büyüyen beni bile yarı yolda bırakabiliyor.

"Bir kara çocuğundan beklenmeyecek başarı," diyorum. "Nerede öğrendin yüzmeyi?"

"Dicle'de," diye gülüyor. "Dicle, yüzme öğretmenimizdir bizim. Nehir suyunda kulaç atabilen biriyle, denizde ya da havuzda yarışılmaz."

Türklerden çok yabancı turist var çevrede. Güzelliklerimizi bizden önce keşfedip, kilometrelerce öteden kalkıp gelmişler.

Düzenlenen Türk gecesinde de yabancılar çoğunlukta. Damak tadımızı, eğlence kültürümüzü çarçabuk benimsediklerini görmek hoşumuza gidiyor.

Rakıyı meyve suyu niyetine içiyorlar. Yudumlarken, yapacağı etkiyi kestiremediklerinden, önce gevşeyen bedenlerini ardından da beyinlerini milli içeceğimizin ellerine teslim ediyorlar. Bize de; yerinde duramayan, kulaklarının yeni tanıştığı oyun havalarına içgüdüsel olarak ayak uyduran konuklarımızı keyifle izlemek kalıyor.

Türk gecesinin temel taşlarından biri olan dansözün çıkışı, coşkuyu doruğa ulaştırıyor. Karşısına geçip benzer hareketlerle aynı kıvraklığı yakalamaya çalışanlar, kolundan tutup masalarına çıkaranlar...

Simsiyah uzun saçları, ateş gibi gözleri, dolgun vücuduyla tam bir Türk güzeli görünümündeki genç kadının orasına burasına para basma yarışındalar. Bu arada, verdikleri paranın bedelini almak istercesine; elleriyle, ateş fışkıran bedenin derinliklerini yoklamayı da ihmal etmiyorlar.

Masa masa dolaşıp yanımıza gelen dansöze, bizim de para takmamız gerektiğini düşünüyorum. Haşim'e bakıyorum... Dansözle aynı karede yakalanma korkusuyla kendini saklamaya çabalayan devlet büyüklerimiz gibi, oturduğu yerde büzüşmüş; bakışlarını nereye koyacağını bilememenin şaşkınlığı içinde.

Cüzdanından çıkardığı yeşil banknotu bana uzatıyor. Dansözün sutyeninin arasına sıkıştırıveriyorum. Kıvrak, kıpır kıpır bedenin yanımızdan uzaklaşmasıyla belirgin bir rahatlama yaşıyor Haşim.

Gülüyorum içimden.

Hep böyle kal Haşim, diyorum. Hep böyle kal...

Başka türlüsünü kaldıramaz Piraye'n.

Bitti.

Düşlerimizden sıyrılıp gerçeklere dönme zamanının geldiğini biliyoruz ikimiz de.

Nedenini tam olarak çıkaramasam da, Diyarbakır dışındaki Haşim'in bana çok daha yakın olduğunu görebiliyorum. Sıcak, sevecen, yüreğini alabildiğine açmış; sevgi dolu bakışlarıyla beni taçlandıran, önceliğimi duyumsatan; benden bir parça sanki...

Ayaklarım geri geri gitse de, yarın sabah Diyarbakır'a dönüyoruz. Beklendiğim, artık ait olduğum yer orası.

Çocukluğumu, genç kızlığımı; temellerimi İstanbul'da bırakıp, yepyeni bir sayfa açıyorum yaşamıma. Pırıl pırıl, yeni doğmuş bir bebek gibi tertemiz... Benim ve benim dışımdakilerin yazılarıyla, çizileriyle, karalamalarıyla şekillenecek; gerçek kişiliğini zaman içinde görebileceğim, şu an için belirsiz, gizem dolu bir sayfa...

Onu ilk günkü pırıltısıyla yaşatmanın zorluğunu biliyorum. Temellerinden koparılmış billur köşkümü ayakta tutabilmenin zorluğunu bildiğim gibi.

Yolun açık olsun Piraye.

Kolay gelsin...

İkinci Bölüm

1

Diyarbakır...

Dar bir eşikten geçip geldim sana.

Huzurundayım.

Hoşgörü kapını açık tut.

Bil ki, direnmem sana değildi. Altın tepside sunulan acı şerbetti beni ürküten.

Devrimci ruha sahip Piraye'nin İstanbul'dan kopmak istememesini yadırgama. Anadolu'nun en ücra köşelerine bile koşarak gidecek yüreğe sahipti o.

Ona ters düşen Diyarbakır değil, Diyarbakır konaklarına gelin olmak.

Ağalığa, beyliğe kulaklarını tıkamış, halktan yana, özgürlük âşığı, yüzü insana dönük; ama deneyimsiz, toy, gencecik bir kız...

Anlamaya çalış onu.

Küçücük bir kum tanesi, bedenine yerleşen. Ya özümseyeceksin ya da irinleşecek derinliklerinde. Sancılı kıvranışlarla atıvereceksin uzaklara. Geldiği yere, belki de bambaşka diyarlara savrulup gidecek.

Onun sende kalmasını sağla.

Kol kanat ger gurbetten gelmiş konuğuna.

Kendinden bil, benimse...

Seviyorum seni Diyarbakır.

Tanıdığım kadarınla etkiledin beni. Kültürünün derinliklerinde gizlenmiş farklı bir şeyler var. Onları bulup çıkarmama yardım et.

Ki, seninle bütünleşebileyim. Kayıtsız şartsız dost olalım...

Güçlüsün sen!

Yanımda atan yürekleri yumuşak kıl. Beni örselemelerine izin verme.

Art niyetsiz, silahsız, savunmasız; öylece geldim huzuruna.

Düşman gibi belleme beni.

Efsaneler kenti, güzel Diyarbakır...

Yaşanası sevdalardan mahrum koyma bizi.

Başka diyarlarda filizlenmiş sevgileri yabancılamak yakışmaz sana.

Beklentilerimi boşa çıkarma.

Anlı şanlı Diyarbakır, bir Piraye'yi barındıramadı, dedirtme kendine.

Kollarındayım artık. Dostun olmaya geldim.

Gülen yüzünle bak bana.

Kuş kanadının rüzgârıyla bile savruluverecek, narin bir beden var karşında. Bir fisken yıkar onu...

Acı sözün kavurur.

Sana yaraşır konukseverliğini esirgeme ondan.

Her şey senin ellerinde...

Unutma.

2

Artukoğlu konağında çok iyi karşılanıyoruz. Tüm aile salonda oturmuş, bizi bekliyor.

Çaylarımızı içerken, çektiğimiz fotoğrafları gösteriyor Haşim. Benim havuzdaki pozlarımı gören Lamia Hanım'ın yüzü asılıyor.

"Suya girdin ha!" diye hafiften azarlıyor beni. "Umarım üşütmemişsindir."

Naran'a dönüyor.

"Büyük dolabın alt çekmecesinde yün çoraplar olacak... Yengene getir de ayaklarını sıcak tutsun."

Yaz günü, Diyarbakır sıcağında, yün çorapların düşüncesi bile sırtımdan ter boşanmasına yetiyor.

Ne sanıyor bunlar beni? Arızalanırsa, ürün vermeyi aksatacağından korkulan bir kuluçka makinesi mi?

Naran'ın getirdiği yün çorapları alıp, "Eşyalarımı yerleştireyim," diye kapıya doğru yürüyorum.

Haşim de peşimden geliyor.

"Aldırma," diyor merdivenleri çıkarken. "Aklı fikri, doğacak bebekte onların. Dinler görün, ama duyma..."

Yeşil gelin odasında, bundan sonraki günlerimizi, gecelerimizi paylaşacağımız biricik sığınağımızda, ilk kez baş başayız Haşim'le.

Henüz bavulları açmaya fırsat bulamadan kapıyı tıkırdatıyor birileri.

Kim olabilir, gibisine bakıyorum Haşim'e. Bilmediğini anlatır bir ifadeyle omuz silkiyor.

Kapıyı aralıyor... Reyyan Abla'yla kocası.

Cevdet Enişte, bir baş işaretiyle Haşim'i dışarıya çağırıyor. Reyyan Abla da içeri girip kapıyı kapatıyor.

"Cevdet, Haşim'in sağdıcı," diyor. "Diyarbakır'da önemli bir görevi yüklenir sağdıçlar."

Susuyor. Sağdıç karısı olarak, ona düşen görevler de var galiba.

"Nasıl geçti ilk gece?"

"İyi," diyorum başım önümde. "Olması gerektiği gibi."

"Sorun yok yani."

"Yok."

Umursamazlıkla kızgınlık arasında gelgit yaşıyorum.

Buna da şükür, diye düşünüyorum. Gerdek odasının kapısında kanlı çarşaf bekleyen bir zihniyetin temsilcilerinin, konuya bu denli yumuşak yaklaşmaları övgüye değer.

Reyyan Abla, beklediği yanıtı almanın huzuruyla odadan çıkıyor.

Az sonra, kıpkırmızı bir yüzle içeri giriyor Haşim. Onun sınavı, benimkinden daha çetin geçmiş anlaşılan.

Erkek erkeğe, iki kişi arasındaki en özel dakikaların konuşulmasının ne anlamı var; beklenenin dışında bir durum yaşanmış olsa bile, bundan kime ne?

Bunları beynime sığdırmakta zorlanıyorum.

"Yarın gelinimin yedisi, bekliyorum."

"Piraye'nin yedisi, öğleden sonra konağa buyurun..."

Lamia Hanım sabahtan beri, kaçıncı kezdir aynı şeyleri yineliyor telefonda.

Bana da açıklamasını yapıyor.

"Gelinin yedisi, yani gerdeğin üzerinden geçen yedinci gün çok önemlidir bizde. İkinci bir düğün de diyebilirsin buna. Ya da gelinin yüz akının kutlanması... Eş dost, akraba; düğüne gelen, gelmeyen herkes çağrılır. Geline mutluluk dilemek için toplanılır, yemekler yenilir, kadın kadına doyasıya eğlenilir."

İlginç. Ama bu tür ilginçliklere çoktan alıştım artık.

Bir haftalık aradan sonra, muayenehaneye gidiyor Haşim. Kenan Bey de bir arkadaşının dükkânında oturmak üzere, zorunlu olarak evden ayrılıyor.

Bugünün özelliği, erkeklerinden arınmış bir evi gerektiriyor çünkü.

Tüm ilginin benim üzerimde toplanacağını göz önüne alarak, ne giyeceğime karar vermeye çalışıyorum.

Lamia Hanım'ın sözleri beni bu zahmetten kurtarıyor.

"Gelinliğini giyeceksin!"

Demek âdet böyle... Düğünün üzerinden yedi gün geçtikten sonra, yeniden; saflığın, temizliğin, yüz akının simgesi olan beyazlara bürünmenin, amaçlarına ters düştüğünün ayrımında bile değiller. Onların düşüncesi bu doğrultuda olunca, ben de karşı çıkamıyorum haliyle. Kendileri bilirler...

Gelinlikli, duvaklı, gerdeğe yeni girecek bir gelin gibi hazırlayıp, salonun ortasındaki sandalyeye oturtuyorlar beni. Çevrem, koltukların kaldırılıp yerine sıra sıra dizilmiş sandalyelere oturan onlarca kadınla sarılı.

Lamia Hanım'ın mutfağının üç günlük çalışma ürünü olan yiyecekleri hızla, sabırsız bir iştahla tüketiyorlar. Ki, sıra eğlenceye gelsin...

Salona dalga dalga yayılan Diyarbakır oyun havaları, kanlarını kaynatmaya yetiyor. Kendilerinden geçercesine, coşkuyla halay çekiyorlar. "Tilili" sesleri yeri göğü inletiyor. Zaman zaman beni de aralarına alarak, İstanbullu toy geline kadın kadına eğlenmenin inceliklerini öğretmeye çalışıyorlar.

Herkesin yerine oturduğu, yorgun düştükleri için durulduklarını sandığım bir ara, salonun kapısına çevriliyor gözler. Naran ve Şehriban, ellerinde tuttukları, üzerlerine mum dikilmiş tabaklarla içeriye giriyorlar. Önce ikisi, sonra diğerlerinin de katılımıyla koro halinde, ilk kez duyduğum bir türküyü söylüyorlar.

Bir mumdur, iki mumdur, üç mumdur
Dört mumdur, on dört mumdur
Bana bir bade doldur
Bu ne güzel düğündür, ha ninna
Ha ninna, hayra ninna...

Naran'ın ve Şehriban'ın devinimleriyle hareketlenen mum alevi, oyunlarına bambaşka bir güzellik katıyor.

Naran elimden tutup karşısına çekiyor beni. Kulaklarımdan bedenime yayılan ezginin yarattığı etkiyle ona eşlik ediyorum. Ayaklarımı ne yöne hareket ettireceğimi bilmesem de... İçimden geldiği gibi.

Yüzü gülüyor Lamia Hanım'ın. Gözleri ışıl ışıl. Gelininin, ortama uyum sağlamasının sevincini yaşıyor.

✣✣✣

Düğün ve gelin yedisinin üzerinden günler geçmesine karşın, evin kalabalığında azalma yok. Hayırlı olsuna, gelin görmeye gelenlerin ardı arkası kesilecek gibi değil.

Arada, Lamia Hanım'la ve Naran'la beraber, bazen Reyyan Abla'nın da katılımıyla el öpme ziyaretleri yapıyoruz.

Önceleri kendimi, oyun gibi görmeye şartlandırdığım bu gidip gelmeler, dayanılmaz bir hal almaya başladı. Haşim'le değil de onun yakın ve uzak çevresiyle evlenmiş gibiyim.

Birbirimizin yüzünü öylesine az görüyoruz ki... Kahvaltının ardından muayenehaneye gidiyor Haşim. Akşam yemeğinde de evin kalabalığıyla paylaşıyorum onu. Baş başa kaldığımız tek yer odamız. Ve son derece kısıtlı bir süre...

Lamia Hanım'ın Naran'la beraber mutfak işine daldığı, nadiren yakaladığım sakin zamanları odama sığınarak geçiriyorum.

Şehriban ise hep yanımda. Sessiz, rahatsız etmeyen; rahatsız etmek bir yana, tüy gibi hafif varlığıyla içime huzur veren, biricik dostum, yoldaşım o benim... Ben kitap okurken, karşımda nakış işliyor. Geceleri Haşim'le paylaştığımız berjer koltuklarda seve seve ağırladığım tek konuğum Şehriban.

Hemen hemen her gün konuşuyoruz annemlerle. Ya onlar arıyor ya da ben.

"İyiyim," diyorum telefonu açar açmaz.

Bu sözcüğün onlar için ne anlama geldiğini biliyorum.

Telefonu kapattığımda, önüne geçemediğim bir hüzün sarıyor her yanımı. Elim kolum iki yanıma düşmüş, koltuğa çöküveriyorum.

Şehriban ne zaman, nasıl davranacağının içgüdüsel bilinciyle avutmaya çalışıyor beni. Sessizce, sıcaklığını bakışlarıyla olsun bana ileterek.

Gene böyle bir konuşmanın hüznüyle sarmaş dolaş, gözlerimi sabit bir noktaya kilitlemiş, öylece oturuyorum.

Şehriban, yerinden kalkıp önümde diz çöküyor. Sımsıkı tutuyor elimi. Billur gibi bir sesle, bildik ama o güne kadar hiç ilgimi çekmeyen bir türküyü mırıldanmaya başlıyor.

Yüksek yüksek tepelere ev kurmasınlar
Aşrı aşrı memlekete kız vermesinler
Annesinin bir tanesini hor görmesinler
Uçan da kuşlara malum olsun
Ben annemi özledim
Hem annemi hem babamı
İstanbul'u özledim...

Gözlerinde benimle paylaşmak istedikleri, dilinde yarama tuz basan dizeler...

"Sus," diyorum. "Ne olur, sus!"

Dinlemiyor beni.

Babamın bir atı olsa, binse de gelse
Annemin yelkeni olsa, açsa da gelse
Kardeşlerim yolları aşsa da gelse...

Yanaklarımızdan süzülen yaşlar, ikimizin sımsıkı kenetlenmiş ellerinin üzerinde buluşuyor. Göz göze; ağlamanın, beraberce acıya bulanmanın paylaşımı içindeyiz. Ona katılmaktan kendimi alamıyorum.

Uçan da kuşlara malum olsun
Ben annemi özledim
Hem annemi hem babamı
İstanbul'u özledim

Birden, elimi elinden çekiyorum.

"Neden yaptın bunu? Beni daha da üzmek için mi?"

Yeniden tutuyor elimi. Yanağına bastırıyor.

"İçine gömdüklerini dışarıya ver diye... Orada kalırlarsa zehirleyeceklerdi seni."

Bir kez daha şaşırtıyor beni Şehriban. Bilgeliğiyle, üzerinde iğreti bir emanetmiş gibi duran felsefi yaklaşımlarıyla; içimi okuyan sevecen bir psikiyatrı çağrıştırmasıyla çözmeyi başaramadığım, başlı başına bir dünya sanki...

3

Hemen o gece, içinde yuvarlandığım boşluğu anlatıyorum Haşim'e.

"Sıkılıyorum. Bir şeyler yapmam gerek. Böyle boş oturmak bana göre değil."

"Muayenehaneye gel istersen," diyor. "Bana yardım edersin."

Dudaklarından dökülen sözcüklerin, gönlünden geçenleri yansıtmadığını sezebiliyorum. Beni avutmak, içine düştüğüm çıkmazdan kurtarmak için aklına geliveren tek çözüm bu. Geçici gözüyle baktığı, kısa sürelik bir öneri belki de.

Başka umarım yok. Yarım ağızla dile getirilmiş bu daveti sevinçle kabul ediyorum.

Ertesi sabah, Lamia Hanım'ın pek de hoşnut kalmamış tavırlarını görmezden gelerek, Haşim'in peşine takılıveriyorum.

Muayenehane, önüme açılan yepyeni bir pencere benim için. Günlerdir bunaldığım ev ortamından kurtuluşumun müjdecisi.

Hem, bu ilaç kokan havanın yabancısı değilim ki. Diş doktoruyum ben de. Burada bulunmamdan doğal ne olabilir ki?

Çalışma masasını gösteriyor bana Haşim.

"Randevu defterini aç. Bak bakalım, ilk hastanın randevusu kaçtaymış?"

"Beni sekreterin olarak kullanmayı düşünmüyorsun herhalde," diye gülüyorum.

O ise gayet ciddi.

"Bu da bana yardım etmenin bir parçası değil mi?"

Beraberce karşıladığımız ilk hastayı alıp muayene odasına geçiyor Haşim. Beni kapının dışında, sıradan bir görevli gibi bırakarak.

İkinci hastada içeriye çağırıyor. Dişetine vurulacak uyuşturucu iğneyi hazırlamam için.

"Jetokain," diyor, bu kez de yardımcı hemşireye seslenir gibi.

Üçüncü hastada, dolgu maddesini dolaptan çıkarıp eline veriyorum.

Telefonla arayan birkaç kişinin adını randevu defterine yazarak, günlük çalışmama noktayı koyuyorum.

Hastalarının yanında Haşim'in bana eşiymişim gibi davranmadığı, onlarla tanıştırmaya gerek bile duymadığı, beni sıradan bir çalışan konumunda tutmaya çalıştığı gözümden kaçmıyor.

Ne zamandır sezinlediğim, ama yakıştırmak istemediğim, içimi acıtan bir tutum sergiliyor... Yabancı birilerinin varlığı değiştiriyor Haşim'i. Bana yakın durmayı, sevecen davranmayı yakıştırmıyor kendine sanki.

Ailece oturulan akşam yemeklerinde, özellikle benden en uzak noktayı seçiyor. Bakışlarından bana ulaşacak sıcaklığın ayıp hanesine yazılacağından korkuyor gibi.

Gerçek Haşim'e ancak, baş başa kaldığımız biricik yerde, odamızda kavuşabiliyorum. Bu da benim yönümden son derece incitici bir durum ne yazık ki...

Annemle babamın otuz yıla ulaşan evliliklerini getiriyorum gözümün önüne. Eksileceğine, katlanarak artan sevgilerini birbirlerine sunmalarını... İçinde boy verdiğimiz o sıcacık ortamı...

Henüz bir ayını doldurmayan evliliğimizde duyumsayamadığım sıcaklığı, ilerleyen zaman içinde yakalayabilecek miyim acaba?

Haşim'in belki de beni muayenehaneye gelmekten vazgeçirmek amacıyla, bilinçli olarak sergilediği ters tavırları görmemeye çalışıp; mesleki yönden aşağılayıcı bir konuma düşmeyi göze alarak, inatla, bana sunduğu sekreter-hemşire arası görevimi sürdürüyorum.

Azla yetinmeyi öğrendim artık. Üzerimdeki beyaz doktor önlüğünden aldığım güçle, karşılaştığım tüm olumsuzluklara hoş görüyle yaklaşmayı başarabiliyorum.

Kendi çabalarımla yarattığım çalışma ortamında yaşadığımız hoş bir gelişme, muayenehane günlerime canlılık getiriyor.

Her zamankinin üstünde bir hasta yoğunluğuyla geçen günün ardından, Kevser Hanım'ın getirdiği çayları yudumluyoruz Haşim'le.

"Ziyaretçiniz var," diyor Kevser Hanım.

Genç bir çift.

"Hayırlı olsun," diye içeri girip kendilerini tanıtıyorlar.

İkisi de doktor. Ankaralılar. Emir cerrah, Diyarbakır'da askerliğini yapıyor. Askeri hastanede görevli. Nurgül ise göz hastalıkları uzmanı. Bizim üst katımızda muayenehanesi var. Ofis'te ev tutmuşlar. Geçici bir süre için de olsa, Diyarbakır'da bulunmaktan mutlular.

Birbirlerine baktıklarında aralarında oluşuveren sıcaklık, karşılıklı sevecen davranışlar, söz ettikleri mutluluğun burada bulunmaktan çok, beraberliklerinden kaynaklandığını düşündürüyor.

Onlarla tanışmak, farklı bir renk katıyor yaşamıma.

Nurgül'ün muayenehanesine ilk kez, Haşim'le beraber, Emir'in de orada olduğu bir akşamüzeri gidiyoruz. Bizimki kadar olmasa da, zevkle döşenmiş, sıcacık bir yer burası.

Daha sonra, sık sık birbirimize gidip gelmeye başlıyoruz Nurgül'le. Çöl ortasında, hiç ummadığım bir anda, buz gibi bir kaynak bulmuş gibiyim.

Saatlerce konuşuyoruz. Ortak noktalarımızın çokluğu, bizi birbirimize daha da yaklaştırıyor. Duruşunda bana Esin'i anımsatan bir şeyler var Nurgül'ün.

Haşim de hoşnut görünüyor bu yeni arkadaşlığımdan. Onunla geçirdiğim zamanın azalmasından da hiç şikâyetçi değil.

Evle olan ilişkilerimi en aza indirgemek, benim yönümden büyük başarı.

Yalnızca Lamia Hanım'ın önemli bir konuğu olduğunda, o da gelin görmeye geleceklerini söylediği günlerde evde kalıyorum. Diğer zamanlarda yerim belli. Muayenehanede, Haşim'in yanında; arta kalan zamanlarda Nurgül'le beraberim.

4

"Yorucu bir gündü," diyor Haşim.

Çene kemiğine gömülmüş bir kökü ameliyatla çıkardığımız, gerçekten de zorlu bir gündü yaşadığımız.

Yemeğin ardından, yorgun argın odamıza çıkıyoruz.

Birden, yatağın üzerindeki nevresim takımının, sabah bıraktığımdan farklı olduğunu ayrımsıyorum. Evet, eskisi kaldırılmış, yerine yeni bir çarşaf takımı serilmiş.

"Bu da ne demek oluyor?" diye yüksek sesle söyleniyorum.

"Nedir olan?" diyor Haşim.

"Benim yokluğumda, bana sorulmadan çarşaflarım toplanıyor, seriliyor... Olacak iş mi bu?"

"Daha ne istiyorsun? Yıkamaya götürmüşler besbelli."

Alaylı bir dudak büküşle gülüyor.

"Çalışan kadının arkasını toplamak, başkalarına düşüyor haliyle... Ellerine sağlık. Böyle bağırıp çağıracağına teşekkür etmelisin onlara."

"Nerede kaldı bizim mahremiyetimiz? Üzerinde yattığım çarşaf bile bana ait değil bu evde... Ben yokken odama girilmesi ne kadar doğru sence?"

"Ne olur girilirse?"

"Açıkta bıraktığım özel eşyalarım, kişisel kalması gereken, en azından benim öyle istediğim, hiçbir şeyim olamayacak mı? Yalnızca bize ait şu odada bile..."

"Sen de görülmesini ya da dokunulmasını istemediğin eşyalarını açıkta bırakmayıver."

Söyleyeceğini söylemiş olmanın rahatlığıyla, benim isyan dolu çırpınışlarımı zerrece umursamadan sırtını dönüp yatıyor Haşim.

Bu kadar basit demek... Açıkta bir şey bırakma, olsun bitsin. Özel yaşamımıza yapılan, görünürde masum, gerçek yüzüyle ürkütücü saldırının ayrımında bile değil.

Çarşaflarıma kadar uzanabilen elleri nerede ve nasıl durduracağımı bilememenin sıkıntısıyla yatağa süzülüyorum. Huzursuz, öfkeli; bir o kadar da umarsız...

Hafta sonu Nurgül'le Emir yemeğe çağırıyorlar bizi.

Seviniyorum. Diyarbakır'a geldiğimden bu yana ilk kez bir arkadaş sofrasını paylaşacak olmak, heyecan veriyor içime.

Bu haberi evdekilere iletmek Haşim'e düşüyor.

"Cumartesi akşamı yokuz," diyor. "Arkadaşlar yemeğe davet etti."

Lamia Hanım'la Kenan Bey, alışık olmadıkları bu durum karşısında, şaşkınlıklarını susarak maskelemeye çalışıyorlar önce.

Lamia Hanım dayanamıyor. Yaşayacağımız bir gecelik ayrılıktan sorumlu tuttuğu kişileri yargılayan bir ifadeyle, "Kimmiş bu arkadaşlarınız?" diye soruyor.

Anlatıyor Haşim.

Nurgül'le Emir'i onların gözünde temize çıkarmak ister gibi, hoşlarına gideceğini düşündüğü ayrıntılara girerek; zararsız, kendi halinde insanlar olduklarını kanıtlamaya çalışarak, çiçeği burnunda arkadaşlarımız hakkında bildiği her şeyi sayıp döküyor.

Bir yere gitmek için annesiyle babasından izin koparma çabasındaki küçük bir çocuk gibi...

Sessizce izliyorum onları.

Ortak sorunumuzu çözmek, yalnızca Haşim'in işi. Bir türlü koparamadığı göbek bağını gevşetmek de ona düşüyor haliyle.

Nurgül'le Emir'in oturduğu ev, küçük bir apartman dairesi. İki oda, bir salon; kutu gibi, ama çok şirin.

Zevklerini birbirine katarak, gönüllerince döşedikleri evin her köşesi, ikisinden ortak izler taşıyor. Modern çizgilerdeki koltuklar, büfenin üzerine serpiştirilmiş sevimli biblolar, vitrin raflarına sıralanmış kristal bardaklar, mineli fincan takımları;

seçimlerinde yaşanan heyecanı gözler önüne seriyor. Elimde olmadan, böyle bir coşkuyla tanışamamanın ezikliğini duyuyorum içimde.

Haşim ise kayıtsızca süzüyor çevreyi. Hatta, konaktaki eşya kalabalığının yanında, bu mütevazı evin yalınlığını küçümsüyor gibi. Buradaki her bir nesnenin ayrı ruh taşıdığının ayrımında bile değil.

Salonun yan tarafındaki yuvarlak masada hazırlanmış dört kişilik, zevkli sofraya oturuyoruz.

Nurgül muayenehaneden erken gelmiş bugün. Birbirinden güzel, bana eski damak tadımı anımsatan, harika yemekler hazırlamış.

"Yorulmuşsun," diyorum. "Ellerine sağlık."

"Emir'in yardımları olmasa altından kalkamazdım," diye gülüyor. "Salatalar ve mezeler onun eseri..."

Taban tabana zıt iki çiftin buluşması, diye geçiriyorum içimden.

Haşim'le ben, beraberce mutfağa girmedik hiç. Güle söyleye salatalar yapmadık. Ortaya, ortaklaşa bir yemek çıkarmanın sevincini paylaşmadık.

İkimiz bir yana, tek başıma ben bile giremiyorum ki mutfağa! Orası Lamia Hanım'ın kalesi. Asla paylaşılamaz! Yalnızca onun yaptığı yemekler yenir, üzerine övgüler düzülür; hepsi o kadar...

Hem, ağa oğlu Haşim Bey'e mutfaklarda iş görmek, kadınlara yardım etmek yakışır mı hiç?

Kahvelerimizi içip izin istiyoruz.

"Daha erken değil mi?" diyecek oluyor Emir.

"Bizimkiler merak eder," diye gülüyor Haşim. "Böyle durumlara pek alışık değiller de..."

Bu güzel gece için teşekkür edip ayrılıyoruz.

Benzeri bir sofraya onları davet edemeyecek olmanın hüznü sarıyor içimi. Bu hüznü Haşim'le paylaşabilsem rahatlayacağım belki. Ama öylesine uzak duruyor ki benden...

"Avuç içi kadar ev," diye dudak büküyor.

Düşünme yetisinin, başkalarınca çizilmiş sınırlı bir çerçevede kaldığını görmek üzücü. Ama buna aldıracak halde değilim ben.

Kafamın içindeki, bir türlü söz geçiremediğim, aykırı sayılabilecek, ama gerçekte masum düşünceleri ona açmakla açmamak arasında kararsızım.

Kendi yiyeceğimiz yemeği pişirmek, üzerinde yattığımız çarşafları gerektiğine inandığım zamanda değiştirmek, istediğim yere birilerinden izin almadan gidebilmek, dostlarımı evimde ağırlayabilmek... Bu en sıradan işleri bile yapamamanın, özlemini çekmenin verdiği burukluğu dile getirsem, anlar mı beni Haşim?

Boşuna yorma kendini Piraye!

Nurgül'ün iki kişilik özgün dünyasına imrenmekten bir adım öteye geçemezsin sen...

5

İş konusundaki olumlu gelişmeler, ev cephesinde yaşadığım sıkıntıları biraz olsun hafifletiyor.

Haşim'in randevu defterinin, son saate kadar dolu olduğu, yoğun bir gün...

Çermik'ten bir karı koca geliyor önce.

Haşim'e, köy imamı olarak tanıştırdığı iriyarı hastanın dişini doldurmasında yardımcı oluyorum.

Koltuktan kalkarken, kapının önündeki sandalyeye oturmuş bekleyen, başı örtülü, yerlere kadar uzun bir pardösü giyinmiş kadını gösteriyor imam.

"Bizim hanımın da dişlerine bir baksanız."

"Tamam," diyor Haşim. "İçeri gelsin."

"Yalnız," diyor biraz mahcup. "İznin olursa, gelin ağam baksın ona."

Sorun belli. Erkek doktorun mahremine el sürmesini sakıncalı buluyor.

Haşim kararsızlık içinde, ne yapacağını düşünüyor bir süre.

Sonunda bana dönüyor.

"Sen al hastayı."

Kulaklarıma inanamıyorum!

Aslında hakkım olan, ama uzak tutulduğum, ne zamandır özlemini çektiğim bu müjdeyle kapıya koşuyorum.

"Gel bacım," diyorum. "Otur şöyle."

İki dişi neredeyse köke kadar inen çürüklerle oyulmuş. İçlerini temizleyip, hazırladığım geçici dolguyla kapatıyorum dişleri.

"Tamam," diyorum kocasına. "Bugünkü işimiz bu kadar. Ancak, gelecek hafta yeniden gelmeniz gerekiyor. Esas dolguyu o gün yapacağız."

Sonraki gelişlerinde, yaşlı bir kadın daha var yanlarında.

"Bu da anam," diyor imam. "Onun da ağzına bakacaksın."

Seviniyorum. İçim içime sığmıyor. Bana doktor olduğumu duyumsatan bu insanlara minnet borçluyum.

Önce imamın karısının geçici dolgularını çıkarıp, esas dolguları yerleştiriyorum. Sonra sıra anneye geliyor.

"Sol alt çeneye protez yapmak gerek," diyorum. "Uzun ve masraflı bir iş... Yapalım mı?"

"Yapalım," diyor imam. "Anam sana emanet."

Köyden gelip gitmelerinin zorluğu ortada. Hiç değilse bir başlangıç yapmam gerektiğini düşünüyorum.

Umduğumdan dayanıklı çıkıyor Ümmü Teyze. Üç jetokaini dişetine boşaltıp, uyuştuktan sonra, alt çenedeki beş dişi birden kesiveriyorum. Hiç sesi çıkmıyor.

Ölçüleri alıp kalıba döktükten sonra, açıkta kalan dişlerin üzerini geçici kaplamayla kapatıyorum.

Bunları yaparken, bir yandan da, Haşim'in dışarıda, benim eski konumumda, yardımcım rolünü oynamasını hınzırca bir zevkle izliyorum.

"Hafta başı bekliyorum. Proteziniz hazır olacak."

"Allah senden razı olsun gelin ağam," diye elimi öpmeye çalışıyor imam.

Haşim kendisi dışında oluşan, engelleyemediği gelişmeleri sessizce izlemekle yetiniyor. Yüzündeki hoşnutsuzluğu görmezden geliyorum.

Artukoğlu ailesinin yakın çevresi ve akrabaları dışında, aldığımız ikinci yemek daveti, Turan Amca'yla Ümran Teyze'den geliyor.

Seviniyorum. Daha doğru dürüst bir araya gelememiş olsak da, Diyarbakır'da, yakınım diyebileceğim belki de tek aile onlar.

Lamia Hanım'la Kenan Bey'e de gelmelerini öneriyoruz.

"Ümran Teyze telefonda, sizi de beklediğini söyledi," diyorum.

"Tanımadığımız yere gitmeyiz biz," diye kestirip atıyor Lamia Hanım.

Gelin, tanışmış olursunuz, diye üstüne gitmiyorum. Beni tanımadığım onca yere götürdünüz ama, da demiyorum. Nurgül'le Emir'in davetinin izleri daha silinmeden yaşanan benzeri durumdan hiç de hoşnut olmadıklarını açıkça belli ediyorlar zaten.

Haşim de pek gönüllü durmuyor ama, sesini çıkarmadan eşlik ediyor bana.

Turan Amca'yla Ümran Teyze Yenişehir'de, Lise Caddesi'nin üzerinde çok katlı bir apartmanda oturuyorlar.

Çocuklarını uzaklara gönderince, çekirdek aile konumuna dönmüşler yeniden. Uzun yılları geride bırakmış bir evliliğin nasıl ayakta tutulacağının canlı kanıtları olarak, zorlamasız bir sevgi ve saygı iletişimi içindeler.

Bize olan davranışlarındaki sıcaklık, hem bana hem de Haşim'e, ilk kez aynı ortamı paylaştığımızı unutturuveriyor.

Turan Amca, art arda, konuşacak bir şeyler bulabiliyor. Yaptığı ince esprilerle, neşeli tavırlarıyla kısa sürede, Haşim'in çevresine ördüğü kalın duvarı yıkmayı başarıyor.

Ümran Teyze'nin de kocasından kalır yanı yok. Gülmeyi yüzüne oturmuş, iğreti bir dudak bükülüşünden çok ötelere taşıyabiliyor. Gözbebeklerinin derinliklerine kadar, yürek dolusu gülüyor, gülünce.

Kısa sürede kaynaşıveriyoruz bu güzel insanlarla. Diyarbakır'daki biricik akrabalarım gözüyle bakıyorum onlara. Ümran Teyze'nin yaptığı birbirinden nefis yemekler, özenle hazırladığı sofra, bizi memnun etmek için çırpınışı; ailemden gelen bir haraketmiş gibi mutlu ediyor beni.

Yemeğin ardından, tabakları beraberce mutfağa taşıyoruz.

"Beni buradaki annen gibi düşünürsen sevinirim," diyor Ümran Teyze.

"Siz de beni kızınız gibi göreceksiniz ama."

"Hiç kuşkun olmasın."

Gülüyor.

"Madem seni kızım yerine koyuyorum; o halde söyle bakalım, evdekilerle aran iyi mi? Her şey yolunda mı?"

"İyi sayılır. En azından şimdilik."

"Diyarbakırlılar iyidir, hoştur; ama konu gelin-kaynana oldu mu işler farklılaşabilir. İstanbullardan kalkıp buraya, hem de aynı eve gelin gelmeni özveri olarak algılamalarını bekleme onlardan."

İçimi okuyor sanki. Gene de, daha ilk günden gizlerimi ortaya döküvermeyi yakıştıramıyorum kendime.

"Önemli değil," diyorum. "Bunları bilerek geldim ben."

"Seni böyle güçlü görmek güzel. Ama unutma; ne sıkıntın olursa, rahatça paylaşabilirsin benimle."

Ümran Teyze'nin ağır ateşte pişirdiği köpüklü kahveleri içip kalkıyoruz.

Arabadan inerken, salonun ışıklarının yanık olduğunu ayrımsıyorum. Onlar için geç bir saat. Yatmamış, gelişimizi beklemişler.

Bahçe kapısından içeriye girdiğimizde ışıklar sönüyor. Hole adımımı atarken, merdivenlerin üst basamağındaki ayak seslerini duyabiliyorum.

Minik kuşları kafeslerine döndü ya, iç huzuruyla uyuyabilirler artık...

6

"Kalıpları diş laboratuvarına gönderelim," diyor Haşim.

Onun da protez ölçüsü alınmış, Ümmü Teyze'yle eşzamanlı bir hastası var.

İki gün sonra protezler geliyor.

Öncelik Haşim'in hastasında.

"Gel," diyor bana. "Gözünü iyi aç, nasıl takılıyor, öğren!"

Protez kliniğindeki başarılı çalışmalarımı, hatta kürsüde asistan kalma çabalarımı anımsıyorum o an.

Susuyorum. Varsın Haşim bana bilmediklerimi öğrettiğini sansın.

O ise, gitgide kırıcı, hatta aşağılayıcı olmaya yüz tutan davranışlarını sürdürüyor.

"Protez, dişetinin üzerine fazla binmeyecek," diyor. "Tam oturmayıp havada kalması da sorun yaratır. Senin gibi deneyimsiz bir çömezin yapacağı iş değil ya, neyse..."

İlgimi yetersiz bulmuş olmalı ki, haylaz öğrencisini azarlayan öğretmen gibi, iyiden iyiye yükleniyor üstüme.

"Yaptıklarımı beynine kazı ki, yarın imamın anası geldiğinde yüzümü kara çıkarmayasın. Kimse, Piraye Hanım yapmış demez... Haşim Bey'in muayenehanesinden çıkan her dişin günahı benim boynumadır."

Ertesi gün Ümmü Teyze, oğluyla beraber geliyor.

"Allah razı olsun senden gelin ağam," diyor imam. "Bizim hanım yatıp kalkıp dua ediyor sana. Dişlerinden pek memnun."

Ümmü Teyze'nin geçici kaplamasını çıkarıp protezi takıyorum. Seviye kontrolünü yapıyorum; yükseklik yok. Dişetine uyumu tam.

"Haftaya bir kontrol muayenesi yaparız," diye yolcu ediyorum hastamı.

Önce Haşim'in protezli hastası geliyor kontrole. Hem de söylenenden iki gün önce.

"Dayanamadım Haşim Ağa'm," diyor. "Bu taktığın şey, iki numara küçük ayakkabı gibi vuruyor dişetlerimi. Sabahlara kadar uyuyamıyorum."

"Aç bakalım ağzını," diyor Haşim. Başarısızlığa alışık olmayan insanların, yenilgiyle tanıştıklarında üstlerine yapışıveren sıkıntılı hali yansıtıyor yüzü.

Dişeti davul gibi şişmiş hastanın. Protez, yarısına kadar yumuşak dokunun içine gömülmüş.

"Çıkaracağız," diyor Haşim. "Dişetleri aşırı duyarlı hastalarda böyle durumlarla karşılaşabiliyoruz."

Hatasını kabul etmiyor. Protez seviyesini ayarlayamamışım, demiyor. Mesleki konudaki en ufacık başarısızlığı bile ağalığına yakıştıramıyor belli ki. Ağalığının geçersiz kalacağı yerlerin de olabileceğini aklına bile getirmiyor.

Bundan sonrasını görmemin gereksizliği ortada. Usulca, muayene odasından dışarıya süzülüveriyorum. Hatasını yüzüne vurmak ister gibi yanında durmanın, varlığımla onu rahatsız etmenin anlamı yok. Hastanın, bir kesilip bir yükselen seslerinden protezin çıkışını, sonra yeniden takılışını, gözlerimin önündeymişçesine, dışarıdan da izleyebiliyorum nasılsa.

Ümmü Teyze'yle oğlu, kontrol muayenesine, yanlarında bir genç kızla beraber geliyorlar.

Genç kızı, "Bacım," diye tanıştırıyor imam. "Ellerinden öper. Anamdan sonra ona da bir bakıversen..."

"Tamam," diye gülüyorum. "Ama öncelik Ümmü Teyze'nin."

Haşim'in bir gün önce yaşadığı türden bir olumsuzlukla karşılaşmanın korkusu içindeyim.

Daha ağzını açmadan, "Allah senden razı olsun kızım," diyor Ümmü Teyze. "Dünyaya yeniden geldim sanki. Anamdan doğduğum dişlerime kavuşturdun beni."

Bakıyorum. Protezin konumu, gerçekten de kusursuz görünüyor.

Şükür Tanrıma, diyorum içimden, utandırmadın beni.

Genç kızın, ağrısından nicedir kıvrandığı azı dişini çekmek gerek.

Ama sırada Haşim'in hastası var.

"Bir on dakika izin verir misin bana?" diyorum.

"Tamam," diyor iyice asılmış yüzüyle.

Hemen, dişin olduğu bölgeyi uyuşturuyorum. Benim bile şaştığım, olağanüstü bir güç ve beceriyle çekiveriyorum dişi.

"Köyün bütün kadınları sırada," diyor imam. "Hepsi gelin ablalarının elini öpmeye gelecekler."

"Böyle olmaz ama," diyorum. "Önceden randevu almanız gerek."

Haşim'in kartlarından bir tomarını eline tutuşturuyorum.

"Telefon edin, sonra gelin."

Bu davranışımla Haşim'in hastasını bekletmemin bağışlanmasını bekliyorum bir bakıma. Ama tüm umutlarım, Haşim'in eskisinden de uzlaşmaz, sert bakışlarına çarpıp gerisingeriye dönüveriyor.

Hastasını alıp; neden kaynaklandığını bir türlü çözemediğim, ama yalnızca bana yönelik olduğundan da kuşku duymadığım, gizleyemediği, hatta bilerek dışavurduğu garip bir öfkeyle muayene odasına doğru yürüyor.

Tanıyamıyorum onu.

Eski Haşim olsa, ilk deneyimimde yakaladığım başarıyı paylaşmaz mıydı benimle? Övgüyü fazlasıyla hak etmiş Pirayesi'yle gurur duymaz mıydı?

Neden böyle davranıyor, anlayamıyorum. Evet, açık açık söylemese de baştan beri muayenehanede çalışmama karşı olduğunu seziyordum. Ama evde oturup, gelin ziyaretleriyle zaman öldürecek bir eş istiyorduysa, farklı özelliklerde birisini seçmesi gerekmez miydi?

Onu huzursuz eden, yalnızca mesleğimde yaşadığım olumlu gelişmelerse eğer; kıskançlık demeye bile utanç duyacağım bu yakıştırmayı nasıl mal edebiliyor kendine? Hem de, onun konumunda ben olsam, başarısını göklere çıkarmaya hazırken...

İçinde bulunduğum şartlarda, mutluluğa yakın durduğum tek zamanın, hastalarımla geçirdiğim sayılı dakikalarla sınırlı olduğunu göremiyor mu?

Bana bu yaptıkları ya da yapması gerektiği halde bilinçli olarak yapmadıklarının iç dünyamdaki yansımalarını bir bilse... Aynı tutumunu sürdürür müydü acaba?

7

Kahvaltı masasını bahçeye hazırlamışlar bu sabah. İlk günlerini süren bahara merhaba der gibi...

Gözlerini açmış doğa. Kirpiklerinin arasına sakladığı katmerli gülleri, öbek öbek papatyaları, salkım saçak menekşeleri döküvermiş dörtbir yana.

Derin derin soluyorum mis gibi havayı. Uzun süre içimde tutuyorum; bırakmaya kıyamıyorum.

Bahara uyanışın hatırına, kahvaltımızı her günkünden uzun tutuyoruz. Şehriban'ın getirdiği son çaylarımızı içip, muayenehaneye gideceğiz Haşim'le.

"Altı ay oldu, değil mi?" diyor Lamia Hanım.

Dilinin altındakinin merakıyla yüzüne bakıyorum.

"Siz evleneli," diye tamamlıyor sözünü.

Öyle, gibisine başımızı sallıyoruz Haşim'le.

"Ama bir bebek haberi alamadık henüz..."

"Daha erken," diye gülüyor Haşim.

"Erken diye oyalanırken, geç kalıp da dövünmeyesiniz sakın..."

Oturduğum yerde huzursuzca kıpırdanıyorum. Hiç ummadığım bir anda, kendimce tabulaştırdığım konuda, hazırlıksız yakalanmanın sıkıntısı içindeyim.

Elini elbisesinin cebine sokuyor Lamia Hanım. Bir süre kapalı tuttuğu parmaklarını açıp, avucunun içindekini masanın üzerine bırakıveriyor.

"Bunlar ne?" diyor ikimizi de azarlar gibi.

Doğum kontrol haplarım!

"Ne işi var onların burada?" diye ister istemez tepki veriyorum.

Lamia Hanım beni umursamadan devam ediyor.

"Bu doğum kontrol hapı denen meret var ya... Kadının rahmini kavurur; kaskatı, küçücük, işe yaramaz bir top haline getirir."

Baştan beri, konuşulanları duymamış gibi, ilgisiz kalmayı yeğleyen Kenan Bey de, bu ağzı yüzü açık konuşmalar sırasında bile orada bulunmayı sürdürmekle, karısına destek verdiğini gösteriyor.

Bu kez doğrudan bana dönüyor Lamia Hanım.

"Bir gün gelir, dölyatağın döl tutmaz olur. İşte o zaman ayıkla pirincin taşını... Bir kez küstürdün mü dölyatağını, iflah olmazsın artık. Çocuk istemezken, çocuk dilenir hale gelirsin. Kapı kapı, doktor doktor dolaşırsın da, gene de çare bulamazsın derdine."

Ne yanıt vereceğimi bilememenin sıkıntısıyla, oturduğum yerde iyice büzüşüyorum.

O sırada hiç beklemediğim bir şey oluyor.

"Dur anne, yavaş ol biraz," diye araya giriyor Haşim. "Bu, Piraye'yle benim ortak kararımız. İzin verin de çocuk konusundaki zamanlamayı biz yapalım."

Hiç ummadığı bu yanıt karşısında bir an için şaşalıyor Lamia Hanım.

"Ne haliniz varsa görün," diyor. "Yalnız, bilmiş olun ki, Artukoğlu namını yaşatacak bir oğlunuz olmadıkça, yüzünüzü yerden kaldıramazsınız!"

Hapları önüme doğru fırlatıyor.

"Al, bildiğin yolda yürümeye devam et. Ama Haşim'i ve bizi körocak bırakacak gelin, karşısında önce beni bulur. Bunu da iyice sok o kafana..."

Hapları çantama attığım gibi, yerimden fırlıyorum. Haşim de arkamdan...

İkimiz de konuşmuyoruz yol boyunca.

Özel eşyalarını ortada bırakma, demişti; bırakmadım. Ama önce çarşaflarıma uzanan eller, şimdi çekmecelerin derinliklerindeki ilaç kutularına bile ulaşabiliyor artık.

Haşim'e bunları söylemenin gereği yok. Başkalarının yaptıklarıyla suçlayamam onu. Hem de bu önemli konuda bana destek vermişken...

Evet, Haşim ilk kez ailesine karşı savundu beni. Diyarbakır'a gelmeden önce öne sürdüğüm şart üzerindeki uzlaşmamıza sadık kaldı. Verdiği sözün arkasında durdu.

Az şey mi bunlar?

Sorgulamak bir yana, bu son davranışı için minnet borçluyum ona.

"Elini çabuk tut," diyor Haşim. "Yoğun bir gün bizi bekliyor. Randevu listesi kalabalık..."

Tıraş olmak üzere banyoya doğru yürüyor.

Keyifsizim bu sabah... Benden sonra odama kimlerin girip çıkacağını, nereleri karıştıracağını düşünmek, saplantı haline dönüştü bende. Bundan kaynaklandığını sandığım, garip bir isteksizlik var üzerimde.

Yatağı toplamakla işe başlıyorum.

Bugün hangi elin değeceğini merak etmekten kendimi alamadığım çarşafı gerginleştirip, altına katlıyorum. İstemim dışında toplanıp götürülmesini önlemek istercesine, çarşafın ucunu daha derinlere yerleştirme çabasıyla yatağın köşesini hafifçe kaldırıyorum. Ve... Karyolayla yatak arasına serpiştirilmiş, ne olduğunu anlayamadığım siyah taneciklerle yüz yüze geliveriyorum.

Eğilip dikkatle inceliyorum. Kara çörekotuna benziyor, ama değil. Fare pisliği desem, farenin bu dar yerde ne işi var?

Haşim'in tıraş makinesinin sesi beni kendime getiriyor. Elimi çabuk tutmalıyım.

Tuvalet masasının üzerindeki makyaj pamuğundan büyücek bir parça koparıyorum. Kolonya şişesini üzerine boca ediyorum. Islak pamuğu taneciklerin üstüne sıkıca bastırıyorum.

Beyazın üzerine yapışmış kara noktalara, tanımak istercesine, bir kez daha bakıyorum. Uzun uzadıya inceleyecek zamanım yok... Pamuğu içe doğru katlayıp, çantama atıveriyorum.

Hızlı devinimlerle giyinip makyajımı yapıyorum.

Haşim banyodan çıktığında; yatağını toplamış, odasını düzeltmiş, kocasının yanında işe gitmeye hazır bir Piraye bulmalı. İçindeki yeni fırtınanın, en cılız esintisini bile dışarıya sızdırmayan; hatta, yaşadığı çalkantılı ruh haline inat, gülümsemeyi becerebilen bir Piraye...

Randevu defterine göre, öğlene kadarki hastalar bana ait.

Hiç ara vermeden, saatlerce çalışıyorum. Öğlen yemeğinin ardından, Haşim'in ilk hastasının tedavisinde de ona yardım ediyorum.

"Yoruldun," diyor. "Çay, kahve; bir şeyler iç..."

Benim beklediğim de bu zaten.

"Kahveyi Ümran Teyze'de içerim," diyorum. "Bir saatlik bir kaçamağa izin var mı?"

"Neden olmasın?" diye gülümsüyor. "Benden de selam söyle Ümran Hanım'a."

Ardından de alaycı bir ifadeyle ekliyor.

"Konuşacak ne çok şeyiniz vardır kim bilir..."

Ümran Teyze'nin evde olmasına dualar ederek kapıyı çalıyorum.

Şükürler olsun, evde.

"Piraye, bu ne hoş sürpriz!" diye sevinçle karşılıyor beni. "Ben de seni arayacaktım," diyor. "Sesin soluğun çıkmıyor. İyi misin?"

"İyiyim," diyorum.

Biraz duraklıyorum.

"Başın sıkıştığında bana gel, demiştiniz ya... Geldim işte."

"Anlat bakalım, neymiş seni sıkan?"

Çantamdan pamuk yumağını çıkarıyorum. İçini açıp; kolonyanın uçmasıyla, kuru zeminin üzerinde daha belirgin hale gelmiş siyah tanecikleri gösteriyorum.

"Nedir bunlar Ümran Teyze?"

Taneleri eline alıyor, dikkatle bakıyor; parmaklarının arasında ovalıyor, kokluyor.

"Anlayamadım," diyor sonunda. "Bitki tohumuna benziyor ama, emin değilim."

Bu kez, aynı dikkatli bakışlarını benim yüzüme çeviriyor.

"Bu kadar yolu sırf bunu sormak için gelmedin herhalde," diyor. "Nerede buldun bunları?"

"Yatağımın altında."

"Ha, o zaman iş değişti," diye uzun uzun gülüyor.

Sonra birden ciddileşiveriyor.

"Bak Piraye'ciğim, bu tür şeyleri olağan karşılayacaksın. Yaparlar... Hiç kafana takma, görmezden gel."

"Yapılan nedir?"

"Büyü! Muhabbet için, iki kişiyi yakınlaştırmak ya da aralarını soğutmak amacıyla, nazara karşı... Ben inanmam. Senin bu konudaki inancın nedir bilemem ama; burada önemli olan büyünün etkisindeki gerçeklik payı değil, neden ve ne amaçla yapıldığı. Bunu bilirsen, yapan kişilerin sana yönelik iyi ya da kötü niyetleriyle yüz yüze gelme şansın olur."

"Bunun iyi niyetle yapılmış olduğunu hiç sanmıyorum."

"En iyisi hiç görmemiş ol bunları..."

Elimde sıkı sıkı tuttuğum pamuğu alıp avucunun içine hapsediyor.

"Ne yapacaksınız onları?"

"Temiz, akan bir suya atacağım. Belki dualı falandır..."

"Ya yenilerini yaparlarsa?"

"Aklına bile getirme. İçini temiz tut. Korkma böyle şeylerden. Ha... Bir de, annenlere anlatayım deme sakın. Boş yere, onları da üzmüş olursun..."

Neden ve hangi amaçla?

Yol boyunca kendi kendime yineliyorum bu soruyu.

Nedeni belli aslında.

Hiçbir saygısızlığım, ters davranışım olmasa da, anlayış farkımızdan kaynaklanan çelişkili bir beraberlik yaşıyoruz.

Onların ölçülerine göre dik başlı bile sayılabilirim. Evde hanım hanımcık, eteklerinin dibinde oturacağıma; kocamla muayenehane köşelerinde, çalışma adı altında doktorculuk oynamayı yeğliyorum. Tanımadıkları insanlarla görüşüp, onlara ters gelen dostluklar kuruyorum. Hoşlanmadıkları gece gezmelerine götürüyorum oğullarını...

Üstelik, hepsinden de önemlisi; onları özlemle bekledikleri bir erkek evlattan mahrum etme, Artukoğlu ailesini körocak bırakma yolunda elimden geleni yapıyorum. Hem de bu konuda, Haşim'i bile yanıma alarak.

Bu durumda amacın ne olduğu ortada değil mi?

Benim katlim! Gerçek anlamda olmasa da, Haşim'in cephesinde varlığımı sona erdirmek... Bizi ayırmak. Bunun ilk adımı olarak da Haşim'i benden soğutmak...

İşte yaptıkları büyünün nedeni ve yapılış amacı.

Niyetlerini biliyorum artık...

8

Haşim'le aldığımız yeni karara göre, randevularımızı yarımşar günlük bölümler halinde paylaşıyoruz. Böylece ikimizin de kendimize ayıracağımız zamanı oluyor. Birbirimize yardım etmemizi gerektirecek durumlar dışında, yalnızlığın tadına varıyoruz.

Bol bol kitap okuyorum bu sayede. Nurgül'e çıkıyorum ya da o bana geliyor; kahve içiyoruz, çarşıya inip vitrinlere bakıyoruz, alışveriş yapıyoruz.

Böylesi, belirgin bir rahatlama getirdi beraberliğimize. Her an, yapışık ikizler gibi bir arada olmak, en iyi geçinen çiftler için bile bıkkınlık tehlikesi içerirken; bizim gibi gelgitlerin koynunda, salınımlardan başı dönmüş bir ikili için katlanılması zor bir durumdu zaten.

Öğlene kadar boşum bugün.

Biraz kitap okuyup Nurgül'e çıkıyorum. Hastası yok. Kahve içip sohbet ediyoruz.

Öğleden sonra muayenehane benim.

"Sen de çık biraz dolaş istersen," diyorum Haşim'e.

"Evet," diyor. "Epeydir köşke gitmedim. Psikoterapi zamanım geldi."

Gazi Köşkü'ne ilk gidişimizde, oradaki ferahlatıcı ortamın tüm sıkıntılarını aldığını söylemişti; anımsıyorum.

Onu kapıdan uğurlayıp, işime başlıyorum ben de.

Kevser Hanım'ın arada bir elime tutuşturduğu çayı yudumlamak için verdiğim kısa molalar dışında, akşam saatlerine dek aralıksız çalışıyorum.

Son hastamı yolcu ederken bir karı koca geliyor.

"Önceden randevu almamıştık ama..." diyor kadın.

"Önemli değil," diyorum. "Zamanlamanız iyi. Randevulu hastalarımı yeni bitirdim. Sizi alabilirim."

"İkimiz de öğretmeniz," diyor kadın. "Bu tür işlere, ancak okul çıkışı fırsat bulabiliyoruz."

Ağzında eski bir kaplama var. Özellikle geceleri, sancısından duramadığını söylüyor Ayten Hanım.

"Önce film çekmek gerek," diyorum. "Altında ne var, görelim."

Filmde, diş kökünde kist çıkıyor.

"Kist" sözcüğü Ayten Hanım'ı ürkütüyor.

"Önemli bir şey değil," diye gülüyorum. "İltihap kisti. Apse. Ama bu durumda hiçbir şey yapamayız. Önce iltihabı kurutmalıyız."

Güçlü bir antibiyotik yazıyorum.

"Beş gün sonra gelin, bakalım."

"Çekilecek mi?" diye korkuyla soruyor Ayten Hanım.

"En son çare çekmek. Dişi kurtarmak için elimizden geleni yaparız, merak etmeyin."

"Benim de şikâyetlerim var," diyor Ercan Bey, kocası. "Sıcak ya da soğuk bir şeyler yiyip içtiğimde, sol alt taraftaki dişler etkileniyor. Sizi yorduk ama, bir de benim dişlerime bakar mısınız?"

"Tabii, buyurun," diye koltuğu gösteriyorum.

İki dişinde yüzeysel çürük var Ercan Bey'in.

"Sizin işiniz kolay," diyorum. "İki basit dolguyla rahata kavuşabilirsiniz."

"Yapalım hemen," diyor.

Derine inmemiş küçük oyukları uyuşturmaya bile gerek duymadan temizliyorum.

"Geçici dolgu da yapmayacağız size," diyorum. "Tam zamanında yakalamışsınız. Geç kalınca iş büyüyor."

Dolgu malzemesini hazırlarken kapı çalınıyor. Kevser Hanım'ın ayağını sürüye sürüye gidip kapıyı açtığını uzaktan uzağa görebiliyorum.

Haşim elinde kocaman bir gül buketiyle içeriye giriyor. Muayene odasının kapısında birden duraklıyor. Sonra, gerisingeriye dönüp uzaklaşıveriyor.

Tedavi sırasında beni rahatsız etmek istemediğini düşünüyorum.

Ercan Bey'in dişini doldurup, yüksekliğine bakıyorum. Sorun yok.

"Ayten Hanım'la geldiğinizde, cilasını da yaparız," diyorum.

İkisi de gayet memnun, tekrar tekrar teşekkür ederek çıkıp gidiyorlar.

"Ben de gidebilir miyim?" diyor Kevser Hanım.

Elinde çantası, işimin bitmesini beklemiş.

"Gidebilirsin," diyorum. "İyi akşamlar..."

Bekleme odasında Haşim. Elinde çiçekler, koltukların birine oturmuş, öylece bekliyor.

Beni görür görmez, elindeki gül buketini ayaklarımın dibine fırlatıyor.

"Sana getirmiştim," diyor dişlerinin arasından.

Eğilip alıyorum.

"Bu şekilde vermeni gerektirecek ne oldu ki?"

Birden fırlıyor yerinden. Omuzlarımdan tutup sarsmaya başlıyor beni.

"Ne yaptığını sanıyorsun sen, ha? Deli mi edeceksin beni?"

Daha önceleri hiç görmediğim boyutlarda, doruklara tırmanmış bir öfkenin pençesinde, çıldırmış gibi.

"Ne yapmışım, söyle de bileyim."

Omuzlarımdan aşağılara inen elleri, birer mengene gibi, bilinçsizce, kollarımı sıkıyor.

"Elin adamının ağzının içine giriyorsun; sonra da utanmadan, ne yaptım diye soruyorsun."

Birden silkiniveriyorum. Var gücümle iteliyorum üstüme abanmış bedenini.

"Unuttun mu," diyorum. "Doktorum ben! Elin adamı dediğin de hastam."

"Sana o hakkı kim verdi? Hem de maske bile takmadan, ağız ağıza..."

Adım adım krize sürüklendiğini görebiliyorum. Ama bunu önlemek için çaba gösterecek halde değilim. Kırılan onurumun, aşağılanmamın isyanıyla, benim de ondan aşağı kalır yanım yok.

"Senin gibi bir insan doktor olamaz!" diye haykırıyorum. "Demek ki kadın hastalarının üzerine eğildiğinde, farklı şeyler düşünebiliyorsun..."

Yeniden geliyor üstüme. Sırtımı duvara yaslayıp, boşta kalan eliyle çenemi kavrıyor. Var gücüyle sıkıyor, sıkıyor...

"Konuşma," diyor. "Konuşma... Öldürürüm seni."

Ateş fışkırıyor gözlerinden. Delice bir güçle alabildiğine hırpalıyor beni. Ne var ki, istediği etkiyi yaratamıyor üzerimde. Birbirine kenetlenmiş dişlerinin arasından dökülen lav kavurganlığındaki sözleri korkutmuyor beni. Hatta; içimdeki, her saniye gitgide devleşen öfkeyi daha da kamçılıyor.

Tüm gücümü toplayıp, çılgın bedenini, bir kez daha uzaklaştırıyorum üzerimden. Kolumdan tutup rasgele savuruyor beni. Yere kapaklanıyorum.

Eğilip ayağa kaldırıyor hırsla.

Yüzünü yüzüme yaklaştırıyor.

"Haşim Ağa'nın karısı erkeklerin ağzına düşüyor, dedirtmem ben!" diye bağırıyor.

"Senin ağalığın bana sökmez," diye haykırıyorum. "Kapındaki yanaşman değilim ben! Ağaysan, ağalığını bil."

Eli havada. Son darbeyi indirmekle geri çekmek arasında bir an duraklıyor.

"Vur," diyorum. "Yakışır sana."

Ve... Havada asılı kalmış eli kırbaç gibi, tüm öfkesini boşaltırcasına iniveriyor suratıma.

Bir an önce oradan kaçıp uzaklaşmak...

Bu zehirli havayı solumaktan kurtulmak...

Tek isteğim bu.

Banyoya koşuyorum önce.

Aynadaki yüzüm korkunç. Saçım başım darmadağın. Yanağımda, Haşim'in beş parmağının izi öylece duruyor.

Yüzüme su çarpıyorum. Avuç avuç... Ardı ardına. Yetmiyor. Başımı suyun altına sokuveriyorum.

Saçlarımı gelişigüzel toplayıp banyodan fırlıyorum. Çantamı kaptığım gibi, kapıyı açıp kendimi dışarı atıyorum.

Ne yapacağım şimdi ben? Nereye gideceğim?

Kurşun gibi ağırlaşmış ayaklarım beni üst kata, Nurgül'ün yanına taşıyor.

"Ne bu halin?" diye çığlık atıyor Nurgül.

Bense, fırtına sonrasının dinginliğini yaşamaktayım.

Pençe pençe yanaklarımı, ıslak saçlarımı usul usul okşuyor Nurgül.

"İyi misin sen?"

"İyiyim," diyorum. "Bir şeyim yok."

"Ne oldu?" diye çekine çekine soruyor.

"Kavga ettik Haşim'le. Kötü bir kavga..."

Başka bir şey sormuyor. Ben de anlatmıyorum. Ayrıntılara girmenin ne gereği var ki? Her şey ortada değil mi?

"İstanbul'a döneceğim," diyorum. "En kısa zamanda."

"Ne yapabilirim senin için?"

"Hiçbir şey. Sağ ol... Yalnız, izin verirsen İstanbul'a bir telefon açmak istiyorum."

"İzin de ne demek? Ama... Şu anda onlarla konuşmasan... Daha iyi olmaz mı?"

"Merak etme, bir şey söylemem. Ama onlardan alacağım sıcaklığa ihtiyacım var..."

"Alo... Piraye, sen misin?"

"Benim anne... Sesini duymak istedim."

"İyi ettin. Ben de seni arayacaktım. Ama yalnız olduğun zamanı kestiremedim bir türlü."

"Ne oldu; bilmediğim bir şey mi var?"

"Sorma Piraye. Abla'nla enişten boşanıyorlar."

"Her zamanki hikâye desene..."

"Yok, bu sefer iş ciddi. Ahmet sekreterine ev tutmuş, beraber yaşıyorlarmış. Ablan çocukları alıp bize geldi."

"Daha önce de kaç kez gelmişti..."

"Ama bu kez mahkemeye başvurdular. Avukatları karşılıklı dava açtı. Tek celsede sonuçlanacakmış. Bitti bu iş anlayacağın."

Sesi titriyor annemin. Ağlıyor galiba.

"Çok perişanız Piraye. Abla'na da babana da belli etmemeye çalışıyorum ama, içim daralıyor. Kolay mı, gencecik kadın iki çocukla baba evine dönüyor... Nasıl avutacağım onları, bilemiyorum. Baban için de endişeleniyorum. Üzüntüden, ikide bir tansiyonu yükseliyor. Bir yerlerde yığılıp kalmasından korkuyorum."

"Böyle sürmesinden iyidir anne. Ayrılmayı neden gözünüzde bu kadar büyütüyorsunuz, anlamıyorum. Ablamın bir süre sonra, keşke yollarımızı daha önce ayırsaymışız, diyeceğinden eminim."

"Neyse," diye iç çekiyor annem. "Siz nasılsınız? Kendi derdimizden, doğru dürüst hatır bile soramadım sana."

"Merak etme anneciğim, iyiyim ben."

"Ah Piraye, keşke bu zor günlerde yanımızda olabilseydin... Hepimizden güçlüsün sen. Bize moral verirdin."

"Aslında ben de birkaç günlüğüne gelmeyi düşünüyordum. Ama sizin derdiniz başınızdan aşkın. Belki daha sonra..."

"Gel kızım, gel... Yabancı mısın sen?"

"Ortalık biraz yatışsın; buradaki işlerimi halledeyim, geleceğim."

Gidemem.

Ablamın ardından ikinci ayrılık rüzgârını estiremem o evde. Kahrından ölür babam. Hatice yetmedi, şimdi de Piraye... Hayır, yapamam bunu onlara. En azından kısa bir süre için, İstanbul'a gitmemi ertelemem gerek. Hiç değilse birkaç gün...

"İstersen bu gece bizde kalabilirsin," diyor Nurgül. "Emir gelecek şimdi. Hep beraber eve gideriz."

"Sağ ol," diyorum. "Nereye gideceğimi biliyorum ben."

Gözlüğün koyu renk camlarının ardına sığınarak, hızla iniyorum merdivenleri.

Yol kenarına sıralanmış taksilerden en öndekine atlayıveriyorum.

"Lise Caddesi'ne lütfen."

Beni o halde karşısında görünce, Nurgül'ünkine benzer bir paniğe kapılıyor Ümran Teyze.

Saldırıya uğramış, kanadı kırık minik bir kuşu tutar gibi; incitmekten korkarcasına, elimden tutup salona götürüyor beni.

Turan Amca'nın varlığı, açıklamalarımda ölçülü olmam gerektiğini düşündürüyor önce. Ama kısa sürede, üzerimdeki tutukluğu bir yana atıp; baştan sona, en ufak ayrıntısına kadar anlatıyorum olanları.

Üzüntüyle, kahrolarak; ama beni daha fazla örselememek için, duygularını yansıtmamaya çalışarak dinliyorlar beni. Gerçek anne ve babammış gibi.

Kendi ailemle bile paylaşamayacağım rahatlıkla; her şeyi, tüm içimde kalmışları, bugüne kadar dile getiremediklerimi, ayların susamışlığıyla, bir bir sayıp döküyorum onlara.

Yalnızca dinliyorlar. Yorum yapmaya, anlattıklarımın üzerine tek bir söz söylemeye yeltenmiyorlar bile. Beni yatıştırmanın, avutmanın zorluğunu kavramışlar...

Sonunda, Ümran Teyze suskunluğunu bozuyor.

"Bu durumda ne yapmayı düşünüyorsun?"

"İstanbul'a döneceğim. Yarın ya da öbür gün..."

Ablamın durumuna takılı kalıp, bu işi ertelemenin anlamı yok. Bir an önce uzaklaşmak istiyorum buralardan.

"İzniniz olursa," diyorum. "O vakte kadar burada kalabilir miyim?"

Yanıt Turan Amca'dan geliyor.

"Burası senin evin kızım. İstediğin kadar kalabilirsin."

Doğru adreste olduğumu düşünüyorum. Kendi kızlarıymışım gibi, yaşadığım bozgunu aynen paylaşıyorlar benimle.

"Yalnız," diyor Ümran Teyze.

Susuyor. Söyleyeceklerine vereceğim tepkiyi kestirmeye çalışıyor.

"Hemen hayır deme. Ama... Haşim'e burada olduğunu haber vermemiz gerek."

Oturduğum yerde kaskatı kesiliveriyorum.

"Asla! Asla düşünemem böyle bir şeyi..."

"Bak Piraye," diyor yumuşacık bir sesle. "Burası Diyarbakır. Senin habersizce ortadan kaybolman, işleri daha da karıştırır.

Hele İstanbul'a gittikten sonra... Koca evinden kaçmış bir gelin olarak dillere düşersin."

"Ardımdan ne söyleneceği umurumda bile değil."

"Öyle deme. Gel arayalım Haşim'i. Bizim konuğumuz olduğunu söyleyelim; olsun bitsin."

Daha fazla karşı koymak, anlamsız. Gideceğim başka neresi var ki? Zaten o da tahmin etmiştir burada olduğumu...

Sessizce izliyorum telefon konuşmalarını.

"Piraye burada... Bir süre konuğumuz olacak. İyi... Merak edilecek bir şey yok. Tamam, söylerim..."

Telefonu kapatıp yanıma geliyor. Saçlarımı okşuyor.

"Çok üzgündü sesi. Bir de... Selam söyledi sana."

"Şaşılacak şey," diyor Turan Amca. "O efendi çocuk, bunları nasıl yapabildi; aklım almıyor."

"Gerçekten öyle," diyor Ümran Teyze. "Yapılan büyülerin etkisine inanası geliyor insanın..."

Tabağıma konan yemeklere dokunacak halde değilim. Boğazıma oturan kocaman yumrunun varlığıyla boğuşmaya da hiç niyetim yok.

Çatalımın ucuna taktığım pirinç taneleriyle şekiller çiziyorum tabağımda. Anlayışlı bir ana babaya düşmüş, yaptıklarına karışılmayan; zorunlu olarak sofrada oturma süresini doldurmaya çalışan, iştahsız, küçük bir çocuk gibi...

Ümran Teyze yardım önerimi geri çeviriyor. Tabakları kendi taşıyor mutfağa. Birazdan, elinde kahvelerle salona dönüyor.

Bense, bulunduğum ortamdan uzaklaşmış; bambaşka bir âlemde, çelişkili düşüncelerin kucağında, kâbuslarımla boğuşuyorum.

Kapının zil sesi, daldığım âlemden gerçeklere döndürüyor beni.

"Kapıcıdır," diye yerinden kalkıyor Ümran Teyze. "Çöpü almaya gelmiştir."

Ama, pek öyle görünmüyor. Dışarıdan gelen kalabalık seslerle içgüdüsel olarak, oturduğum yerde büzüşüp kalıyorum.

Önde Latife Hala'yla Halit Enişte, arkalarında Reyyan Abla ve Cevdet Enişte, en geride de Haşim, içeriye giriyorlar.

Sımsıkı kapatıyorum gözlerimi... Hiçbirini görmek istemiyorum.

Ah Ümran Teyze... Ne vardı haber verecek?

Turan Amca, evine gelen bu beklenmedik konukları ölçülü bir saygıyla karşılayıp yer gösteriyor.

Latife Hala, hemen yanımdaki koltuğa oturuyor. Bana güç vermek ister gibi, benden yana olduğunu anlatmak istercesine, yumuşacık bir hareketle uzanıp elimi tutuyor. Geri çekiyorum. Haşim'in ailesi içinde kendime en yakın bulduğum bu insanın varlığına bile dayanacak, gösterdiği sevecen yaklaşıma karşılık verecek durumda değilim.

Çıt çıkmıyor salonda. Kim, nereden, nasıl girecek konuya; onun meraklı suskunluğu çökmüş herkesin üzerine.

Aile gündemindeki önemli dönüm noktalarında, en yetkili kişi olan Halit Enişte, bu görevi de üstleniyor.

"Gençler arasında istenmeyen, tatsız bazı olaylar cereyan etmiş. Piraye kızımızdan, Haşim adına ben özür diliyorum. Ama, aralarındaki sorunun aynı çatı altında çözülmesinden yanayım. Gelinimizi alıp eve götürmek için geldik buraya."

"Bu kararı verecek tek kişi Piraye'dir," diyor Turan Amca. "Gider ya da kalır; bu onun seçimi olmalı."

"Onun verdiği kararların ne kadar sağlıklı olduğu ortada," diye atılıyor Reyyan Abla. "Yangından kaçar gibi, soluğu burada alacağına, bize ya da halamlara gitseydi, işler böyle büyümezdi. Benim bildiğim, bu tür olaylar aile içinde kalır. Kalmalı da..."

Turan Amca ölçüsünü korumaya çalışarak, sakin bir sesle yanıtlıyor onu.

"Reyyan Hanım," diyor. "Aynı durum, sizin başınıza gelseydi, ne yapardınız? Doğruca babanızın evine koşardınız, öyle değil mi? Piraye de aynı şeyi yaptı. Diyarbakır'daki baba evi olarak gördüğü bizim evimize sığındı. Bu davranışı için onu suçlamak haksızlık olmuyor mu?"

Latife Hala, Reyyan Abla'ya öfke dolu bir bakış fırlatıyor.

"Her neyse," diyor. "Bunları tartışmak gereksiz. Aslında, sizlere teşekkür borçluyuz. Ama, eşimin de söylediği gibi, bu işi tatlıya bağlayalım... Piraye'yi alıp evine götürelim. Haşim'le baş başa, konuşarak, anlaşarak çözsünler sorunlarını..."

Daha fazla dayanamıyorum. Yerimden fırlayıp mutfağa koşuyorum.

Ümran Teyze'yle Latife Hala da peşimden geliyorlar.

"Piraye... Canım kızım," diye saçlarımı okşuyor Latife Hala. "Seni çok iyi anlıyorum. Yerden göğe kadar haklısın. Böyle bir şeyi nasıl yaptı bilemiyorum ama, hiç de kötü bir insan değildir Haşim. Bu savunulması güç davranışının altında yatan tek neden; deneyimsizliği, toyluğu... Ama göreceksin; zamanla olgunlaşmayı, olaylar karşısında sakin kalabilmeyi, serinkanlı davranmayı öğrenecek o da."

"Onun akıllanmasını beklemeye hiç niyetim yok Latife Hala," diyorum. "Kararımı verdim ben. İstanbul'a dönüyorum."

"Ah Piraye'ciğim... Buraların erkeklerini idare etmek zordur. Ben bile, Diyarbakırlılığımla; bunca yıllık evliliğin ardından, bu işi beceremiyorum dersem, şaşırma. İstanbul'a gitme kararına gelince... Acele ve kızgınlıkla verilmiş bu karar, sonradan pişman edebilir seni."

Bu laflara karnım tok artık. Pişman olmamak, keşke dememek için çıktığım yolun beni getirdiği nokta bu işte. Haşim'e ve ailesine gerekenden de fazla şans tanımadım mı ben? Deneyeceğim, görmeyi bekleyeceğim başka ne kaldı ki?

"Yalnızca bir haftalık bir süre istiyorum senden," diyor Latife Hala. "Evine dön. Salim kafayla enine boyuna düşün. Kendi karar terazini al önüne. Bir kefeye gitmeyi, bir kefeye kalmayı koy. İkisinin de sana getireceklerini ve senden götüreceklerini üst üste yığ. Hangi tarafın ağır bastığını gör; kararını ona göre ver."

Ümran Teyze, konuşmamızı sessizce izliyor. Ama yüzünde, Latife Hala'nın söylediklerini onaylar gibi bir ifade var.

Burada kalsam ne olacak? Yarın ya da öbür gün İstanbul'a gideceğim. Üzerime binmiş devasa öfkenin yatışmasını beklemeden... Aldığım kararları uygulayacak dinginliğe kavuşamadan.

Nasıl karşılayacaklar beni? Ablamın sızısının üzerine bir de benimkinin eklenmesini kaldırabilecekler mi?

Oysa, kısa bir süre tanıyabilirim kendime. Sonucu değiştirmeyecek, ama belirlediğim hedefe daha emin adımlarla yürümemi sağlayacak kısa bir süre...

Bende oluşuveren kararsızlığı, onun gönlündeki seçeneğe yakın durmamı hemen ayrımsıyor Latife Hala.

"Bir haftanın sonunda, kararında değişiklik olmazsa; söz veriyorum, seni İstanbul'a ben yolcu edeceğim."

Oturduğum sandalyeden kalkıp salona doğru yürüyorum. Doğruca Turan Amca'nın yanına gidiyorum.

"İzin verirseniz, eve gitmek istiyorum."

"Karar senin kızım. Umarım, buna benzer bir olayı bir daha yaşamazsın."

Yaptığı bu ince göndermenin yerine ulaşıp ulaşmadığını anlamak ister gibi Haşim'e bakıyor.

Kimsenin söyleyecek sözü yok artık.

Çözülmeyi bekleyen asıl düğümün geride olduğunun bilinciyle; bu işe mutlu sona ulaşmış gözüyle bakan kalabalığın ortasında, Ümran teyzelerden ayrılıyorum.

Haşim'in, salonun kapısından, evdekilere benim gelişimi müjdeleyen baş sallayışını görmezden gelerek, doğruca odaya çıkıyorum.

Çökercesine oturuyorum koltuğa. Gözlerimi sımsıkı kapatıyorum. Yaşadığım şu andan itibaren, hiçbir şey görmesem, duymasam; beynimi zehirlerinden arındırıp, tüm hücrelerine sinmiş, ağdalaşmış o katran siyahı pıhtıyı söküp atabilir miyim acaba?

Karşımdaki koltuğa oturuyor Haşim.

"Piraye," diyor titreyen sesiyle. "Ölmek istedim! Senin ardından, seni kaybetme korkusuyla, sana yaptıklarımın utancıyla... Ölmek istedim inan ki."

Sessizliğimi umursamadan, sayıklar gibi, ardı ardına döküp saçıyor içindekileri.

"Nasıl oldu, bilemiyorum... Birdenbire kontrolümü kaybettim. Seni öyle, yabancı bir erkeğin üzerine eğilmiş, soluğun onunkine karışmış görünce, söz geçiremedim deliliğime... Beni bağışlamanı isteyemem senden. Biliyorum, suçum büyük. Ama, yaşananları olmamış say hiç değilse. Göreceksin, hepsini unutturacağım sana."

"Çeneni yorma boşuna," diyorum yüzüne bile bakmadan. "Buraya gelişime de farklı anlamlar yüklemeye kalkma. Kararım kesin. En kısa zamanda İstanbul'a dönüyorum."

Yanıtını beklemeden yerimden kalkıp, yatağın üzerinden geceliğimi alıyorum. Banyoya geçiyorum. Onun yanında soyunup giyinmeyi bile sindiremiyorum içime.

Odada yalnızmışım gibi, kayıtsız bir tavırla yatağın bana ait kısmına, ama en ucuna büzüşerek, sırtımı dönüp uzanıyorum.

Uykusuz geçecek upuzun bir gece kucaklıyor beni...

Haşim, benim uyuduğumu düşünerek, sessizce giyinip aşağıya iniyor.

Onun ardından fırlayıveriyorum yataktan. Gece boyunca, dikenli bir şiltenin üzerinde işkence çekmiş gibi sızlayan bedenimi koltuğa atıyorum.

Yorgun, bezgin; verdiği kararları uygulayacak güçten yoksun, kendisiyle bile küs, ne yapacağını bilemeyen bu Piraye'yi nasıl avutacağım ben?

"Günaydın gelin abla."

Şehriban. Onu bile görmek istemiyorum şu anda.

"Hanımanne kahvaltıya çağırıyor seni."

"Gitmeyeceğimi söyle."

Geldiği gibi sessizce dışarı süzülüyor.

Birazdan, elinde kahvaltı tepsisiyle geri geliyor.

"Kahvaltısını yapsın, aşağıya gelsin, diyor hanımanne."

"Tepsiyi götür, aşağıya inmeyeceğimi de söyle."

Sözümü dinlemiyor Şehriban. Beni duymamış gibi; perdeleri çekiyor, camları açıyor, dağınık bıraktığım yatağımı topluyor.

Belki bir iki lokma yerim düşüncesiyle olsa gerek, tepsiyi öylece bırakıp odadan çıkıyor.

Kapıdaki tıkırtıyı, Şehriban'ın dönüşüne yoruyorum.

Ama gelen o değil. Lamia Hanım!

Yüzünde her zamankinden farklı, yumuşak bir ifade; karşıma geçip oturuyor.

"Kızım benim," diye uzanıp elimi okşuyor. "Kem nazar dedikleri bu olmalı. Gözleri çıksın... Çekemediler sizi. Neyse, çamurlu bir seldi, aktı geçti. Sen de uzatma artık."

Buz gibi bakışlarımı yüzüne dikiyorum. Halimden ürkmüş gibi, gözlerini yere indiriyor.

"Ah Piraye... Daha çok gençsiniz yavrum. Hamsınız. Pişmeniz, olgunlaşmanız için zaman gerek. Kendine de Haşim'e de bu fırsatı vermelisin."

Karşımda Lamia Hanım değil de bir başkası var sanki. Böyle sıcak bir yaklaşımı görmek için, dünkü depremi yaşamam gerekiyormuş demek.

"Erkekler çocuk gibidir. Onları idare etmek biz kadınlara düşüyor. Kaderimiz bu... Biraz alttan alınca, azıcık suyuna gidince kuzu gibi olur hepsi."

Kendisi Kenan Bey'e uyguluyor mu bu söylediklerini? Neyi alttan almış şimdiye kadar? Hangi gün suyuna gitmiş kocasının?

Her konudaki kararları onun verdiğinin en yakın tanığıyım. Yalnızca uygulamada, göstermelik bir paravan olarak kullanıyor koskoca Çermik Beyi'ni. Ağa olan kocası değil, kendisi. Her şey onda bitiyor. Bu güce sahip bir insanın ahkâm kesmesi kolay tabii. Ama bana inandırıcı gelmiyor...

Elimi bile sürmediğim kahvaltı tepsisine bakıyor.

"Hiçbir şey yememişsin. Ayakta kalmak için güçlü olmak zorundasın, unutma."

Kalkıyor.

"Kahvaltını yap, aşağıya gel. Kahve içelim beraber..."

İçimde, nedenini çözemediğim bir ferahlık var.

Lamia Hanım'ın ardından, tepsinin başına geçiyorum. Dün öğlenden bu yana hiçbir şey yememenin açlığıyla, tabaktakileri silip süpürüyorum.

Bir pantolon, gömlek geçiriyorum üzerime. Saçlarımı tarıyorum. Lamia Hanım'la kahve içmeye hazırım artık.

Dünkü yaşadıklarımdan onu sorumlu tutamam. Ne yaptıysa, oğlu yaptı.

Tek kişilik bir suç bu. Bedelini yalnızca suçu işleyenin ödemesi gereken tek kişilik bir suç...

O günden sonra muayenehane sayfasını kapattım. Nekahet dönemini süren bir hasta gibi, evde; dinlenerek, kitap okuyarak geçiriyorum zamanımı.

Haşim'le küslüğüm, Lamia Hanım ve Naran'la yakınlaşmaya itti beni. Eskiye göre sıcak sayılabilecek ilişkiler içindeyiz.

Yemek masasında en uzak köşeyi seçen benim artık; Haşim değil. Lamia Hanım'la, Naran'la, hatta Kenan Bey'le kısalı uzunlu sohbetleri paylaşırken, Haşim'le tek kelime konuşmuyorum.

Evin beni rahatsız etmeyen havası, İstanbul'a gidişimi ertelememde en büyük etken. Ablamla eniştemin mahkemesi için on gün sonrasına gün vermişler. Gözüm, kulağım oradan gelecek sonuçta...

"Haziran başında köye gidiyoruz," diyor Lamia Hanım. "Kenan, ben, Naran... Bu yıl Haşim yok ya, Kenan'ı yalnız bırakmak istemedim."

Gülen gözleriyle okşarcasına bakıyor yüzüme.

"Siz de baş başa kalmanın tadını çıkarırsınız Haşim'le."

Suskunluğumdan cesaret alıyor.

"Gör bak, hele bir yalnız kalın... Her şey yoluna girecek. Yeniden sevdalanacaksınız birbirinize..."

Derin derin içini çekiyor.

"Bir de bebeğiniz olsa var ya... Hiçbir eksiğiniz kalmayacak. Sahi, bırak şu hapları artık kızım. Bile bile zehirliyorsun kendini."

Gerçek bir anne sıcaklığıyla konuşuyor gibi. Bir de bunun altında yatanın, bebek konusu olduğunu bilmesem...

O yıkıcı günden bu yana hap kullanmadığımı söylemiyorum ona. Haşim'le, korunmayı, sakınmayı gerektirecek bir yakınlaşma içinde değiliz ki, desem; ne düşünür acaba? Beni anlayacağını hiç sanmıyorum.

Ölesiye dayak yiyip, gecesine kocasının koynuna giriveren kadınları göre göre, bu tür davranışları kanıksamış bir insan, küskünlüğümü ilk günkü inatla sürdürdüğümü aklına bile getiremez.

9

Gidiyorlar.

Bahçedeki tek katlı küçük evde kalan bekçiyle karısı, mutfakta bana yardımcı olacak Hesna Hanım ve Şehriban dışında konaktaki herkesi köye uğurluyoruz.

Birdenbire boşalıveriyor ev. Bu boşluğa inanmak ister gibi, üst kattan başlayarak tüm evi geziyorum.

Sıra mutfağa geldiğinde, "Sen şöyle dur hele Hesna Hanım," diyorum. "Bugünkü yemekler benden."

Belki de en çok özlemini çektiğim işe, yemek yapmaya fırsat bulmuşken, bunu değerlendirmemek, kendime karşı ayıp olur.

Şehriban'la Hesna Hanım'ın şaşkın bakışları arasında tavuklu krep yapıyorum. Hesna Hanım bahçede patlıcan közlüyor bana; salata için. Sigara böreği, zeytinyağlı barbunya... Harika bir sofra donatıyorum.

Haşim her günkünden erken dönüyor eve.

Kurduğum sofrayı görünce gözleri parlıyor.

"Piraye'miz kocasına yemekler de hazırlarmış..." diyor sevinçle.

"Hiç heveslenme," diyorum. "Bir zamanlar, senin için bir şeyler yapmayı çok istemiştim. Ama bugün, yalnızca kendim için; neler yapabileceğimi kendime kanıtlamak için hazırladım bu sofrayı."

Söylediklerime aldırmıyor bile. Kolumdan tutup kendine çekiyor beni, sımsıkı sarılıyor. Boş bulunup engelleyemediğim için kızıyorum kendime.

"Uzak dur benden," diye sertçe uzaklaştırıyorum. "Dünden bugüne, benim cephemde değişen hiçbir şey yok."

Masaya oturuyoruz. Her lokmada, "Eline sağlık," diyerek, beğenisini gereğinden abartılı boyutlarda ileterek, iştahla yiyor yaptığım yemekleri.

"Dünya varmış," diyor. "Seninle daha bugün, yeni evlenmiş gibiyim. Konağa gelirken direnmekte haklıydın. Evlilikler kalabalık içinde yaşanınca, gerçek kimliğini bulamıyor. Bizimki de öyle oldu galiba."

Verdiğim ters, iğneleyici yanıtlar dışında, elimden geldiğince az konuşmaya özen gösteriyorum. Ama, iki kişi kaldığımız şu koca evde, işimin zor olduğunu görebiliyorum.

"Bak ne diyeceğim sana," diyor Haşim. "Gel, seninle bir anlaşma yapalım. Nikâhımızın bugün kıyıldığını varsayalım. Bir de bu şekliyle deneyelim beraberliğimizi. Hem, iki kişilik bir evde nasıl yaşayabileceğimizin provasını da yapmış oluruz. Yaz dönüşü, bilemedin sonbahara ayrı eve çıkarız seninle. Söz vermiştim; unuttun mu?"

"Boş ver bunları," diyorum. "Verdiğim kararları uygulamaktan vazgeçiremezsin beni. En geç on beş gün sonra İstanbul'dayım ben."

"Şunu bir ay yapsak... Seni İstanbul'a ben götüreyim. Temmuz başında muayenehaneyi kapatacağım. Bir ay yaz tatili. Buradan çıkarız. Antep üzerinden; Adana, Mersin, Antalya... Kıyı boyunca geze geze İzmir, Bursa; oradan da İstanbul'a çıkarız.

Dönüşte de dediğim gibi, oturacağımız yeni evimizi seçeriz seninle. Ne dersin?"

"İstanbul'a kadar olan kısmına tamam desem bile, sonrası bana uymaz. İstanbul'da kalacağım ben. Sen de beni bırakıp yuvana dönersin. Hem, öyle uzun uzadıya tatile falan da hiç gerek yok. Bu konuda ısrarcı olursan, kendim giderim."

"Tamam," diyor. "Anlaştık. Temmuz başında, güzel karımla baş başa tatile çıkıyoruz."

Söylediklerimi umursamaz hali çileden çıkarıyor beni. Ama, yeni önerisine hayır diyecek gücü bulamıyorum kendimde.

"Yarın akşam, Nurgül'le Emir'i yemeğe çağırmaya ne dersin?"

Beni neremden avlayacağını öyle iyi biliyor ki!

Duyduğum sevinci gizleyemiyorum.

"İyi olur," diyorum, delice çarpan yüreğimin sesini duyurmamaya çalışarak.

Arkadaşlarla paylaşımın o erişilmez, o eşsiz tadını çoktan unutmuşum.

Aylardır içinde yuvarlandığım boşluğun, sevdiklerime, özlediklerime kavuşamamaktan kaynaklandığını düşündüm hep.

İçimi kavuran özlemlerin belki de en başında geleninin; arkadaşlarımla, her türlü kısıtlamadan uzak, özgürce, yürekten kopup gelen coşkuları lokmalara katık ederek yenilecek bir yemek olduğunu, böyle bir ortamda yaşamadan bilemezdim.

Bahçeye kuruyoruz masamızı. Nurgül, Emir, Haşim ve ben; hep beraber, elbirliğiyle...

Önce, sabahtan akşama Hesna Hanım ve Şehriban'la yaptığımız mutfak çalışmasının ortak ürünlerini taşıyoruz bahçeye.

Mangal işini Haşim'le Emir üstleniyorlar.

"Erkek işi bu," diyor Haşim.

Etleri terbiye ediyor, şişlere geçiriyor.

"Ezme salata olmadan yenmez bunlar," diye mutfağa koşup kimseden yardım istemeden; küçük küçük doğradığı domates, biber, maydanoz ve nane yapraklarının üzerine salça ve nar ekşisi katarak, kaşığın sırtıyla eziyor. Servis tabağına boşaltıyor.

"Bu da Haşim ustadan," diye masanın ortasına koyuyor.

Gösterdiği gayretkeşlikle bir kez daha şaşırtıyor beni Haşim. İçeceği suyu bile başkalarının getirmesini bekleyen, el bebek gül bebek büyütülmüş bir ağa oğlu için ne büyük bir özveri bu böyle...

"Biliyor musunuz," diyor şarapları doldururken. "Bu eve ilk kez şarap giriyor. Babam duysa var ya... Paramparça eder beni."

"Biz de evin içinde içmiyoruz zaten," diye gülüyor Emir.

"Hadi," diyor Haşim. "Piraye'yle benim yeni yaşamımızın şerefine..."

Nurgül de, Emir de kısa süre önce yaşadığımız kâbusun en yakın tanıkları. Sorunlarımızın hâlâ çözümsüzlük kıskacından kurtulamadığını da biliyorlar. Ama bu gece ev sahibi konumunda olmam, Haşim'e ters düşecek tavırlar sergilememi önlüyor. Olanları sineye çekmiş, bağışlamış, hatta unutmuş gibi davranmak durumundayım.

Bu halimden cesaret alan Haşim, koltuğunu yanıma çekip kolunu omzuma atıyor.

"Dünyanın en şanslı adamıyım ben arkadaşım," diyor Emir'e. "Böyle dört dörtlük bir karım olduğu için..."

"Sizi böyle görmek ne güzel," diyor Nurgül. "Bir an bitivereceğini sanmıştım."

"Olur mu hiç?" diyor Haşim. "Bir fotoğraf şeridi düşünün. Tüm kareleri pırıl pırıl, canlı mı canlı renkleriyle yüzünüze gülüyor. Bir tek kare karanlıkta kalmış... Onun için tüm fotoğrafları yakmaya değer mi?"

Bu kadar basit demek. Sessiz kalmak, onu onaylamak olacak. Buna dayanamam.

"Ama o bir tek kare var ya..." diyorum. "Diğerlerini de karaya bulayacak güçteyse eğer, görülecek tek bir fotoğraf kalmaz ortada."

"Biz de hepsini yok ederiz," diyor Haşim. "Yepyeni bir fotoğraf şeridiyle koyuluruz yola."

"Olabilse," diye dudak büküyorum.

"Neden olmasın?" diyor Emir bana dönerek. "Beynindeki o karanlık noktayı yok etmen bu kadar zor mu?"

Gülerek devam ediyor.

"İstemeden verdiği tek pozluk kötü adam rolü dışında, ki onu da yüzüne gözüne bulaştırdı, ne kötülüğünü gördünüz arkadaşımın?"

"İşte buna içilir," diyor Haşim.

Sonra birden ciddileşiveriyor.

"Tümüyle silmek, unutturmak en büyük amacım. Ama hiç değilse, anımsamaya fırsat bulamayacağı yoğunlukta, yepyeni güzellikler yaşatarak; Piraye'yi yeniden kazanmak istiyorum ben."

Neredeyse benim kadar yaralı...

Böyle boynunu bükmesin istiyorum, böyle konuşmasın...

Beni kendinden uzak tutacak kaba, hoyrat, aşağılayıcı tavırlar sergilesin gene.

Sesi titremesin bana bakarken, bakışları gözlerimde erimesin...

Yapma Haşim! Bu yeni çehrenle işimi zorlaştırıyorsun...

Nurgül'le Emir'i bahçe kapısından uğurlarken, ayakta durmakta güçlük çekiyorum. Bir sis perdesinin arkasından izlediğim, netliğini yitirmiş nesneler, çılgınca bir ritimle dans ediyorlar çevremde.

Hafiften yalpalayarak Haşim'e tutunuyorum.

"Şarap bana iyi gelmiyor," diye gülüyorum peltek peltek.

Kolunu belime sarıyor Haşim.

"Güvendesin artık," diyor.

"Sen buna güvenlik mi diyorsun?" diye uzaklaşmaya çalışıyorum.

Boşta kalan bedenimle bir an sendeliyorum. Haşim atik davranıp tutmasa düşeceğim.

"Yürümeyi unuttum galiba," diye gülüyorum.

"Unutacaksın," diye fısıldıyor kulağıma. "Yürümeyi değil ama, seni benden uzak tutan her şeyi unutturacağım sana."

Soluğunu yüzümde duymak iyice uyuşturuyor bedenimi.

Unutmam gereken neydi, anımsayamıyorum. Anımsamak istediğim de yok zaten.

Geride kalmışlardan tek bir iz taşımıyor beynim.

Yalnızca içinde yaşanılan zamana ait olmak ne güzel bir şey... Tüm dertlerinden arındırıyor insanı.

Haşim'le sarmaş dolaş, bizi odamıza taşıyacak merdivenleri tırmanıyoruz. Onun kollarında, gerçekten de güvendeyim galiba...

Sabah geç uyanıyorum. Haşim çoktan gitmiş.

Başım çatlayacak gibi ağrıyor. Dün gecenin bugüne armağanı...

Kendimi duşun altına atıyorum. Soğuk su halsiz bedenimi diriltmeye yetiyor. Ruhsal yönden gücüm yerinde zaten. Korkunç düşlerle, karabasanlarla boğuştuğum karanlık bir geceden, pırıl pırıl yeni bir güne uyanmış gibiyim.

Şehriban'la beraber keyifli bir kahvaltı yapıyoruz. Benim yalnız kendi içime değil, çevreme de ışık saçar halim gözünden kaçmıyor. Herhangi bir şey sormayı aklına bile getirmeden, benden aldığı olumlu yansımalarla yetinerek, kendi kendine yaptığı değerlendirmelerden hoşnut, yalnızca gülümsüyor.

Kahvaltının ardından, gün içinde neler yapacağımı düşünmeye fırsatım olmuyor.

"Özledim seni," diyor Haşim'in telefondaki sesi. "Yanımda olmanı istiyorum."

O günden sonra, muayenehaneye adımımı atmadım. Belli belirsiz sızıldayan yüreğimin bunu kaldıracağından emin değilim.

İçimdeki kararsızlık kıpırtıları, Haşim'in son sözleriyle duruluveriyor.

"Hemen bir taksiye atla, gel. Bekliyorum."

"Senin yerin burası," diyor Haşim. "Benim yanım."

Ardından da, "Ama boş oturmak yok," diye gülerek ekliyor. "Senin için iki randevu yazdım deftere. Şu öğretmen hanımla kızı. Öğleden sonra gelecekler."

Hiçbir tepki vermeden, sessizce dinliyorum Haşim'i. Kaldığımız yerden devam etme önerisi mi bu? Yoksa, yıkıntıları onarmanın bir başka yolu mu?

"Ha," diyor. "Bugünkü hastaların kadın diye, sana şart koştuğumu düşünme sakın. Karımın da en az benim kadar doktor olduğunun ayrımındayım artık. Yarın ya da öbür gün erkek hastaların da olabilir. Onları da tedavi edebilirsin tabii ki."

İnanmaz gözlerle bakıyorum Haşim'e.

O ise uzun uzun gülerek, "Yalnız," diyor. "Maskeni taktıktan sonra..."

Beni, benimle hiç yalnız bırakmıyor Haşim. Yarattığı birbirinden ilginç fırsatlarla oyalamaya çalışıyor Piraye'sini.

"Göle gidelim hafta sonu," diyor. "Nurgül'le Emir'i de alırız. Gelecek hafta da Mardin'e gideriz. Ne dersin?"

Hazar Gölü Diyarbakır'a yüz kırk, Elazığ'a kırk kilometre uzaklıkta. Hem Diyarbakırlıların, hem de Elazığlıların ortak mesire yeri.

Gölün kıyısındaki restoranlardan birinde balık yiyoruz.

Kıyı boyunca sıralanan küçüklü büyüklü yazlık evleri, villaları gösteriyor Haşim.

"Babamın burada bir arsası var. Ne dersin Piraye, bir konak da buraya konduralım mı?"

Diyarbakır sıcağından kurtulmak için iyi bir seçenek olabilir. Günübirlik yapılacak piknik tarzı geziler için, bulunmaz bir yer. Ama yaz tatilinin tümünü burada geçirmek fikri çekici gelmiyor bana.

"Yılın tamamını Diyarbakır'da geçiriyoruz zaten..." diyorum.

"Tamam," diye gülüyor Haşim. "Anlaşıldı. Piraye Hanım Çınarcık'ı özledi. Denizi düşlerken, göle takılmanın lafı mı olur?"

Ertesi pazar, hep beraber Mardin'e gidiyoruz.

Büyüleniyorum. Kendine özgü dokusu; birinin damı diğerinin avlusu konumunda, üst üste sıralanmış, farklı mimarideki taş evleriyle içine çekiyor beni Mardin.

Burada yaşamanın nasıl bir şey olacağını aklıma bile getirmiyorum. Yalnızca turist gözüyle yapıyorum değerlendirmelerimi.

Şehrin ortasında boydan boya uzanan dar yolu; esmer tenli, yüzü dövmeli kadınları, evlerin aralarına sıkışıp kalmış avuç içi kadar boşluklarda oyun oynayan güleç yüzlü çocuklarıyla ilginç, görülmeye değer bir kent olarak beynimin kıvrımlarına yerleştiriyorum Mardin'i.

10

Ablamla eniştem boşanmışlar.

Annemin telefondaki sesi, eskiye göre daha sakin. Engelleyemediği sonucu kabullenmiş görünüyor.

"Hafta sonu Çınarcık'a geçiyoruz," diyor. "Sizi de oraya bekliyoruz."

Temmuz başı...

Muayenehaneyi kapatıp yola çıkıyoruz.

Haşim'in yaptığı tatil planına göre, izleyeceğimiz yolu, kalacağımız yerleri belirliyoruz önce. Karayolları haritasının üzerinde, kırmızı kalemle yuvarlak içine alınmış konaklama ya da günübirlik uğrama noktalarının yoğunluğu, gezimizin hareketli geçeceğini gösteriyor.

İlk durağımız Urfa.

Şehre girerken ilk dikkatimi çeken, kenar mahallelerdeki evlerin, Mardin evlerine benzerliği oluyor. Avlularıyla çatıları bitişik, komşu evler... Ama şehir olarak, çok farklı Mardin'den. Yeni yapılar, yüksek apartmanlar, geniş caddeler...

En ilginç yeri, hiç kuşkusuz, Balıklı Göl. Ya da diğer adıyla Ayn-Zeliha. İlginç de bir efsanesi var. Hazreti İbrahim'i yakmak amacıyla altına sürülen ve ateşlenen odunların, mucizevi bir yağmurla söndüğünü; suların yoğunluğuyla da bu gölün oluştuğunu anlatıyor Haşim. Odunlar ise şu anda gölde yüzen, Urfa halkınca kutsal sayılan, çok sayıdaki balığa dönüşmüş.

Balıklar kocaman. Çepeçevre betonla sarıldığından, havuz da denilebilecek gölün içinde, sürüler halinde dolaşıyorlar.

"Birileri bunları yakalayıp pişirmeye kalksa ne olur?" diye soruyorum.

"Aman ha," diyor Haşim. "Kimseler duymasın! Kutsal balıklarına kötü niyetle ilişecek gözlerin sahibine pek iyi davranmaz buralılar..."

Urfa'dan Gaziantep'e, oradan da Adana'ya geçiyoruz. Bu gece burada kalacağız.

"Gelmişken, bir Adana kebabı yemeden olmaz," diyor Haşim.

Gittiğimiz yerin, şehrin en ünlü kebapçısı olduğunu söylüyor.

Yiyecek seçimini ona bırakıyorum. Ama, "Benimkiler acı olmasın," demeyi de ihmal etmiyorum. Güney ve Güneydoğu mutfağının damak tadına tam olarak alışamamanın sıkıntısını hâlâ çekiyorum.

Haşim, ince dürüm ekmeğinin arasına yerleştirdiği Adana kebabı iştahla yemeğe başlıyor. Bense, tabağımdaki pideyle kebabı çatal bıçak yardımıyla parçalara ayırma çabasındayım.

"Öyle olmaz," diyor Haşim. "Ellerinle yiyeceksin."

Bu öneri, bana ve alışkanlıklarıma öylesine ters ki...

"Yapamam," diyorum.

Benim zorlanmama daha fazla dayanamıyor Haşim. Tabağımdaki kebabı ince pidenin arasına koyup, üzerini yeşilliklerle süsleyerek dürüm yapıyor, bana uzatıyor. Kocaman bir kâğıt peçeteye sarıp, elimi bulaştırmamaya çalışarak yemeye koyuluyorum.

"İstanbullu Piraye Hanım'ın Adana'da kebap yemesi..." diye halime gülüyor Haşim.

Ertesi sabah Mersin'e geçiyoruz. Oradan da, billur kum taneleriyle denizi öpüştüren Boğsak'a. Aylardan sonra ilk kez kucaklaşıyorum denizle. Özlemiyle yanıp tutuştuğum bir yakınıma kavuşmuş gibi, kendimi kollarına bırakıveriyorum.

Üç gün kalıyoruz bu cennet gibi yerde.

Boğsak'tan, akşamüzeri yola çıkıyoruz. Bunun ne büyük bir hata olduğunu, bastırıveren karanlığın koynunda, keskin virajlara girip çıkmaktan yorgun düştüğümüzde anlıyoruz ancak.

Anamur'da zorunlu bir mola veriyoruz.

Anayol üzerinde temiz, küçük bir otel ilişiyor gözümüze. Bir gecelik konaklama için, yeter de artar bile.

Danışmada oturan şişman, orta yaşlı adam otelin sahibi. Burnunun üzerine indirdiği gözlüğünün ardından, Haşim'le beni uzunca bir süre süzüyor. Neden sonra, odamızın anahtarını uzatıyor.

İkimiz de çok yorgunuz. Sıcak ve nemli havanın üzerine, virajlarla örülmüş yollarda geçen zorlu saatler pestile çevirdi bizi.

Balkona çıkıp, kendimizi hasır koltuklara atmaya hazırlanırken, kapının tıkırtısıyla irkiliyoruz.

Otelin sahibi. Elinde tuttuğu kayık tabakta da kıpkırmızı karpuz dilimleri...

"İşte bu çok hayra geçti," diyor Haşim. "Teşekkür ederiz."

"Balayındasınız galiba," diye gülüyor adam.

"Evet," diye yanıtlıyor Haşim, gözü bende. "Balayındayız..."

Buz gibi karpuzu iştahla yerken, "Bak," diyor Haşim. "Dışardan bakan gözler, bizi balayı çifti olarak görüyor."

"Biraz eskimiş bir çift ama..."

"Hiç eskimeyeceğiz biz."

Aklıma takılan bir soruyu dile getirmenin tam sırası.

"Baştan beri sormak istiyorum ama... Yolumuzu bu kadar uzatmanın ne gereği vardı? Doğrudan doğruya İstanbul'a ya da Çınarcık'a gidemez miydik? Turistler gibi, sahilleri adım adım arşınlamak nereden düştü aklına?"

"Anlatayım," diyor Haşim. "İnsanlar birbirini en iyi, yolculukta tanır, derler ya... Biz de farklı şartlarda, farklı ortamlarda, birlikteliğimizi zenginleştirecek bir şeyler yaşayalım istedim. Böylelikle paylaşımımızın daha yoğunlaşacağını düşündüm. Hata mı ettim sence?"

"Yok," diyorum. "Gerçekten de iyi oldu. En azından, virajlardan başımın döndüğü, bugünkü gibi zorlu bir yolda, senden destek alabileceğimi gördüm."

"Aslında, karşımıza çıkacak tüm virajları beraberce, el ele aşabileceğimizdi senin gördüğün. Ayrımında mısın bilmem, yaşadığımız her yeni gelişmede, farklı sınavlar veriyoruz seninle."

Katılıyorum ona. Haşim'i, tanımadığım ama tanımaktan mutlu olduğum bambaşka yüzleriyle bana sunan bu yolculuğa minnet borçluyum.

"Ha," diyor Haşim. "İnsanların birbirlerini en iyi değerlendirecekleri diğer bir ortamın da içki masası olduğunu söylerler. Eh, oradaki uyumumuz da fena sayılmaz; öyle değil mi?"

Bakışlarımı kaçırıyorum gözlerinden.

Sözlerindeki hınzırca imayı anlamamış görünmeyi yeğliyorum.

Karadeniz dışında, aşağı yukarı tüm sahil şeridini kapsayan gezimizi Çınarcık'ta noktalıyoruz.

Ablamın, boşanma sonrası içine düştüğünü tahmin ettiğim moral çöküntüsüne annemle babamı da ortak etmesiyle evde oluşan keyifsiz ortamı, bizim de ister istemez paylaşacağımızı düşünüyorum.

Yanılmışım.

Ablam beklediğimin tersine, son derece neşeli karşılıyor bizi. Büyük bir yükten kurtulmuşçasına huzurlu ve halinden memnun... Annemle babam da ondan aldıkları olumlu iletiler sayesinde eskisinden daha rahat görünüyorlar. Göksel'le Gökçe, tatilin büyülü havası içinde, olanların ayrımında bile değiller.

"Çalışacağım," diyor ablam.

Ondan hiç beklemediğim bir karar. Hoşuma gidiyor. Ama, evlenme uğruna yarım bıraktığı yetersiz eğitimiyle ne iş yapabileceğini düşünemiyorum doğrusu.

"Kendi işimi kuracağım," diyor. "Anaokulu açacağım. Yaz sonu hazırlıklara başlıyoruz. Babamla..."

"Evet," diyor babam da. "Bizim alt sokağımızda bir giriş katı var. Gelecek ay boşalıyor. Orayı tutacağız bu iş için."

"Göksel'le Gökçe için de iyi olacak," diyor ablam. "Başka bir işe girsem, onların bakımını annemin omuzlarına yüklemek zorunda kalacaktım. Hiç değilse gözümün önünde olurlar."

Seviniyorum. Onu, ayakları yere basan, kendi kanatlarıyla uçmaya hazırlanan bir iş kadını yüzüyle görmek mutlu ediyor beni.

"Açılışları kaçırmazsın sen," diye gülüyor. "Bizim açılışımıza da gelirsin umarım."

Tüm olumsuzlukların geride bırakıldığı, neşeyle umudun filiz verdiği yazlık evimizde, birbirinden güzel üç gün geçiriyoruz Haşim'le.

Tatilimizin sonuna geldik artık. Bu kez Ankara, Kayseri, Malatya üzerinden, bizi kısa sürede Diyarbakır'a ulaştıracak iç yolu seçiyoruz.

"Güzeldi," diyor Haşim. "Daha sonra dönüp baktığımızda, yaşadığımız her dakikayı aynı sıcaklıkla anımsayacağımız, harika bir tatil oldu."

Gerçekten de öyle. Bir de üzerime çöküveren şu dönüş hüznü olmasa...

Bitişe yaklaşıyoruz artık. Son molamız bu. Hazar Gölü'ne karşı oturmuş çay içiyoruz Haşim'le.

"Artık zamanı gelmedi mi?" diyor.

"Neyin zamanı?"

"Hapları bırakmanın. Bir yıl demiştin ya..."

İki ayı aşkın bir süredir hap almadığımı söylemiyorum ona. Zamanı gelince öğrenir. Şimdilik bunu kendime saklamayı yeğliyorum. Büyük müjdeyi vereceğim günün bir an önce gelmesini umarak...

"Tut ki bıraktım hapları. Ve çocuğum olmadı. Ne yaparsın böyle bir durumda?"

"Ben bir şey yapmam," diye gülüyor. "Ama büyüklerim için garanti veremem. Hemen üstüne kuma getirirler. Hem de hiç gözünün yaşına bakmadan..."

Şakası bile beni altüst etmeye yetiyor.

Evet, bunu şaka olarak algılamak kolay geliyor şimdi. Ama ya gerçekten Artukoğlu ailesinin özlemle beklediği erkek evladı onlara veremezsem...

İşim zorlaşır galiba. Haşim'den yana bir kuşkum yok. Ailesine, sonuna kadar direneceğinden eminim. Gene de onun başını öne eğdirmemek, böyle tatsız bir durumu yaşamamak için dualar ediyorum.

11

Köyden dönmüşler. Konak eski düzenine kavuşmuş, bizi bekliyor.

Tatil öncesi yaşantımıza kaldığımız yerden devam ediyoruz. Evle muayenehane arasında geçirdiğimiz zaman, eski bunalımlı günlerimdeki kadar tekdüze gelmiyor artık. Haşim'in sıcak yaklaşımıyla, evdekilerin hoş görülü tavırlarının birleşmesi; dingin, huzurlu bir hava oluşturuyor çevremde.

Ne var ki, bu kez de beynimi kemiren kuşkuların pençesindeyim. Hapları bırakalı bunca zaman geçtiği halde, neden Haşim'e beklediği müjdeyi veremiyorum? Yoksa, Lamia Hanım'ın söylediği gibi, dölyatağımı küstürdüm mü istemeden? İşe yaramaz, küçücük bir top gibi mi kaldı rahmim?

Nurgül bir doktor öneriyor bana.

"Diyarbakır'ın, serbest çalışan en ünlü kadın doğum uzmanı," diyor.

Beraberce gidiyoruz.

İlk gözüme çarpan, doktor hanımın kırmızı ojeli, uzun tırnakları oluyor. Neyse ki, eline eldiven geçiriyor da, oramın buramın örselenmesinden kurtuluyorum.

Muayene masasına uzanıp, bacaklarımı metal çengellerin soğuğuna bırakıyorum.

Uzun uzun muayene ediyor doktor.

"Kalkabilirsiniz," diyor.

Ağzından çıkacak sözlerin merakı içinde, konuşmasını bekliyoruz Nurgül'le.

"Yumurtalıklar normal. Yalnız, rahim biraz küçük ve geriye dönük. Bu durum hamile kalmanızı zorlaştırıyor."

Korktuğum başıma geldi işte! Çocuğum olmayacak benim... Her geçen saniye ivmesini arttıran paniğin kollarından kurtaramıyorum kendimi.

"Merak etmeyin," diye gülüyor doktor. "O kadar da kötü değil durumunuz... Önce üç aylık bir ilaç kürü uygulayacağız.

Olmazsa, rahmi normal konumuna getirmek ve gebeliği kolaylaştırmak için, küçük bir operasyon gerekebilir."

İki kutu iğne, vitamin ve hormon hapları yazıyor.

"Âdetin beşinci günü başlayacaksınız," diyor. "Aynı ilaçlar her ay yinelenecek. Üçüncü ayın sonunda tekrar görüşeceğiz sizinle."

"Boşuna üzme kendini," diyor Nurgül. "İlaçları kullan bakalım."

Onu duyacak halde değilim. Işığını yitirmiş beynim, karmaşık duygularla çarpan yüreğimle el ele vermiş, kapkara bir kuyunun içine çekiyor beni.

"Haşim bilmemeli," diyorum. "En azından şimdilik."

"Toparlan öyleyse. Bu halinle görmesin seni."

Eczaneden reçetede yazılı ilaçları alıp Nurgül'e teslim ediyorum. Ne eve ne de muayenehaneye götüremem onları.

Haşim'le Emir'i, Nurgül'ün muayenehanesinde oturmuş, çay içerken buluyoruz.

"Harika haberlerimiz var," diyor Haşim. "Gelecek hafta, bayram tatili için İskenderun'a gidiyoruz. Arsuz'a..."

İçime saplanıp kalmış düşünce yumağı olmasa sevineceğim, hatta havalara uçacağım. Ama verilecek en büyük müjde bile beni avutmaktan öylesine uzak ki...

Gene de sevinmiş görünmeye çabalıyorum.

Haşim ise, içimde kopan fırtınalardan habersiz, tatil programımızın ayrıntılarını sayıp döküyor.

Arsuz'da bir sahil oteline yerleşiyoruz.

Son yaz günlerini ucundan yakalayıp, denizle bir kez daha buluşabilmenin mutluluğu içindeyiz.

Kendi kendime karar alıyorum. Önümüzdeki birkaç günü gönlümce yaşayacağım. Sonucu değiştirmeyecek tasalarımla yüzleşmeyi, döndükten sonraya erteleyebilirim.

Şu anda yapacağım bir şey yok zaten. Âdetin beşinci günü, demişti doktor. Hesabıma göre, gelecek hafta sonu ilaçlara başlamam gerekiyor.

O güne kadar, kısa bir mola veriyorum kendime. Şu güzelim tatilin tadına varabilmenin tek yolu bu.

"Ne zaman başlayacaksın ilaçlara?" diye soruyor Nurgül.

"Âdet görmeyi bekliyorum."

"Gecikti mi?"

"Birkaç gün. Ama mevsim değişikliklerinde hep böyle olur."

"Sıkıldın bu ara. O yüzden de gecikmiş olabilir."

Evet, başka bir olasılık yok. Çocuğu olsun diye tedavi görmeyi bekleyen, yarı özürlü bir kadın için, bunlar dışında ne düşünülebilir ki?

Gecikmenin onuncu gününde; küçük, cılız bir umut ışığı yanıyor içimde.

Acaba? Olabilir mi?

"Test yaptıralım," diyor Nurgül.

"Yarın evlenme yıldönümümüz," diyorum. "Ters bir sonuç gelirse, iyice kahrolurum. Sonraya bırakalım bu işi."

"Ertelemekle bir yere varamazsın. Hadi, tam zamanı..."

Bir kavanoza koyduğum idrarı iş hanının girişindeki tahlil laboratuvarına götürüyor Nurgül. Tabii başka bir adla.

Nurgül'ün sonucu getirmesini beklerken ecel terleri döküyorum.

Birazdan, asık yüzle içeriye giriyor.

"Olumsuz değil mi?"

Bir süre hiçbir şey söylemeden yüzüme bakıyor.

"Ne olumsuzu?" diye haykırıyor. "Hamilesin!"

Sevinçle sarılıyoruz birbirimize.

"Hadi," diyor. "Haşim'e müjdeyi ver artık."

Uçarcasına aşağıya, Haşim'in yanına iniyorum.

"Gel," diyor. "Senin fikrini almadan karar veremedim. Yarın akşam için planlarım var. Nurgül'le Emir'i de alıp yemeğe çıkalım, diyorum. Bunun, seni daha çok mutlu edeceğini düşündüm. Bana kalsa, baş başa kutlamayı yeğlerim ama..."

"Nasıl istersen öyle olsun," diyorum kayıtsızca. "Ama böyle bir geceyi kaldırabilir miyim, bilmiyorum."

"Neyin var senin?" diyor endişeyle. "Yorgun görünüyorsun."

"İyiyim. Yalnız... Senin için hazırladığım evlilik yıldönümü armağanımı bugünden vermek istiyorum. Sence bir sakıncası var mı?"

"Ne sakıncası olacak?" diye gülümsüyor.

Çantamdan test sonucunun yazılı olduğu raporu çıkarıp uzatıyorum.

Elindeki kâğıda anlamaz gözlerle bakıyor...

"Bu... Bu nasıl bir müjde, nasıl bir armağan?" diye çığlıklar atarak kucaklıyor beni.

"Harikasın sen... Harikasın! Hayatımın en güzel armağanını verdin bana."

Gözlerini sımsıkı yumup dinginleşmeye çalışıyor.

"Ben de sana aldığım armağanı bugünden verebilir miyim?"

Masanın çekmecesinden çıkardığı kadife kutuyu bana uzatıyor.

Tek taş pırlanta bir yüzük.

"Tek taş pırlantama yaraşır, diye düşündüm."

Bu değerli armağanı hak etmiş olmanın gizli gururuyla sarılıyorum Haşim'e.

Evlilik yıldönümün kutlu olsun Piraye! Yaşayacağın güzellikleri iç rahatıyla yudumlayabilirsin artık...

Müjdeli haberin evdeki yankısı, umduğumdan da büyük oluyor.

Lamia Hanım sevinçle kucaklıyor beni. Soğuk duruşuna alışık olduğum Naran bile sarılıp sarılıp yanaklarımdan öpüyor.

"Ben anlamıştım zaten," diyor Lamia Hanım. "Kirpikleri çift çift olmuştu Piraye'nin."

Gülüveriyorum. Teste ne gerek var? Kirpiklere bak, anla...

Kenan Bey de ciddi tavırlarını bir yana bırakıp, kutlama yarışının bir parçası oluveriyor.

"Hayırlı olsun kızım," diyor. "Sevindirdin bizleri."

Şehriban'ın kalabalık içinde bastırmaya çalıştığı coşku, ancak yalnız kaldığımızda su yüzüne çıkıyor.

Zıp zıp zıplıyor karşımda.

"Gelin ablam benim," diye ellerime yapışıyor, öpücük yağmuruna tutuyor beni. "O bebek var ya o bebek..." diyor. "Seni bu evde kalıcı kılacak."

İşte Şehribanca bir yorum daha...

Gerçekten de bu tabloyu yaşayamasam, bu evdeki kalıcılığım tehlikeye girer miydi acaba?

Neyse, bunları düşünmeye gerek kalmadı. Öyle ya da böyle, Artukoğlu ailesinin bebek bekleyen biricik geliniyim ben.

✤✤✤

Lamia Hanım annemlere müjdeyi uçurmuş bile. Benim utanıp sıkılacağımı, söylemekte zorlanacağımı düşünmüş olmalı.

Annem, babam, ablam... Hepsi ayrı ayrı konuşup, Haşim'le beni kutluyorlar.

Sevinçten ağlıyor annem. "Hep bugünü bekledim," diyor.

Hayret, oysa hiç belli etmemişti bu bekleyişini.

Onlardan aldığım haberler de sevincime sevinç katıyor. Babam anaokulu için, yazın sözünü ettiği giriş katını tutmuş. Onarım, badana, boya işleri sürüyormuş. Ablam birkaç öğretmen ve yardımcı elamanla anlaşmış bile.

"Gelecek ay açıyoruz," diyor.

"Kusura bakma ablacığım," diyorum. "Açılışa gelemeyeceğim. O kadar uzun yolu göze alamam..."

12

Rahat geçiyor hamileliğim. Bulantım, aşerme dedikleri belirtiler yok şimdilik.

"Canın ne isterse söyleyeceksin," diyor Lamia Hanım. "Hemen pişiririz. Hamilelikte olağandır. Utanıp sıkılmak yok. Senin canının çekmesi, karnındaki bebeğin isteğini yansıtır. Onun isteğinin de başımızın üstünde yeri var."

Hafta sonu köye gidecek Kenan Bey.

"Hep beraber gidelim," diyor Lamia Hanım. "Piraye'yi de götürelim. Doğum öncesi, köyü de görmüş olur."

Hiç gitmedim köye. Yalnızca anlatılanları dinledim bugüne dek.

İstanbullu Piraye'nin köyü, köyün de Piraye'yi tanıması hoş olacak.

Erkenden çıkıyoruz yola.

Lamia Hanım'la Naran arka koltukta oturuyorlar. Kenan Bey, bizi geriden izleyen, Cevdet Enişte'nin arabasında, Reyyan ablalarla beraber geliyor.

"Dünden söyledim," diyor Lamia Hanım. "Kuzu çevirecekler."

Söz yemekten açılınca, ağzımın içinde duyumsamak istediğim farklı bir tadın çekimine kapılıyorum.

"Keşke, bol kıymalı, maydanozlu bir kabak musakkası olsaydı," diye mırıldanıyorum.

Benim bile şaştığım bu sözler, nasıl döküldü dudaklarımdan, bilmiyorum. Şu ana kadar, hamilelik kalkanının arkasına sığınıp şımarıklık yapmadım hiç. Canım bir şey istemedi zaten. İyi de, nerden çıktı şimdi şu kabak musakkası?

"Ne dedin sen?" diye öne doğru başını uzatıyor Lamia Hanım. "Musakka dedin, değil mi?"

"Önemli değil," diyorum biraz mahcup. "Öylesine dilime takıldı işte. Pek sevmem aslında. Annem nadiren pişirdiğinde yüzüne bile bakmazdım."

"Olsun," diyor Lamia Hanım. "Madem canın çekti, döner dönmez ilk işim musakka pişirmek olacak."

Çermik'e, oradan da köye geçiyoruz.

Daha köyün girişinde kadınlı erkekli, yoğun bir kalabalık karşılıyor bizi. Arabadan iner inmez, Kenan Bey'in, Lamia Hanım'ın ve Haşim'in önünde yerlere kapaklanarak el etek öpüyorlar. Ben de bu abartılı saygı gösterisinden payıma düşeni alıyorum. Yaşça benden çok büyük kadınların bile elimi öpmeye çalışmalarını yadırgıyorum.

"Saygıdan," diyor Lamia Hanım. "Yaşın için değil; konumuna duydukları saygıdan..."

Artukoğlu ailesinin buradaki evi, köy ortamına göre lüks sayılabilecek; şehirdeki kadar olmasa da, görkemli, iki katlı bir konak yavrusu.

Ön kapıdan geniş bir hole, oradan da alabildiğine büyük bir salona geçiyoruz. Zemin boydan boya el dokuması halılarla örtülü. Duvarların dibine yerleştirilmiş geniş yer minderleri, çepeçevre sarıyor salonu. Orta kısım boş. Minderlerin önüne, yer yer, alçak sehpalar serpiştirilmiş.

İçeriye giren herkes çömelip bağdaş kurarak, bu minderlere oturuyor. Onlara bakarak, ben de aynı şekilde yere oturuyorum.

Buz gibi soğutulmuş şerbet sunuyorlar önce. Ardından da yemeğe buyur ediyorlar.

Evin arka kapısından; göz alabildiğine uzanan, daha çok yeşilin saltanat sürdüğü, düşlerde yaşanacak güzellikteki bahçeye çıkıyoruz. Meyve ağaçları, mis kokulu rengârenk çiçekler; orta yerde fıskıyeli bir havuz... Cennetten bir köşe burası.

Yan taraftaki çardağın altına upuzun bir masa hazırlanmış. Üzerinde çeşit çeşit yiyecekler... Masanın ortasında, kocaman bir sininin içindeki nar gibi kızarmış kuzuyla çevresine dökülmüş duvaklı pilav iştahları kabartıyor. (Benimki dışında!) Yeni yoğrulmuş çiğ köftenin yanında, köfteyi sarıp yemek için yufka ekmekleri var. Saçta pişmiş börekler, bazlamalar, içli köfteler; dalından koparılmış taze domates ve biberle yapılmış salatalar...

Yol yorgunluğundan mıdır bilmem, canım hiçbir şey yemek istemiyor.

Bunca yemeği kadınların pişirdiği belli. Ama hiçbiri ortada görünmüyor ve servisi erkekler yapıyor. Bu çelişkili durumu kafamda çözmeye çalışırken, hiç ummadığım bir şey oluyor.

Nerden çıktığını anlamadığım, başı yemeniyle örtülü genç bir kız, elinde tuttuğu küçük tabağı masaya, tam benim önüme koyuyor.

Gözlerime inanamıyorum, kabak musakkası bu! Diğer yemekler gibi büyük servis tabaklarında değil, tek kişiye yetecek kadar... Canı çekmiş bir hamileyi doyuracak ölçüde.

Masayı donatan tüm yemekler siliniveriyor gözlerimin önünden. Yalnızca önümdeki tabak var benim için.

Daha önce hiç yaşamadığım, coşkulu bir iştahla kaşıklıyorum kabak musakkasını. Yaşamımda belki de ilk kez, bu kadar severek, böylesine tat alarak yiyorum bir yemeği...

Lamia Hanım gülerek izliyor beni. Kulağıma doğru eğiliyor.

"İşte," diyor. "Şeyh evinin mucizesi."

Böyle şeylere pek inanmayan ben bile, "acaba" demekten kendimi alamıyorum.

13

"Buldum," diye müjdeyi veriyor Haşim. "Aradığımız evi buldum sonunda... Şu Diyarbakır çukurunda, günlerdir girip çıkmadığım apartman kalmadı inan ki."

Son zamanlarda, sık sık ortadan kaybolmalarının ardında bu yatıyormuş demek.

"Ama, öncelikle senin görmen gerekiyor."

Ofis'te, İstanbul'un seçkin semtlerindeki apartmanları çağrıştıran, sekiz katlı, yeni bir bina.

Asansörle dördüncü kata çıkıyoruz.

"İşte burası," diyor Haşim.

Dört oda, bir salon, ferah; mutfağı ve banyosu seramik, özenli bir işçilik ürünü; kaliteli malzemeyle dokunmuş, harika bir ev.

"Biraz büyük değil mi?" diyorum.

"Değil. Tıkılıp kaldığımız tek odadan sonra, sana öyle geliyor. Unutma ki, yakında üç kişi olacağız... Yoksa beğenmedin mi?"

"Beğenmez olur muyum? Yaşanası bir yer burası."

"O halde tamam. Hemen tutuyoruz."

"Ya evdekiler? Nasıl söyleyeceğiz onlara?"

"O işi bana bırak. Bu akşam, nasıl halledeceğimi görürsün."

Akşam yemeğinden sonra, Haşim'in bakışlarından aldığım iletiyle bir köşeye sinip olacakları beklemeye başlıyorum. Aslında onları baş başa bırakmak, konuşulacaklara tanık olmamak en doğrusu; ama merakımı yenemiyorum.

"İzniniz olursa, Piraye'yle ayrı eve çıkmak istiyoruz," diye başlıyor Haşim.

Kabul görmeyeceğini bilse de, nazik bir öneri yapmaktan da geri kalmıyor.

"Tutacağımız apartmandaki dairelerin çoğu boş henüz. İsterseniz karşılıklı iki daire tutarız. Siz de bu konağın hantal, dağınık havasından kurtulmuş olursunuz. Derli toplu bir apartman dairesi, burayı aratmaz size."

Kenan Bey, delici bakışlarını Haşim'in yüzünde gezdiriyor.

"Yani sen, Kenan Artukoğlu'nu kira köşelerine götürmeyi düşünebiliyorsun..."

"Ne var bunda? Parasını verdikten sonra, her ev senin. Hem, sığamayız diye bir tasanız olmasın. Ev geniş. Sen, annem ve Naran; üç kişisiniz. İki de yardımcı alırsınız yanınıza..."

Burada Lamia Hanım devreye giriyor.

"Koskoca Kenan Ağa, senin tutacağın evin iki göz odasına sığar mı oğul?"

"Peki; ben, karım ve doğacak çocuğum, sizin evinizdeki tek göz odaya nasıl sığacağız? Bunu hiç düşündünüz mü?"

Kenan Bey uzunca bir süre suskun kalıyor.

"Yolunuz açık olsun," diyor sonunda. "Tutacağınız evde güle güle oturun."

Kenan Bey'in ağzından çıkan, bir bakıma evden ayrılmamızı onaylayan izin sözcükleri, Lamia Hanım cephesinde aynı kabulü görmüyor. Gidişimizi, biricik oğlunun kendinden kopması olarak algılıyor çünkü.

"Aldırma," diyor Haşim, onun yarı küs duruşuna. "Alışacak..."

Alışıyor da... Bizim ayrı bir evde oturma düşüncemize eskisi kadar karşı görünmüyor artık.

Ama ne eşya seçiminde, ne de taşınma aşamasında yardımcı olmayarak, kendince tavır koyuyor. Özellikle benim, hamile halimle oradan oraya koşturmamı görmezden geliyor.

Yalnız o mu? Reyyan Abla ve Naran'dan da en ufacık bir yardım önerisi almıyoruz. Başınızın çaresine bakın, havasındalar.

Evimizin mobilyalarını seçmek için, Adana'ya gidiyoruz Haşim'le. Bu onun isteği. "Her şeyin en iyisi olmalı," diyor.

Modern çizgilerde, tüm evi baştan aşağı donatacak yığınla eşya seçiyoruz Haşim'le. Hevesle, zevkle...

Yerleşme aşamasında en büyük yardımcım Ümran Teyze oluyor. Bir de Şehriban... Günlerce benimle beraber, gerçek bir anne gibi, özveriyle çalışıyor Ümran Teyze. Evin temizlenmesinde, Adana'dan gelen eşyaların yerlerini bulmasında, yuvamızın oturulur hale getirilmesinde en büyük pay onun.

Kişisel eşyalarımız dışında, fazla bir şey almıyoruz konaktan.

Bırakamayacaklarım listesinin başında Şehriban geliyor.

"Bizimle beraber oturmaya ne dersin?" dediğimde sevincinden havalara uçuyor.

"Dünyanın öbür ucuna gitsen, seninle gelmeye hazırım gelin abla," diye boynuma sarılıyor.

Lamia Hanım'ın ve Kenan Bey'in ellerini öperek vedalaşıyorum. Bana yaklaşımları daha yumuşak. Haşim'e elini bile vermiyor Lamia Hanım. Gidişimizi görmemek için de arkasını dönüp, koridorun derinliklerinde kayboluveriyor.

"Düzelecek," diyor Haşim. "Neleri kabullenmediler ki..."

Bu "neler"in içinde benim de olduğumu tahmin etmek, hiç de zor değil.

Haklı çıkıyor Haşim. Lamia Hanım oğlundan ayrı kalmaya daha fazla dayanamıyor. Evden ayrılışımızın haftasına, akşam yemeğine çağırıyor bizi. Bizi ve Reyyan ablaları...

Hiçbir şey olmamış gibi, sevecen bir tavırla karşılanıyoruz. Sanki evden ayrılmamışız, gecenin ilerleyen saatlerinde yukarıya, odamıza çıkacağız...

Yemeğin ardından, bahçede oturmuş çaylarımızı içiyoruz.

Bebeğe konulacak ad geliyor gündeme. Daha doğrusu, Lamia Hanım tarafından, bilinçli olarak dile getiriliyor.

"Erkek de olsa, kız da olsa, adı hazır torunumun," diyor.

Öyle bir havada ki, karnımda onların emanetini taşıyan, doğumun ardından bebeği kucaklarına verip kenara çekiliverecek bir emanetçiyim sanki. Bebekle ilgili her konuda söz önceliği onlara ait.

"Erkek olursa Kenan," diyor Lamia Hanım. "Kenan Artukoğlu! Dedesinin adını yaşatacak torunum."

Kimsede çıt yok. Sessizce dinlemekle yetiniyorum ben de. Yılların özlemiyle beklenen erkek torunun adını koyma hakkı, benim gibi iki günlük geline mi düşecek?

"Kız olursa," diyor Lamia Hanım. "Mürüvvet olacak. Anneciğimin adı."

İşte bu noktada işin rengi değişiyor...

Ben susarım. Ama içimdeki isyankâr Piraye'yi susturmak o kadar kolay değil!

Kenan adı için öne sürülen gerekçeye karşı çıkmak anlamsız. Kendilerince haklı olabilirler. Ama kızıma, Mürüvvet adının konmasına boyun eğemem doğrusu.

"İyi düşünmüşsünüz anne," diyorum yumuşak bir sesle. "Ama, gördüğüm kadarıyla kız çocuklarının bir adı sürdürmesi söz konusu değil. Aynı soyadını taşımadığı için de, bunun fazla bir anlamı olmasa gerek. Yalnızca annenizin adını yaşatmak amacıyla, aile içinden bir kız çocuğuna Mürüvvet adını koymak istiyorduysanız, neden Reyyan Abla'nın kızına vermediniz bu adı?"

Donup kalıyor Lamia Hanım. Böyle bir çıkışı beklemediği belli.

Üzerimize çöken ağır havayı dağıtmak ve konuya son noktayı koymak Haşim'e düşüyor.

"Benim düşüncemi de soracaksınız herhalde..."

Yalnız benim değil, baba adayı olarak kendisinin de yok sayılmasının sitemi var sesinde.

"Bence bu karar, çocuğu dokuz ay karnında taşıyacak, ona canından can verecek anneye düşer. Bizler yalnızca önerilerimizi koyarız ortaya. Kabul edip etmemek ona kalmış."

Anne ve baba adayı olarak bebeğimize sahip çıkışımızın; bu uğurda el ele, yürek yüreğe, kararlılıkla savaşabileceğimizin en güzel göstergesi bu sözler.

Ne Lamia Hanım, ne de diğerleri ağızlarını açıp, yanıt verecek gücü kendilerinde bulamıyorlar. Ama, içlerinde oluşuveren yepyeni öfke dalgasını gözlerinden okuyabiliyorum.

Hamileliğimin altınca ayındayım. Benim de bebeğimin de sağlığımız yerinde. Aylık kontrollerim için, Dicle Üniversitesi Tıp Fakültesi'nin Kadın Doğum Bölümü'ne gidiyorum.

Elimde test sonuçlarıyla bir kez daha kapısını çaldığım ilk doktorum, "Hayret, hamilesiniz! Nasıl oldu anlamadım," diye şaşkınlık çığlıkları attığında, bu işin onunla yürüyemeyeceğini anlamıştım.

Yeni doktorum Ayten Hanım güven veriyor bana.

Geçen hafta ultrasona girdim. Ayten Hanım, bebeğimizin kalp seslerini dinletti bana.

"Cinsiyetini öğrenmek istiyor musun?" diye sordu.

"Hayır," dedim.

Bunu öğrenmeyi istemiyorum. Bedenimde taşıdığım; aynı kanı, aynı canı paylaştığım o eşsiz varlığın cinsiyeti hiç önemli değil benim için. Bu tatlı heyecanı son ana saklamayı yeğliyorum. Haşim ve Artukoğlu ailesinin diğer bireyleri meraklarından çıldırsalar da...

Lamia Hanım'a göre bebeğim erkek. Bu görüşünü doğrulamak için, tatlıya olan düşkünlüğümü öne sürüyor.

"Tatlı yiyen oğlan doğurur," diyor. "Ekşi yiyen de kız..."

Bakalım, göreceğiz...

14

Annem, doğumumu İstanbul'da yapmamdan yana.

"Olmaz öyle şey!" diye şiddetle karşı çıkıyorum. "Artukoğlu ailesinin çocuğu Diyarbakır'da doğmalı."

Gitgide gerçek bir Diyarbakırlı gibi düşündüğümü, kararlarımı bu doğrultuda şekillendirdiğimi hayretle ayrımsıyorum.

İstanbullu Piraye, doğumunu Diyarbakır'da yapmak için, annesine "hayır" diyebiliyor. Bu noktaya gelişimde en çok kimin ya da kimlerin rolü var, bilmiyorum. Belki de gönüllü olarak yaşadığım başkalaşımın ürünlerini toplamaktayım.

Her ne olursa olsun, çocuğumun nüfus cüzdanında, doğduğu yer hanesine "Diyarbakır" yazdırmaya kararlıyım.

Benden umudunu kesen annem, doğuma on beş gün kala, iki bavul dolusu bebek çeyiziyle Diyarbakır'a geliyor.

Evimize ayak basmamak için yemin etmiş görünen Lamia Hanım, annemin gelişiyle yeminini bozuyor. Reyyan Abla ve Naran'la beraber, anneme "hoş geldin" ziyareti yapıyorlar.

Evin diğer bölümlerine kayıtsız gözlerle bakarken, sıra bebek odasına geldiğinde bakışları yumuşayıveriyor.

Her şeyi hazır bebeğimizin. Annemin getirdiği cicili bicili eşyaları da yerleştirdik mi hiçbir işimiz kalmıyor.

"Bebeğin yatağı doğumdan önce serilmez," diyor Lamia Hanım. "Senin loğusa yatağın için de aynı durum geçerli. İyi sayılmaz, derler bizde..."

Annemin yüzündeki olumsuz ifadeden, ters bir yanıt vermek üzere olduğunu kestirebiliyorum.

"Tamam," diyorum Lamia Hanım'a. "Biz de öyle yaparız."

Anneme dönüyorum.

"Yatak takımlarımızı hastane dönüşünde sereriz anneciğim. Hem bebeğin, hem de benim."

Annemin şaşkın, Lamia Hanım'ın hoşnut bakışları arasında kalmanın çelişkisiyle gülüyorum içimden. Diyarbakırlılaşmış bir Piraye'nin karşısında, kafalarında oluşan yorumların farklılığı eğlendiriyor beni.

Lamia Hanım'ın, yüzyıllardır süregelen, geçerliliğini yitirmiş âdetleri bana da benimsetmeye çalışmasına kızmıyorum artık. En saçma önerilerine bile hoşgörüyle bakabiliyorum. Ama böyle durumlara alışık olmayan annem, hem Lamia Hanım'ın, hem de benim tutumumuzu yadırgama safhasında henüz...

Hamileliğimin dokuzuncu ayı doldu. Annemle beraber, aylık muayene için Ayten Hanım'a gidiyoruz.

Dosyamı açıp bakıyor önce.

"Yaklaşık on günün var doğuma," diyor.

Ardından uzun uzun muayene ediyor. Yüzü değişiveriyor birden.

"Doğum, umduğumuzdan yakın," diyor. "Bebek aşağıya inmiş; başı, rahim ağzına oturmuş bile."

Bir heyecan dalgası her yanımı sarıyor. İlk kez, korkuya özdeş bir şeyler duyumsuyorum içimde.

"Hazırlıklı ol," diyor Ayten Hanım. "Sancı, kanama... en ufacık bir belirtide hemen hastaneye geleceksin."

Eve dönüyoruz. Annem hiç zaman kaybetmeden, hastane bavulumu hazırlamaya başlıyor.

"Bir kenarda dursun," diyor. "O telaşla olmaz bu işler."

Şehriban'ın hazırladığı öğlen yemeğini yiyoruz.

"Uzan biraz," diyor annem. "Yoruldun."

Elime gazeteyi alıp, kanepenin üzerine kıvrılıyorum. Annemle Şehriban da odalarına çekiliyorlar.

Birden bastırıveren tatlı uykunun kollarına teslim olmaya hazırlanırken... Bedenimin derinliklerinden gelen, garip bir devinimle sarsılıyorum. Karnımın içinde hafiften başlayan dalgalanmalar, gitgide artıyor.

"Şehriban!" diye sesleniyorum içeriye. Koşup geliyor. "Annemi çağır hemen. Bir şeyler oluyor bana..."

İkisi de başımda, endişeli gözlerle bakıyorlar bana.

"Sancın var mı?" diye soruyor annem.

"Yok," diyorum. "Ama daha önce hiç duymadığım, sıra dışı bir hareketlenme oluyor içimde... Haşim'e haber verin, hemen gelsin."

Haşim'le Lamia Hanım, aynı anda giriyorlar içeri.

Lamia Hanım elini karnımın üzerine koyuyor.

"Doğum değil bu," diyor. "Bebeğin oynaması."

Elinin dört parmağını birleştirip, göğsümün altıyla karnımın arasındaki mesafeyi ölçüyor.

"Daha var," diyor. "Doğuma yakın, elin karnının üzerine rahatça oturur. Baksana, daha yukarda bebek..."

Haşim, heyecandan sararmış yüzüyle -ve sabırsızlıkla- annesinin muayenesinin bitmesini bekliyor.

"Olsun," diyor. "Gene de hastaneye gidelim biz. Doğum olup olmadığını, doktorun ağzından duyarız hiç değilse."

Arabaya bindiğimizde, karnımın içindeki devinimlerin iyice arttığını hissediyorum. Lamia Hanım ise kendi öngörülerini sıralamayı sürdürüyor.

"Gaz yapacak bir şey yediyse, dokunmuş olabilir."

"İştahı yoktu bu öğlen," diyor annem. "Yalnız salata yedi."

"Kız çocuğu erken doğar," diye kendi kendine söyleniyor Lamia Hanım. "Oğlan çocuk gününü doldurur..."

O halimle, gülmekten kendimi alamıyorum. Doğum değil, diye çırpınışının nedeni buymuş demek. Erken gelen doğumu önleyebilse, kız doğacak bebeği, oğlana çevirebilecek sanki...

"Her an olabilir, dedimse; hemen aynı gün gel demedim ya," diye takılıyor Ayten Hanım. "Uzan bakalım... Sabahki konuşmanın etkisiyle, psikolojik kasılmalar yaşıyor olabilirsin."

Muayenenin ardından gülmeye başlıyor.

"Doğum," diyor. "Rahim ağzı üç parmak açılmış. Bebeğimiz gelmek üzere."

Saçlarımı okşayarak yüreklendirmeye çalışıyor beni.

"Her şey yolunda," diyor. "Şanslısın. Üç parmak açıklığı yakalayıncaya kadar, günlerce sancı çekenleri gördük biz."

Yardımcılarına dönüyor.

"Hastayı hemen doğum odasına alın."

Çok sayıda doktor ve hemşire var başımda. Ayrıcalıklı bir hasta olduğumun farkındayım.

"Normal doğum," diyor Ayten Hanım. "Umarım müdahale etmemiz gerekmez."

Karnımdaki dalgalanmaların başlamasından bu yana geçen uzunca süreye inat, sancım yok henüz. Koluma taktıkları serumun içine bir ilaç katıyor Ayten Hanım.

"Yapay sancı yaratmak zorundayız," diyor. "Sancısız doğum olmaz."

Kanıma karışan ilacın etkisiyle, içimde duyduğum dalgalanmalar kasılmaya, kasılmalar da gitgide artan keskin bir sancıya dönüşüyor.

Ayten Hanım'ın gözü saatte. Sancıların gelişi önce beş dakikadan üç dakikaya, çok geçmeden bir dakikaya iniyor. Ve ara vermez oluyor artık...

"Derin derin soluk al," diyor Ayten Hanım.

Yaptığım başka bir şey yok zaten. Şu ana kadar hiç bağırmadım, hatta sesim bile çıkmadı. Kendimi doğal olarak gelen kasılmalara ve soluk alıp vermeye yoğunlaştırmaktan fırsat bulamadım belki de.

Bir erkek doktor, elindeki aletle bebeğin kalp seslerini dinliyor.

"Kutlarım sizi Piraye Hanım," diyor. "İki hafta önce karım doğum yaptı. Çığlıklarıyla yeri göğü inletti. Biz daha sesinizi bile duymadık sizin..."

Arada bir su istiyorum. Başımda duran hemşire, kuruyan ağzımı yumuşatmak için, ıslatılmış pamuğu dudaklarıma sıkıyor.

"Fazlası mideni bulandırır," diyor Ayten Hanım.

Bir yandan da alnımda biriken terleri siliyor hemşire.

"Ha gayret," diyor Ayten Hanım. "Konuğumuz geliyor!"

Son bir kasılma... Birden boşalıveriyor içim.

Doğdu galiba.

Daha önce yaşamadığım, ama okuduklarımdan ve duyduklarımdan aklımda kalanlara göre, doktorum şu anda bebeğin göbek bağını kesiyor olmalı.

Başımı hafifçe kaldırıyorum. Ayten Hanım'ın, avuçlarına sığacak miniklikteki; kolları, bacakları öne düşmüş, kıpırtısız bir bedeni doğum odasının gerisine doğru götürüp, birilerine verdiğini görebiliyorum.

Cansızmış gibi geliyor bana. Ölü mü doğdu acaba?

Ayten Hanım yanıma geliyor.

"Gözün aydın," diyor. "Bir kızın oldu. Yıkanıp paklandıktan sonra görebileceksin onu."

İnanamıyorum. Yaşıyor mu bebeğim? Ölü değil mi?

"Ne o, kız oldu diye sevinmedin galiba. Oğlan mı istiyordun yoksa?"

"Ondan değil. Sesini duyamadım da... Yaşamıyor sandım."

"Hiç merak etme; sapasağlam, güzeller güzeli bir kız annesisin."

O anda, cılız, inlemeyle ağlama arası bir ses geliyor kulağıma. Şimdiye dek duyduğum en güzel melodi bu... Kızımın sesi!

Hoş geldin bebeğim! Hoş geldin kızım...

Yaşamımıza renk getirdin.

15

Dünyanın tartışmasız, en büyük zevki annelik!

Yaşamadan bilinemeyecek, tatmadan duyumsanamayacak; tüm tahminlerin ötesinde, insanı bambaşka âlemlere taşıyan; Tanrı'nın kadına tanıdığı, onu bu yolla taçlandırdığı, benzeri olmayan, hiçbir şeyle ölçülemez, en büyük ödül bu.

Haşim de en az benim kadar mutlu. Kızını kucağına aldığında, daha önce hiç görmediğim sevgi kıvılcımları uçuşuyor gözlerinde. İlk kez baba olmanın erişilmez sevincini yaşıyor o da.

"Adını ne koyacağız?" diyor. "Biliyorsun, bu işi sen üstlenecektin."

"Ben kendimce bir ad düşündüm. Ama senin de bir önerin varsa, bilmek isterim."

"Yok," diyor. "Onu adıyla en çok sen çağıracaksın. Anasısın sen onun. Bu zevki yaşaması gereken ilk insan sensin."

Aylar öncesinden kafamda şekillenen adı dile getirmenin heyecanını yaşıyorum. Haşim'in göstereceği tepkinin merakıyla, usulca fısıldıyorum.

"Dicle..."

Gözleri parlayıveriyor Haşim'in.

"Dicle..." diye yineliyor. "Dicle Artukoğlu. Harika..."

"Diyarbakır'a borcum var," diyorum. Seni kazandırdı bana. Kızımı armağan etti. Ben de yavruma Dicle adını koyarak, bu borcumu ödemeye çalışacağım."

Bu kararım, Artukoğlu konağında da sevinçle karşılanıyor.

Kenan Bey ilk kez evimize geliyor. Kızımızın adını, âdetlere uygun olarak onaylamak için.

Ezan okunurken, üç kez sesleniyor kulağına.

"Dicle... Dicle... Dicle..."

Diyarbakır topraklarına can veren Dicle, senin de yolunu açsın yavrum. Su gibi aksın yaşamın. Berrak, engel tanımayan, coşkulu bir su gibi...

Lamia Hanım'la Naran her gün bizdeler.

Lamia Hanım, öğleden sonraları akın akın bebek görmeye gelen konuklar için, dövülmüş halde karanfil ve tarçın kattığı, kırmızı bir loğusa şerbeti hazırlıyor.

Biz bizeyken bebeğin erkek olmamasından duyduğu üzüntüyü açıktan açığa yansıtmasına karşın, yabancı birilerinin yanında başını dik tutmayı başarıyor Lamia Hanım.

"Kızı veren Allah oğlanı da verir," diyor umursamaz bir tavırla.

Kız torunun onlar için yeterli olmadığını biliyorum. Ama artık, güvendeyim diye düşünüyorum. Kısırlık korkusunu geride bırakmış, doğurabileceğini kanıtlamış bir Piraye, neden bir de oğlan doğurmasın ki?

Ama bunun için, aradan uzunca bir zaman geçmesi gerekmiyor mu?

Hiç de öyle düşünmüyor Lamia Hanım. Bunu dile getirmekten de çekinmiyor.

"Üst üste doğurdu, kurtuldu Reyyan," diye kendi kızını bana örnek gösteriyor. "Sen de öyle yap. Bir arada büyür giderler."

Beni biri elinde, biri belinde; her yıl bebek veren, tek işlevi doğurmak olan kadınlarla aynı duruma düşüren bu sözleri duymazdan geliyorum.

Bu konudaki zamanlamayı ancak ben yapabilirim. Hele, bebeğimin kokusunu bile tam olarak içime çekemediğim şu anda bunları tartışmak öylesine anlamsız ki...

Üzerine titrediğim, örselenmesin diye öpmekten bile kaçındığım Dicle'nin, bitmek tükenmek bilmeyen bebek görme ziyaretleri sırasında, kucaktan kucağa gezdirilmesi içimi sızlatıyor.

Annem, Haşim, Şehriban ve ben, dokununca soluverecekmiş gibi gelen incecik teni koklamakla yetinmeyi öğrendik. Ama, kendimize koyduğumuz yasakları konuklarımıza uygulayamıyoruz ki.

"Ben de isterim doya doya öpmeyi," diyorum isyanla. "Ama kıyamıyorum."

"Ben başka bir yol biliyorum," diyor Şehriban.

Dicle'nin yumuk ellerinden birini avucunun içine alıyor. Sıkmadan, incitmeden öylece tutuyor.

"Sen de diğer elini tut abla," diyor. "Onun canından sana akıveren sıcaklığa bırak kendini."

Dediğini yapıyorum.

İnanılmaz bir şey bu! Avucumun içindeki yumuk parmaklardan taşan tatlı sıcaklık önce tenime, oradan da tüm bedenime yayılıveriyor. Sarılmanın, öpmenin, koklamanın ötesinde, bambaşka bir haz bu.

"Sağ olasın Şehriban," diyorum, ondan öğreneceğim daha neler olduğunun merakıyla.

"Kahve telvesi sür göbeğine," diyor Reyyan Abla. "İki çocuğumda da öyle yaptım ben."

"Peki, kaç günde düştü göbekleri?"

"Burak'ın yirminci, Burçin'in de yirmi beşinci günde..."

"Benim bildiğim, iyi sonuç alınmış yöntemler önerilir," diye gülüyorum. "Kendi haline bıraksan da o kadar sürede düşerdi zaten."

Ayten Hanım'ın söylediği gibi; alkollü, antiseptik madde içeren bir sıvı sürüyoruz Dicle'nin göbeğine. Yedinci gün düşüyor.

Kızıma ilk banyosunu yaptırabiliriz artık.

Bu işi de tören havasına sokuyor Lamia Hanım. Hamam tasının içine altın liralar, nazar boncukları atıyor. Tastaki suya dualar okuyor. Dicle'nin başından aşağı, bu okunmuş suları döküyor.

Bir de "hügâr" dediği, evde hazırlanmış bir toz karışımı getirmiş.

"Emziğini buna batırıp ağzına vereceksin," diyor. "Hem emziğe kolay alışır, hem de bütün gazını alır bu derman."

Sonra da ayrıntılı bir açıklamayla beni ve annemi, bu yöresel ilaca ısındırmaya çalışıyor.

"Bütün çocuklarıma verdim ben. Hazırlanması da çok zahmetlidir ha... Nebat şekeri, zencefil, karanfil, anason... havanda dövülür. Sonra ince tülbentten elenerek, bebeğin ağzına verilecek hale getirilir. Bir kez dene, bana dua edersin."

Göbeğin çabuk düşmesi için önerdiklerine benzer bir başka yöntem, diye düşünüyorum. Ama, bir kez denemekten ne çıkar ki? Zehir değil ya bu.

Annemin kuşku dolu bakışlarına aldırmadan, emziği beyaz toza batırıp Dicle'nin ağzına veriyorum.

Daha önce ağzına almamak için direndiği lastik başlığı iştahla emmeye başlıyor Dicle. Aynı işlemi bir kez daha yineliyorum. Çok iyi; ağzına yayılan bu yeni tadı sevdi kızım.

"Elinize sağlık anne," diyorum. "Hügâr işimize yarayacak galiba..."

Annem gitmek için, Dicle'nin kırkının çıkmasını bekliyor.

İstanbul'da bıraktıkları olmasa, minik torunundan ayrılmaya hiç niyeti yok.

Annemi uğurladıktan sonra, Şehriban ve ben Dicle'yle baş başa kalıyoruz.

Dicle'yi doyurmak, Dicle'yi yıkamak, Dicle'yi uyutmak... Tüm zamanımızı alıyor. Dünyamız onun üzerine kurulu.

Suyu çok seviyor kızım. Ağlarken küvete sokuyoruz, susuveriyor. Adının tılsımı belki de... Sudan gelenin suyla bütünleşmesi. Dicle'nin gizemli kolları, Dicle'min üzerinde.

Çok da çabuk büyüyor kızım.

"Sabahtan akşama fark etmiş," diyor Haşim. Eve gelir gelmez Dicle'yi kucağına alıyor. Ona kalsa, saatlerce bırakmayacak. "Uyuması gerek," diye kollarından zor alıyorum.

"Çok özlüyorum onu," diye sızlanıyor işe giderken. "Akşamın olmasını, ona kavuşacağım anı iple çekiyorum."

"Önceliğimizi kaybettik desene," diye gülüyorum.

"Senin yerin başka," diyor hemen. "Sen olmasan Dicle de olmazdı."

16

Beşinci ayını doldurdu Dicle.

Benim uslu kızım bugünlerde biraz huzursuz.

"Diş çıkaracak," diyor Lamia Hanım. "Bakalım, ilk dişini kim görecek?"

Kim görürse, ona armağan alınırmış. İlk dişle tanışan Haşim ya da ben olursak, armağanımızı kim verecek, bilemiyorum.

Neyse ki öyle olmuyor.

Şehriban'ın, "Abla!" diye bağırmasıyla içeriye koşuyorum.

"Bak," diye gururla gülümsüyor. "Dişi çıkmış Dicle'nin. İlk gören de ben oldum."

Akşam geldiğinde, Haşim'e müjdeyi nasıl vereceğimi bilemiyorum.

"Kızımızın büyük bir marifeti var," diyorum. "Bil bakalım, bugün ne oldu?"

"Konuştu mu yoksa?" diyor heyecanla.

"Olur mu canım... Sabahtan akşama konuşur mi hiç çocuk?"

"Yürüdü mü?

"Yok, diyorum. "Gönlü birine düşmüş, akşama istemeye gelecekler..."

Beklentilerinin yanında, diş çıkarmanın küçük kalacağını görmenin kızgınlığı var üzerimde.

"Acemi baba!" diyorum sitemle. "Yalnızca diş çıkardı kızın..."

"Diş hediği yapalım," diyor Lamia Hanım.

Bunun ne anlama geldiğini tam olarak bilmiyorum.

"Buralarda bebeğin diş çıkarması çok önemlidir," diye anlatıyor. "Yakınlarla, eşle, dostla; hedik pişirilerek, törenle kutlanır. Bu işi konakta yapsak diyorum..."

Bu tür kutlamaların tek adresinin konak olacağını çoktan öğrendim. Başka bir seçenek önermeyi aklıma bile getirmiyorum.

Dicle'ye yeni aldığım kırmızı kadife tulumu giydiriyorum. Uzamaya yüz tutmuş tüy gibi yumuşacık, seyrek saçlarına minik bir toka iliştiriyorum. Yaşamındaki ilk kutlamaya hazır artık kızım...

Kadın kadına kutlanacak bugüne akraba, eş dost, komşu; kim varsa gelmiş. Konakta yer yerinden oynuyor. Yalnız kadınların olduğu, bir düğün evindeyiz sanki.

Lamia Hanım elimden tutup mutfağa götürüyor beni. Kocaman iki kazanın içindeki kaynamış hediği gösteriyor.

"Bildiğimiz buğday," diyor. "Hedik deriz biz. Tadına bak istersen... Biri tatlı, diğeri tuzlu."

Önce içindeki kekik yapraklarıyla çorbaya benzeyen, tuzlu hediği tadıyorum.

"Çok güzel..."

Tatlı olanı aşureyi çağrıştırıyor. Ama kuru. Kaynamış buğday tanelerine toz şeker serpilerek, meyve kuruları ve cevizle zenginleştirilmiş.

Bir tabakta da haşlanmış, yalnızca buğday taneleri var.

"Bunları Dicle'nin başına dökeceğiz," diyor Lamia Hanım. "Bu taneler bereket ve bolluğun simgesidir."

Salonda, çeşit çeşit yiyeceklerin sıralandığı masanın ortasında, kocaman bakır bir sini duruyor. İçine makas, ayna, kalem, kitap gibi ne anlama geldiğini çözemediğim bir sürü şey konulmuş.

Lamia Hanım, Dicle'yi kucaklayıp, sininin ortasına oturtuyor. Kadınların bir ağızdan çektiği tilili sesleri arasında, hedik tanelerini başından aşağı döküyor. Ve beklemeye başlıyor.

"Makası alırsa terzi olacak," diyor. "Aynayı alırsa, güzelliğine düşkün, kitap ya da kalemi alırsa okumuş bir kız..."

Herkes pür dikkat, Dicle'nin yapacağı seçimi görmek için sabırsızlanıyor.

Benim şirin bebeğim, çevresinde görmeye alışık olmadığı kalabalığa, bir süre çatık kaşlarla bakıyor. Sonra elini tepsinin içinde gezdirmeye başlıyor. Cicili bicili oyuncaklarına pek benzemeyen bu değişik nesnelerden hangisini seçeceğini ben de merak ediyorum doğrusu.

Önce aynaya uzanır gibi oluyor... Elini makasın üzerinde gezdiriyor. Sonra, minik parmaklarıyla kalemi kavrayıveriyor.

"Anasının kızı," diye gülüyor Lamia Hanım. "Anası gibi, torunumun da eli kalem tutacak."

Dicle'yi tepsinin içinden alıyorum. Başındaki hedik tanelerini ayıklayıp, göğsüme sımsıkı bastırıyorum. Piraye'nin kızına yakışan seçimi yaptığı için, gizli bir gururla kutluyorum kızımı.

Dicle'ye armağan yağdırıyor konuklar. Battaniyeler, tulumlar, önlükler; elde örülmüş hırkalar, yelekler, oyuncaklar... Ben de kızımın dişini ilk gören Şehriban'a bir bilezik takıyorum.

Yeme içme faslının ardından, kucağımda Dicle'yle beraber, bir koltuğa oturup Lamia Hanım'la konukların sohbetine katılıyorum.

"Darısı bundan sonrakinin hediğine," diyor Lamia Hanım.

Komşu kadınlardan biri dikkatle Dicle'nin yüzüne bakıyor.

"Arkası erkek bunun," diyor. Ne demekse...

Lamia Hanım'ın yüzü aydınlanıveriyor.

"Bana da öyle geliyor."

Konuşulanlardan bir şey anlamadığımı düşünmüş olmalı ki, bana dönüp açıklıyor.

"Bir çocuğun yüz ifadesi, ardından doğacak çocuğun cinsiyetinin aynasıdır. Dicle de erkek kardeşi olacağını müjdeliyor bize. Baksana şu kaşlara, başını dik tutuşuna..."

Her zamanki gibi, lafı döndürüp dolandırıp aynı yere getiriyorlar.

"Elini çabuk tut gelin hanım," diyor biri.

"Lamia Hanım'ı daha fazla bekletme," diye tamamlıyor diğeri.

Lamia Hanım'sa onları onaylarcasına, gülerek başını sallıyor. Arada bir bana doğru imalı bir bakış fırlatıyor.

"Duy, duy da ona göre davran. Daha fazla bekleyecek halim yok," der gibi...

Kucağımda Dicle, Şehriban'la beraber, Dicle'ye gelen diş hediği armağanlarını da alarak eve dönüyoruz.

"Gördün mü," diyorum Şehriban'a. "İki taş arasında neler söylediler gene..."

Her şeyi rahatlıkla konuşabiliyorum onunla. Biricik dert ortağım o benim.

"Onların, torunları erkek olmadı diye böylesine yanıp yakılmalarına kanma sakın," diyor. "Belki kendilerinin bile farkında olmadan oynadıkları oyunun bir parçası bu."

Hayretle bakıyorum yüzüne. Neler söylüyor bu deli kız böyle...

"İkilem içindeler aslında," diye devam ediyor. "Özlemle bekledikleri, Artukoğlu soyunu sürdürecek bir erkek çocuğun eksikliğini duyuyorlar kuşkusuz. Ama içten içe de, senin o çocuğu doğurma şerefine ulaşamamanın sevincini yaşamaktalar."

Bu hiç aklıma gelmemişti doğrusu. Söylediklerinde haklı olabilir mi Şehriban?

"Şöyle bir düşün," diyor. "Dicle Artukoğlu yerine, bir Kenan Artukoğlu doğurmuş olsaydın; Lamia Hanım'ın yerini bile sarsacak bir konuma gelmeyecek miydin? İçindeki özlemin kavurganlığı bir yana; hanımağamız, böyle bir durumu kaldırabilir miydi sence? Sevince boğulmuş görünse de, inceden inceye bir sızı duymayacak mıydı içinde?"

Sözlerinin içeriğinden çok, söyleniş tarzı şaşırtıyor beni. Ayişe bibinin gelip karşıma oturduğunu düşünmenin ürküntüsü var üzerimde.

"Bu durumda ne yapabilirim ki?" diye soruyorum, karşımdaki Şehriban kalıbına girmiş Ayişe bibiye.

"Bir an önce doğuracaksın! Dillerini kesmek için. Söyleyecek sözleri kalmasın diye..."

"İkincisinin de kız olmayacağını kim garanti edebilir ki?"

"Olsun. İkincisinde olmazsa, üçüncüyü deneyeceksin. Başka yolu yok bu işin."

"Ama bunu düşünmek için çok erken. Henüz altı aylık Dicle. Üzerine gelecek kardeşle ikinci plana atmaya kıyamam onu."

"Yanlış düşünüyorsun. Doğuracağın erkek çocuk, onun değerini de arttıracak. Bugün 'kız' diye içlerinden dudak büktükleri Dicle, erkek ablası olarak farklı bir kişiliğe kavuşacak gözlerinde..."

Çıkışı olmayan bir labirentin içinde kısılıp kaldım gene.

İkinci doğum için kendime tanıdığım üç yıllık süreyi kısaltmam gerektiğinin ayrımındayım artık.

Yeni bir zamanlama yapmalıyım.

Dicle birinci yaşını bir doldursun... Ciddi bir şekilde ele alacağım bu konuyu. Şehriban'ın da dediği gibi, başka yolu yok bu işin.

17

Sıcaklar birdenbire bastırıyor.

İster istemez, evdeki soğutucunun verdiği yapay serinliğe sığınıyoruz. Dört duvar arasında hapis gibiyiz Dicle'yle.

"Böyle olmayacak," diyor Haşim. "Sizi İstanbul'a götüreyim. Ben de birkaç gün sizinle kalır, dönerim."

"İyi olur," diyorum. "Dicle'nin ilk doğum gününü de orada kutlarız."

Şehriban'ı da götürüyoruz İstanbul'a. İlk kez uçağa biniyor. İlk kez görüyor İstanbul'u... Yaşadığı ilklere ayak uydurmaktaki becerisine şaşıp kalıyorum.

Babamın torunuyla tanışması görülmeye değer... Dedesini hiç yadırgamıyor Dicle. Kendisini özlemle bekleyen kollara atıveriyor kendini.

Annemse kırk günlük bıraktığı bebeğin, ilk adımlarını atan, şipşirin bir kız çocuğu olarak kucağına dönüşünün sevincini yaşıyor.

"Ablam nerede?"

"Nerede olacak?" diye gülüyor babam. "İşinin başında. Sıkı bir iş kadını oldu çıktı Haticemiz. İstersen gidelim, kendi gözlerinle gör."

Umduğumdan da güzel, cıvıl cıvıl bir anaokulu burası. Yanı sıra bir de etüt merkezi açmış ablam.

Oyun odası, dinlenme ve yemek salonları, pırıl pırıl bir mutfak...

Yan taraftan geniş bir bahçeye çıkılıyor.

"Burası da bizim," diyor ablam. "Çocukların açık hava ve oyun gereksinimlerine cevap veriyor."

Dicle'yi kucaklayıp salıncaklardan birine oturtuyor. Neşeli çığlıkları kulaklarımda yankılanıyor güzel kızımın.

Her yaştan çocuk var bahçede.

"Şunlar anaokulundan," diyor ablam yaşça daha küçük olanları göstererek. "Göksel'le Gökçe'nin yanındakiler de etüt bölümü öğrencileri."

"Tatiliniz yok mu sizin?" diyorum.

"Yok aslında," diye gülüyor ablam. "Çalışan anne babaların çocukları için dört mevsim açık kalma durumundayız. Ama ben bir aylık bir tatil yarattım kendime. Hafta sonu tatile giriyoruz."

Dicle'nin doğum gününü anaokulunda kutlamamızı öneriyor ablam.

Bu iş için, çocukların neşeyle koşturduğu, Dicle'nin cıvıltılı çığlıklarla onların arasına katılmaya çalıştığı böyle bir ortamdan daha iyisi düşünülebilir mi?

Konak dışında yaptığımız ilk kutlama bu...

Pembe, kabarık etekli elbisesiyle peri kızına benziyor Diclem.

Ablamın yaptırdığı, üzerine minik hayvan motifli çikolatalar serpiştirilmiş pastanın üzerindeki tek mumu beraberce üflüyoruz. Nefesi yetmiyor miniğimin.

Haşim, Dicle'nin her hareketini unutulmaz kılma çabasıyla, ardı ardına fotoğraf çekiyor. Son karelerde, pastanın çikolatasına bulanmış, kendinden büyük çocuklarla oynadığı oyunların izlerini taşıyan, toza toprağa belenmiş elbisesiyle poz veriyor babasına.

Yeni yaşın kutlu olsun miniğim. Hepimize güzellikler getirsin...

Ertesi sabah, Dicle'yi anneannesi ve dedesiyle baş başa bırakıp, Şehriban'a İstanbul'u gezdirme turuna çıkıyoruz.

Gördüğü her yeni şey karşısında duyduğu sevinci, Haşim'le beraber, aynı coşkuyla paylaşıyoruz.

Tekneyle yaptığımız Boğaz turu, Şehriban'ı büyülemeye yetiyor.

"Yeryüzünde böyle bir güzelliğin var olduğunu, düşümde görsem inanmazdım," diyor.

Sonra gözlerini Haşim'e dikiyor.

"Biliyor musun Haşim Ağa'm," diyor. "Piraye Abla'm seni çok, ama çok seviyor."

İkimiz birden, bu sözlerin ardından gelecekleri merakla bekliyoruz.

"Böyle bir güzelliği bırakıp, sırf senin için Diyarbakırlara geldi... Başka kim yapardı bunu?"

Haşim kolunu omzuma atıyor.

"Bunun için de yanımda ya," diyor. "O benim her şeyim..."

Yaklaşmakta olan ayrılığın hüznüyle biraz daha sokuluyoruz birbirimize.

Hafta başı, Haşim'i Diyarbakır'a uğurladıktan sonra, biz de Çınarcık'a geçiyoruz.

Haşim'in eksikliği dışında her şey eskisinden de güzel... Ablamın kendisiyle barışık hali, Dicle'nin aramıza katılmış olması, Şehriban'ın varlığı Çınarcık günlerimize farklı bir renk katıyor.

Suya âşık benim kızım. Can simidini takıp denizle buluşturuyorum onu. Sevinç çığlıkları atarak ellerini, ayaklarını suya çarpmasını seyretmek içimi titretiyor. Keşke onun bu halini Haşim de görebilseydi, diyorum.

Dicle'yi zorla sudan çıkarıp annemin kollarına teslim ettiğimde, bu kez de Şehriban'ın denizle arkadaşlığını ilerletmesinde, aracı olma görevim başlıyor.

Şehriban'ın ilklerinden biri daha... Benim can dostum, denizle yeni tanışıyor. Ona yüzme öğretiyorum.

Önce, ellerimi bedeninin altında tutarak, suyun üstünde kalmasını sağlıyorum.

"Deniz suyu Dicle'ye benzemez," diyorum. "Tuzlu su, insanı havaya kaldırır. İstesen de batmazsın. Kendini serbest bırak."

Bırakıyor. Suyun üzerinde durmasının sevincini yaşıyoruz beraberce.

Sonra, yalnız ellerini tutuyorum. Güvende olduğunu bilsin diye. Kısa sürede buna da gerek kalmıyor.

Şehriban'ım kendi kulaçlarıyla yüzüyor artık...

"Çok yetenekli bir kız," diyor babam.

Gülüyorum içimden.

Bir de onun diğer yeteneklerini bilse...

Ablamın tatili bitti. İki gün sonra İstanbul'a dönüyoruz.

Ardından da Diyarbakır'a...

Kendime verdiğim süre doldu.

Kimseler bilmese de ben, ikinci bebeğimin bekleyişi içindeyim artık.

Bu kez daha rahatım. Dicle'de çektiğime benzer sıkıntıları yaşamayacağım nasılsa...

18

Dicle'nin bebeklikten kurtulup çocukluğa adım atmasıyla, ben de yavaş yavaş eski yaşantıma dönüyorum.

En büyük yardımcım Şehriban. Kızıma benden iyi bakıyor. Gözüm arkada kalmadan, ikisini baş başa bırakıp muayenehaneye gidebiliyorum. Eskisi kadar olmasa da, randevulu hastalarımla yeniden buluşmaya başladım.

Eve dönüş için akşamı beklemiyorum ama. İşim biter bitmez soluğu evde alıyorum.

Bu tempo içinde, apartman komşularımla olan ilişkim de kısıtlı haliyle. Girip çıkarken karşılaştığım insanlarla selamlaşmanın, ayaküstü bir şeyler konuşmanın dışında kimseyle gidip gelmem yok.

Yalnız, üst kat komşularımızla farklı bir yakınlık oluştu aramızda. Onlar tarafından yaratılmaya çalışılan, benim de ister istemez bir parçası olduğum, zorunlu bir yakınlık bu.

Bekir Bey; şişman, iriyarı, orta yaşın üzerinde; Bismil'de ekili dikili arazileri olan, ama Diyarbakır'da yaşayan bir çiftçi. İki karısı var. Biri resmi, diğeri imam nikâhlı. Çocuğu olmadığı için, birincinin üzerine kuma getirmiş. Ortada çocuk falan yok ama.

Kadınların ikisi de benimle yakınlık kurma çabasındalar... Hatta, yarışındalar da diyebilirim.

Bir gün büyük kuma elinde bir tabakla kapımı çalıyor.

"Katıklı dolma getirdim size," diyor. "Umarım beğenirsiniz."

Ertesi gün küçük kuma "öruk" dediği değişik bir içli köfteyle, diğerinden geri kalmadığını göstermek istiyor bana.

Benden, güler yüzle teşekkür etmek dışında, karşılık göremeseler de, kararlılıkla sürdürüyorlar eylemlerini.

Gene böyle bir gün, büyük kuma elindeki tatlı tabağını kapının aralığından uzatmaya çalışırken, onun boynu bükük haline dayanamıyorum.

"İçeriye buyurun isterseniz," diyorum. "Beraberce bir kahve içeriz."

Sevinçle ışıldıyor yüzü. Elindeki tabağı Şehriban'a uzatıp salona süzülüveriyor.

Oturur oturmaz da, eline geçen bu umulmadık fırsatı en iyi şekilde değerlendirme çabasıyla, içinde biriktirdiklerini anlatmaya koyuluyor.

"On üç yaşında evlendim ben. On beş yıllık evliyim. Ne edeyim ki, Tanrım çocuk vermedi. Aha bu Berfo'yu üstüme kuma getirdiler. Bari onun uşağı olsa... Ne gezer! İkimiz de, kısırız diye, boynumuzu büküp oturduk. Ama işin içinde iş varmış. Meğer kısır olan biz değilmişiz; Bekir Ağa'ymış. Kabahatin hepsi ondaymış. Şehirli doktor tahlil ney yaptı da, o zaman anladık aklan karayı. Ne bilelim; kadın gibi, erkeğin de kısır olabileceğini kimse söylememişti ki bize..."

"Kahveniz soğuyor," diyorum, Şehriban'ın sehpanın üzerine bıraktığı; konuğumun, içindeki ateşi dökmekten içmeye fırsat bulamadığı kahveyi göstererek.

Bu kez, elinde fincanla sürdürüyor konuşmasını.

"Ağama kalsa, üstüme kuma getirmezdi. Ama o kaynanam var ya, o kaynanam... Şimdi bile, kabahatin oğlunda olduğunu aklına sığdıramıyor. 'Erkek kısmı da kısır mı olurmuş?' diye dudak büküyor. Bıraksan, üçüncüyü getirecek üstümüze... Bekir Bey'i körocak bırakmayalım diye ortamızdan ayrıldık, gene de yaranamadık. Varsa yoksa Bekir Bey. Onun yüzünden Berfo da ben de ana olamayacağız. Bunu düşünen yok ama. Söyle bacım, hak mıdır bu?"

Anlattıklarından etkilenmemek elde değil. Üzülüyorum.

Kapının zili, onu avutacak bir şeyler bulamamanın sıkıntısından kurtarıyor beni.

Berfo. Kapıdan başını uzatıyor.

"Abla... Ocağın altını açık bırakmışsın. Kapatıverdim."

"Gel Berfo," diyorum. "Şehriban sana da bir kahve yapsın."

Sözlerimi ikiletmeden, geçip ablasının yanına oturuyor.

Aralarındaki yadsınamaz çekişmeye karşın, küçüğün büyüğe gösterdiği saygı son derece belirgin. Onun yanında ağzını açıp konuşmuyor bile Berfo. Yalnız kalkarken, gözü ablasının getirdiği tatlı tabağında, bana ulaşmakta bir adım geride kalmanın eksikliğiyle, "Hamur mayaladım ben de," diyor. "Tahinli açma getireceğim size."

"Paylaşamıyorlar seni," diye arkalarından gülüyor Şehriban.

"En paylaşılmayacak şeyi paylaşıyorlar ama," diyorum. "Kocayı!"

İstanbul'dan geleli altı ay oldu. Ne hap, ne de bir başka yolla korunma... Hamile kalamıyorum!

Doğruca Ayten Hanım'a gidiyorum. Muayene ediyor beni, ultrasona sokuyor.

"Sol yumurtalıkta küçük bir kist var, ama önemli değil. Yumurtalık kanalları da biraz bulanık görünüyor. İltihap olabilir. Güçlü bir antibiyotik yazalım sana. İki aylık da hormon tedavisi."

Boşuna çaba! İlaçların hiçbir yararı olmadı.

Ayten Hanım'a gittiğimin üçüncü ayı... Ve ben hâlâ hamile değilim. Dicle'nin doğumundan önce yaşadığım paniğin kollarındayım gene.

"Ankara'dan yeni bir doktor gelmiş," diyor Nurgül. "Bir görün istersen."

Gidiyorum. En ufacık bir umut ışığını bile ters çevirecek lüksüm yok.

"Her şey son derece normal görünüyor," diyor doktor. "Psikolojik baskılara tepki tarzında, hamileliği reddediyor olabilirsiniz."

İlaç bile vermiyor.

Psikolojik baskılarmış... Pöh! Söyledikleriyle üzerimde oluşturduğu, eskisinden kat be kat güçlü baskının ayrımında bile değil.

"Sakin ol," diyor Nurgül. "İstanbul'a gittiğinde bir kez de orada doktora görünürsün."

Evet, tek umarım İstanbul artık. Bu belirsizlik düğümünün çözümü yalnızca orada...

19

Yaz başında, sıcakların bastırmasıyla, evlerde belirgin bir hareketlilik yaşanıyor. Özellikle, Diyarbakırlıların "yabancı gelin" dedikleri, benim konumumdaki kadınlar; çocuklarını alıp ailelerinin yanına ya da daha serin havaların solunduğu yaylalara, göl kenarındaki yazlıklara taşınıyorlar. Erkeklerse, yaz bekârı olmaktan hiç de şikâyetçi görünmüyorlar.

Bizde de alışkanlık haline geldi; Dicle'nin doğumundan bu yana, yaz aylarını İstanbul'la Çınarcık arasında bölüştürüyoruz. Haşim, gidişte ya da dönüşte bize eşlik etmekle yetiniyor.

Bu yıl, öncekilerden farklı bir sabırsızlık içindeyim. Bir an önce gidip, kendimi iyi bir doktorun ellerine teslim etmek için gün sayıyorum.

Uzun uzun araştırıyoruz ablamla.

"En iyisi olmalı," diyorum. "İlk kez gitmiyorum doktora. Diğerlerinden farklı, kesin teşhis koyabilecek birini arıyorum ben."

İstanbul Üniversitesi Tıp Fakültesi'nde öğretim üyesi bir profesörün özel muayenehanesine gidiyoruz ablamla.

Artık ezberlediğim süreci, kaçınılmaz olarak bir kez daha yaşıyorum. Önce muayene, sonra ultrason...

"Yumurtalık kanallarınız tıkalı," diyor doktor. "Yer yer yapışıklıklar var. Bu yüzden hamile kalamıyorsunuz."

"Çözümü yok mu?" diyorum sabırsızlıkla.

"Kanal çeperleri yapışık görünüyor. Açılması olanaksız."

"Yani?"

"Bu şartlarda çocuğunuz olamaz."

"Bu, kısır olduğum anlamına mı geliyor?"

"Maalesef..."

İşte yolun sonu... Bitti! Her şey bitti... En ufacık bir umudum bile kalmadı artık. Artukoğlu ailesinin dört gözle beklediği erkek evladını asla veremeyecek, kısır bir gelinim ben.

Annemle ablamın yatıştırma çabaları, beni avutmaktan çok uzak. Aldığım onulmaz yaranın acısıyla kabıma sığmaz oldum.

"Çınarcık'a gidelim," diyor ablam. "Açılırsın."

Hiçbir yere gidecek, tatil planları yapacak durumda değilim. Tek düşüncem, beni yıkıp geçen bu haberi, paylaşmam gereken insana, Haşim'e ulaştırmak.

Dicle'yle beraber, uçağa atladığımız gibi, Diyarbakır'a dönüyoruz.

Ev boş. Biz yokken Haşim de, Şehriban da konakta kalıyorlar.

Böylesi daha iyi. Yalnız konuşmak istiyorum Haşim'le.

"Biz geldik," diyorum telefonda. "Sana anlatacaklarım var."

On dakika sonra karşımda Haşim.

Özlemiş bizi. Bir beni kucaklıyor, bir Dicle'yi.

Soru yüklü bakışlarını yüzüme çeviriyor.

"Bitti," diyorum. "Hiçbir umudumuz kalmadı artık. Kısırım ben."

Şaşkınlıktan donakalmış haline, açıklama bekleyen gözlerine dalıp gidiyorum bir an. Sonra, her şeyi olduğu gibi, tüm ayrıntılarıyla anlatıyorum Haşim'e.

"Durum bu. Benden sana hayır yok. Başının çaresine bakabilirsin."

Ağzına mühür vurulmuş gibi, tek söz söylemeden yüzüme bakıyor.

"Aslında, Diyarbakır'a hiç dönmemek vardı ya... Seninle yüz yüze konuşmadan yapamazdım bunu."

"Deli misin sen!" diye fırlıyor yerinden. "Çocuğun olmayacak diye senden vazgeçeceğimi nasıl düşünebilirsin?"

Dicle'yi kucaklıyor.

"İşte bir kızımız var ya!" diye göğsüne bastırıyor. "Siz yetersiniz bana."

"Ya annen... Ya baban... Kısır bir gelinin varlığı, onlar için de yeterli mi?"

"Bırak onları. Benimle evlisin sen. İkimiz dışında hiç kimse bozamaz bu beraberliği. Hangi nedenle olursa olsun..."

"Anlat onlara," diyorum. "Açık açık, hiçbir şeyi gizlemeden. Beni zorlamalarının sonuçsuz kalacağını bilsinler."

Bir süre suskun kalıyoruz.

"Şehriban'ı getir bana," diyorum.

"Tamam," diye kalkıyor. "Dicle'yi de götüreyim. Özlemiştir bizimkiler. Sen de biraz kafanı dinle, sakinleş... Hemen dönerim ben."

Söylediği gibi hemen değil, ancak üç saat sonra dönebiliyor Haşim.

Konakta, alabildiğine çekişmeli bir tartışma yaşandığını tahmin etmek zor değil.

Şehriban'ın yüzü sapsarı. Belli ki, ister istemez tanık olduğu, benim masaya yatırılıp acımasızca yargılandığım sahnelerin etkisi altında.

Dicle'yi yatırmaya gidiyorum. Peşimden geliyor. Hiçbir şey sormuyor bana. Öğreneceğini öğrenmiş.

Birden, garip bir vurdumduymazlık sarıyor her yanımı. İçimdeki zehri dışa vurup, herkesin payına düşeni yerine ulaştırmanın dinginliğini yaşıyorum...

Dicle'nin sabah kahvaltısını yaptırıyorum. Haşlanmış yumurta, peynir, bal, bisküvi ve çay karşımı... Keyifli çığlıklar atarak, iştahla mamasını yiyor kızım.

Kapının çalınmasıyla, açmaya giden Şehriban'ın ayak seslerini uzaktan uzağa izliyorum.

"Hanımağa geldi abla," diyor Şehriban.

Dicle'yi ona bırakıp salona doğru yürüyorum.

Lamia Hanım ayakta, her zamankinden uzak duruşuyla beni bekliyor.

"Buyurun," diye yer gösteriyorum.

Karşılıklı oturup, fırtına öncesinin sessizliğini paylaşıyoruz bir süre.

"Haşim her şeyi anlattı," diyor ölçülü bir sesle. "Sen öyle istemişsin."

"Evet. Herkes bilmeli diye düşündüm."

"*Kız kısırı* derler buralarda. Ne anlama gelir, bilir misin?"

Hayır, gibisine başımı iki yana sallıyorum.

"Anlatayım o halde... Gelin gelir, bir kız doğurur. Ardından dölyatağı taş kesilir; ürün vermez olur. Kız kısırıdır artık gelin. Senin olduğun gibi..."

Yüzüme bakıp yarattığı etkiyi ölçmeye çalışıyor.

"Kız kısırı olup da yeniden doğurabilen birini hiç görmedim şimdiye kadar. Devası olmayan bir dert anlayacağın."

Kayıtsızca dinliyorum onu. Beni ilgilendiren, şu ana kadar söyledikleri değil, bundan sonra söyleyecekleri. Buraya, bana koyduğu, doktorların bile bilmedikleri bu ilginç teşhisi iletmek için gelmedi herhalde.

Lamia Hanım'ın sesi birden yumuşayıveriyor.

"Bak Piraye," diyor. "Seni severim. Kız da olsa, bize bir torun verdin. Ama sen kısır oldun diye, oğlumu körocak bırakmamı bekleme benden."

"Ne yapmamı öneriyorsunuz?"

"Hiçbir şey! Kocanla otur, rahatına bak... Ama, madem sen doğuramıyorsun, doğurabilecek birinden yardım almak zorundayız. Öyle senin güzelliğinde, senin becerinde biri olması gerekmiyor. Köyden bir kız buluruz. Yalnızca çocuk doğurmak için... Yüzünü bile görmezsin. Doğumdan sonra işi biter. Çocuğu alır, buraya getiririz. Sizin nüfusunuza kaydolur. Kendin doğurmuşsun gibi, Dicle'yle beraber büyütür gidersin."

Yalnız beni değil; Haşim'i, doğuracak olanı, hepimizi aşağılayan bu öneri kanımı dondurmaya yetiyor.

"Olmaz öyle şey!" deyiveriyorum.

"Biraz düşün istersen."

"Düşünmeme gerek yok. Böyle bir durumu asla kabul edemem."

"O zaman olacaklara katlanırsın..."

"Bana kalsa... Gideceğim. Haşim'i razı etsem, bir gün durmam buralarda. Siz de bildiğiniz gibi hareket edersiniz."

"Ne yapacaksan yap, elini çabuk tut. Bekleyecek sabrım kalmadı; bilmiş ol."

Birdenbire oturduğu yerden kalkıyor. Kapıya doğru yürüyor. Kız kısırı bir geline daha fazla yakınlığı çok gördüğünü vurgular gibi, veda bile etmeden çıkıp gidiyor.

"Bugün annem gelmiş, ha..." diyor Haşim aldırmaz görünerek.

"Evet," diyorum. "Geldi, esti, üfürdü; yıktı gitti."

Konuştuklarımızı anlatıyorum.

"Boş ver," diyor. "Beni etkileyemeyeceklerini görünce vazgeçerler. Göreceksin..."

Benim bildiğim tuttuğunu koparan, kopardığını paramparça etmekten çekinmeyen Lamia Hanım kolay pes etmez ya, neyse...

Haşim'in kendine güvenli hali, içimde gitgide cılızlaşan umut ışıklarını yeniden canlandırıyor. Ama yetmiyor.

Eski canlılığımdan, neşemden eser kalmadı. Ruhsuz bir gölge gibi ortalıkta dolaşıyorum. Zaman zaman, her şeyi böylece bırakıp gidivermek için dayanılmaz bir arzu duyuyorum içimde. Ama Haşim'in anlayışlı, her zamankinden de sıcak davranışları, Dicle'nin gülücükler saçan masum yüzü, Şehriban'ın dost paylaşımı gitmekten alıkoyuyor beni.

"Olan oldu," diyorum kendi kendime. "Bekle ve gör. Benim yüzümden karşı karşıya gelen ana oğuldan hangisinin galip geleceğini, ancak burada kalarak görebilirsin."

20

Lamia Hanım'la yaptığımız konuşmanın üzerinden tam beş ay geçti. O günden beri hiç karşılaşmadık. Yapmayı düşündüğü eylem için de şu ana kadar herhangi bir girişimi olmadı.

Haşim'i haklı çıkaran bu suskunlukla; üç kişilik dünyamızda birbirimize yettiğimizi görüp, bizi kendi halimize bırakacaklar, diye umutlanmaya başlıyorum.

Ama umulmadık bir gelişme, durumun hiç de düşündüğüm gibi olmadığını göstermeye yetiyor.

O akşam, eve sinirli geliyor Haşim.

"Neyin var," diyorum. "Muayenehanede ters bir şey mi oldu?"

"Annem..." diyor. "Önce telefon açtı. 'Köyden birileri gelecek; ilgi göster,' diye... Geldiler. Bir genç kızla iki kadın. Kızın iki dişinde küçük çürükler vardı, doldurdum. Gittiler. Ardından, annemden bir telefon daha... 'Kızı nasıl buldun? Beğendin mi?' demez mi?"

Gitgide artan öfkesine paralel olarak, sesini iyice yükseltiyor.

"Olacak iş mi bu Piraye? Ne sanıyor beni? On sekiz yaşında, anasının bulduğu kızla evlenmesi düşünülen köy delikanlısı mı?"

Onun tersine, şaşılacak kadar sakinim ben.

"Güzel miydi bari kız?" diyorum.

"Ne bileyim ben? Akça pakça bir köy kızı işte..."

"Dişini doldururken, maske takmışsındır umarım..."

"Aman Piraye, bir de sen üstüme gelme."

"Adı neymiş?"

"Aklımda kalmadı bile. Benim için nokta kadar önemi yok ki."

"Onlar için var ama."

"Hiçbiri umurumda değil."

Ani bir hareketle sarılıveriyor bana.

"Sen bana yetiyorsun, yeteceksin... Onlar da öğrenecek bunu."

Birden uzaklaşıyor.

"Bu yaz İstanbul'a gitmek yok," diyor. "Yalnız bırakmayacaksın beni. Dicle, sen ve ben... Ayrılmaz bir bütün olarak dikileceğiz karşılarına. Öyle güçlü duracağız ki; değil bizi yıkmaya, sarsmaya bile yeltenemeyecekler."

"Tamam," diyorum. "Söz! İstanbul'a gitmiyorum bu yaz."

"Güneye ineriz," diyor. "İskenderun, Mersin... Kızımızla beraber, güzel bir tatil yaparız seninle..."

Ne var ki sözümü tutamıyorum.

Daha yaza bile ulaşamadan, baharın ilk günlerinde İstanbul'dan gelen bir telefon, yaptığımız tüm planları altüst ediveriyor.

"Babam felç oldu," diyor ablam. "Yoğun bakımda. Gelsen iyi olur."

"Gideceksin tabii," diyor Haşim. "Aklın bende kalmasın. Başımın çaresine bakarım ben."

Dicle'yi hazırlarken, gözüm Şehriban'a takılıyor. İstanbul'da şu zor günlerde bana yardımcı olabilir... Ama karşı çıkıyor o.

"Ben gelmeyeyim abla," diyor. "Haşim Ağa'mı hepten yalnız bırakmayalım."

Haklı, kalmalı. Buradaki gözüm, kulağım o benim.

Apar topar havaalanına gidiyoruz.

"Neyse ki, bugünkü uçakta yer bulabildik," diyor Haşim.

Bakışlarındaki saklayamadığı hüzün içimi sızlatıyor. Kopmak istemiyor bizden. Bir bana sarılıyor, bir Dicle'ye...

Beklenmedik ayrılıkla soluveren yüzünün tüm hatlarını beynimin derinliklerine kazımaya çalışıyorum. Bir daha hiç çıkmasın; yanımda olsa bile, oradan da görebileyim onu diye...

Uçağa çıkan merdivenlerin başında geriye dönüp son kez bakıyorum. Kalabalık içinde güçlükle ayrımsadığım, Haşim'in küçülüvermiş siluetine uzun uzun el sallıyorum.

Sakın bensizliğe alışma Haşim, sakın!

Kilometrelerce ötede bile olsam, yanında bil beni.

Şimdilik hoşça kal. En kısa zamanda görüşmek üzere...

21

Babamın durumu ağır. Ciddi bir beyin kanaması geçirmiş.

İlk yetmiş iki saati atlatırsa, yaşama umudu artar, diyor doktorlar.

Bekliyoruz...

Annem perişan. Otuz yılı aşkın bir süredir elini bırakmadığı babamın, camlı bir bölmenin ardında kendini bilmez bir halde yatışını kabullenemiyor. Hastaneden bir dakika bile ayrılmak istemiyor. Gözünün önünden uzaklaşırsa, babama bir şey oluverecek diye korkuyor.

Anaokulu, bu dönemde tam bir cankurtaran oldu benim için. Gündüzleri Dicle'yi oraya bırakıyorum. Gece ya ben ya da ablam çocuklarla beraber kalıyoruz.

Üçüncü günün sonunda, babamda yüreklerimize su serpen bir iyiye gidiş gözlemliyor doktorlar.

İki gün sonra komadan, beyin kanamasının haftasına da yoğun bakımdan çıkıyor. Ona yeniden kavuşmanın sevincini yaşıyoruz.

Ne var ki, bir tarafı tutmuyor babamın.

"Bu o kadar önemli değil," diyor doktoru. "Zaman içinde, fizik tedavisiyle en düşük düzeye indirebiliriz."

Ama asıl üzücü olan... Konuşamıyor babam! Beyin kanaması sırasında, konuşma merkezi hasar görmüş.

Bizi tanıyor. Konuşmalarımıza tepki veriyor. Ama yanıt yok! Ağzının içinde cansız bir et parçası gibi duran, işlevini yitirmiş dili, artık bize hiçbir şey söyleyemeyecek...

Hastane serüvenimiz tam bir ay sürüyor. İlk günkü tempoda, ablamla paylaştığımız akşam-sabah nöbetleriyle, kendimizden çok birbirimizi dinlendirmeye çalışmakla geçiriyoruz bu süreyi.

Bir ayın sonunda taburcu oluyor babam. Eve çıkıyoruz.

Tıbbi yönden iyiye gittiği söylense de, hastane günlerinden çok daha kötü görünüyor babam. Çünkü, bilinci tam olarak yerine geldi artık. Durumunun ayrımında.

Annemin kolunda, tutmayan ayağını sürükleyerek yürümeye çalışmasını görmek içime acı veriyor. Hele ağzını aralayıp bir şeyler söylemeye çabalaması, sözcüklerin yerine dudaklarının arasından çıkıveren anlamsız, garip sesler... Ardından kendini hapsettiği, kahır dolu sessiz dünyası... Dayanılır gibi değil.

Şu sıralar Diyarbakır'a dönmeyi düşünemem bile.

Babamı bir gün ben, bir gün ablam fizik tedavisine götürüyoruz. Annemin tek görevi, babama arkadaşlık etmek, elini tutup moral vermeye çalışmak. Bundan fazlasını bekleyemeyiz ondan. Yaşadıklarının etkisiyle yeterince yıprandı zaten.

Ablam işiyle ev arasında mekik dokuyor. Dicle, Göksel ve Gökçe'yle ilgilenmek ikimizin ortak görevi.

Bu haldeyken, nasıl bırakabilirim onları?

Sık sık konuşuyoruz Haşim'le.

"Köye gideceğim," diyor. "Babamın tansiyonu yükseldi. Hasat işi de bana kaldı. Burayı düşünme... Ben de burada olmayacağım nasılsa. Gerektiği kadar kalabilirsin İstanbul'da."

İstanbul'a gelişimin üçüncü ayı. Hiç bu kadar ayrı kalmamıştık Haşim'le.

Babamın durumu olabildiğince iyi. Fizik tedavisi tamamlandı. Bir haftadır, her gün eve masajcı geliyor, tutukluğunu hâlâ sürdüren kol ve bacağına masaj yapıyor.

Anneme ya da bastonuna tutunarak, evin içinde gezebiliyor artık. Düzelmeyen ve ne yazık ki düzelmesi beklenmeyen tek şey var; o da konuşması.

Diyarbakır'a dönme hazırlığı içindeyim. Burada yapacak işim kalmadı.

Gitmeden bir gün önce, bir torba dolusu çarşafı bana uzatıyor annem.

"Babanın bu haliyle çalışması çok zor," diyor. "Muayenehaneye git; aletlerin, eşyaların üzerine ört bunları."

Babamın, beni kapıda karşılamasına alışık olduğum muayenehaneye girerken, ayaklarım geri geri götürüyor beni.

Issız, terk edilmiş; içinde yaşayanların yokluğunda ruhunu yitirmiş, yabancı bir yere gelmiş gibiyim. İşimi bitirip, bu hüzün kokan ortamdan bir an önce uzaklaşmak istiyorum.

Önce küçük aletleri topluyorum, kutularına yerleştirip camlı dolaba kaldırıyorum. Sonra dişçi koltuğunun dolapların, çalışma masasının, bekleme odasındaki koltukların üzerini annemin verdiği çarşaflarla örtüyorum.

Bunları yapmakla, babamın üstünü bir daha açılmayacak, kalın bir örtüyle örtmüşüm gibi garip, ürküntü veren bir duyguya kapılıveriyorum.

Beyaz çarşaflarla korku filmlerindeki hayalet evlerine benzer bir görünüme bürünen bu yerden, kaçarcasına dışarı atıyorum kendimi.

Gözlerimden inen yaşları elimin tersiyle siliyorum. Artık işlevini tamamlamış görünen muayenehanenin ne zaman, hangi nedenle bir kez daha açılacağını aklıma getirmek bile istemiyorum.

22

Kaç gündür Haşim'e ulaşamıyorum. Köyde kaldığı zamanlar onu yakalamak zor. Ancak o aradığında konuşabiliyoruz.

Gideceğimizi bile haber veremedim ona.

Muayenehaneyi arayıp sekreterine not bıraktım.

"Birileri bizi karşılasın," dedim. Bu birisinin, iletimi alıp yollara düşecek Haşim olmasını dileyerek.

Öyle olmuyor. Haşim'in yerine yardımcısı Recep karşılıyor bizi.

"Haşim Bey köyde," diyor. "Sizi eve ben götüreceğim."

"Bu yıl hasat işi biraz uzun sürmedi mi?" diyorum içimden taşan isyanla.

"Köy işi bu. Belli mi olur?"

Konuşmayı uzatmaktan kaçınan bir hali var.

Bavullarımızı asansöre, oradan da evin kapısına kadar taşıyor. Sonra, verilen görevi yapmış olmanın huzuruyla arkasına bile bakmadan çekip gidiyor.

Anahtarı kilide sokuyorum. Kapı kendiliğinden açılıveriyor.

Şehriban! Ayların özlemiyle kucaklaşıyoruz.

"Geleceğinizi duydum," diyor. "Evi açıp havalandırdım; temizledim, derleyip topladım."

Bir gariplik var ama çözemiyorum. Geleceğimizden herkes haberdar. İşimizi kolaylaştırmak için gizli bir komutla yönlendirilmiş gibiler. Bir tek Haşim yok ortalarda...

"Hâlâ köyde mi Haşim?" diyorum.

"Köyde."

Gözlerini benden kaçırıyor mu, bana mı öyle geliyor bilemiyorum. Bavulları alıp içeriye gitmeye davranıyor...

Kolundan tutup koltuğa oturtuyorum.

"Neler oluyor Şehriban?"

"Ne olacak ki abla?" diye kıvranıyor karşımda.

"Başını kaldır," diyorum gözlerime bakmaya zorlayarak. "Şimdi anlat bakalım, benden saklamaya çalıştığın şey neymiş?"

Yüzünü basıveren kırmızılık, bir anda gözbebeklerine kadar yürüyor. Dudakları titriyor.

Benim can yoldaşım, dert ortağım Şehriban, benimle konuşmakta zorlanıyor... Duyacaklarımın ürküntüsüyle ürperiyorum.

"Ablam benim..." diyor titreyen bir sesle.

"Ablam benim..." diye yineleyip susuyor.

Sonra, kararını vermiş gibi başını sallıyor.

"Tamam," diyor. "Söyleyeceğim. Nasılsa duymayacak mısın?"

"Neyi?"

"Haşim Ağa'm... Haşim Ağa'm evlendi gelin abla."

Sonunda beklenen gerçekleşti demek...

İçgüdüsel olarak, böyle bir habere hazır değil miydim zaten?

Şu anda Haşim'e kızamıyorum bile. Kararlarının arkasında durmayı asla beceremeyen, direnme gücü zayıf, yaşamına şekil verecek en can alıcı konularda bile ailesine "hayır" demeyi öğrenememiş, onların yanında bir hiç; başkalarının döktüğü kalıba giriveren yumuşak bir hamur, kişiliğini yabancı ellere teslim etmiş bir zavallı o.

Tek tepkimin tepkisizlik olması Şehriban'ı şaşırtıyor. Yüzümde dolanan ürkek bakışları bağırıp çağırmamı, avazım çıktığı kadar haykırmamı, en azından ağlamamı bekliyor gibi.

Aslında yapmam gereken tek şey, gerisingeriye dönüp gitmek... Buradaki işim çoktan bitti.

Ama, beni burada alıkoyan çok önemli bir nedenim var.

İstanbul'a, babamı bu kez de kalpten götürmeye mi gideceğim?

Bundan sonra yaşayacaklarım ürkütmüyor beni. Zaten dibe vurmuşum. Öldürücü darbenin ardından gelecek küçük sarsıntıların lafı mı olur?

Benim sakin halim Şehriban'ı yüreklendiriyor. Bilmem gerektiğini düşündüğü ayrıntıları bir bir anlatmaya koyuluyor.

Tahmin ettiğim gibi, Lamia Hanım'ın muayenehaneye gönderdiği kız. Adı Zühre. Pek güzel değil ya da üzülmemem için öyle söylüyor Şehriban.

Düğünü iki hafta önce köyde yapmışlar. Gelin odasını da köydeki evde hazırlamışlar. Hep orada kalacakmış Zühre.

"Yalnız bir kez konağa geldi," diyor Şehriban. "El öpmeye. Öyle görgüsüz bir kız ki... Yeni aldıkları, pilili bir etek vardı üzerinde. Hani ütüsü bozulmasın diye pililerin üstüne teyel atarlar ya. Onların sökülmesi gerektiğini bile bilmiyor. O halde çıktı insan içine. Reyyan Abla kenara çekip iplikleri sökmese, öyle gezmeyi sürdürecekti."

Ah Şehriban! Güzel değil, görgüsüz... Beni rahatlatmak için daha neler söyleyeceksin?

Bunların hepsi boş laf!

Öyle ya da böyle; kocamın koynuna giriyor mu, girmiyor mu? Sen ondan haber ver...

Bir haftadır evden dışarıya adımımı atmadım.

Dicle'nin bütün yükü Şehriban'ın omuzlarında.

Yaptığım tek iş, saatlerce masanın başında oturup önümdeki kâğıtlara anlamlı anlamsız şekiller çizmek; beğendiklerimi çerçeveleyip, beğenmediklerimi karalayarak beynimin içinde birikmiş zehri dışarıya akıtmaya çalışmak.

Tam ayaklarımın dibinde oluşmuş şiddetli sarsıntıya karşı ayakta kalabilmek için, kendimce ürettiğim yöntemleri şaşkınlıkla izliyor Şehriban.

Kâğıt üzerindeki şekiller, yavaş yavaş farklılaşmaya başlıyor. Yerlerini harflere, rakamlara ve giderek tarihlere bırakıyorlar.

Aslında, geleceğimin krokisini çiziyorum ben. Yürüyeceğim yolun altyapısını oluşturuyorum.

Günlerce sürdürüyorum bu eylemimi. Sonunda rahatlamış, uygulayacağı kararları almış; kafasında, yıllar sonrasına uzanan planlar yapmış bir Piraye olarak kalkıyorum masadan. Eskisinden daha güçlü, ne istediğini bilen; kendine duyduğu güveni kimselerin yıkamayacağı yepyeni bir Piraye...

23

Şehriban çalan telefona bakıp bakmamakta kararsız, bana bakıyor.

"Aç," diyorum.

Bir süre karşıdan gelen sesi dinledikten sonra, ahizeyi açık bırakıp yanıma geliyor.

"Haşim Ağa'm," diyor. "Bu akşam gelmek istiyormuş. Piraye Abla'na bir sor dedi."

"Buyursun," diyorum. "Beklediğimi söyle."

Akşam, elinde kocaman bir buket gülle geliyor Haşim.

Salona geçip oturuyoruz.

İçeriden koşup gelen, babasının kucağına zıplayan Dicle'yle özlem gidermelerini sessizce izliyorum.

"Şehriban," diye sesleniyorum. "Dicle'nin uyku saati. Odasına götürebilirsin."

Şehriban, Dicle'yi alıp salondan çıkıyor.

Haşim gözleri yerde, söze nereden başlayacağını kestirememenin kararsızlığıyla oturduğu yerde kıpırdanıyor.

"Piraye," diyor sonunda. "Ne söylesen haklısın. Bağır, çağır, vur, kır, tokatla beni... Hepsini fazlasıyla hak ettiğimi biliyorum. Ama çaresiz kaldım. Daha fazla karşı koyamadım anama. Çok üstüme geldiler. Geceler boyu, bitip tükenmek bilmeyen işkencelerin hedefi oldum. Ah, keşke sen yanımda olabilseydin... En son babam da tavrını koyunca, elim kolum bağlandı."

Kendi ateşli konuşmalarının yanında, benim tepkisiz halimi ayrımsıyor birden.

"Yalvarırım susma! Bir şeyler söyle. Bağır, küfret, aşağıla... Ama sesini duyur bana."

"Ne diyeyim," diyorum tüm alaycılığımla. "Hayırlı uğurlu olsun. Seni de tüm içtenliğimle kutluyorum. Ailene layık bir evlat olduğunu kanıtladın. Seninle ne kadar gurur duysalar azdır."

"Öyle deme... Biliyorsun, göstermelik bir evlilik. Yalnızca çocuk için. Geri planda kalmaya mahkûm, yüzünü bile görmeyeceğin, köyde yaşayan bir kadın... Kendini asla onunla bir tutamazsın."

"Yapma Haşim," diye gülüyorum. "Kendimi kimseyle kıyasladığım yok. Ama, üzerime getirilen kumayı gönül rahatlığıyla kabullenirsem, üst katımızdaki büyük kumadan ne farkım kalır benim?"

"Hamile kalana kadar. Sonra bitecek... Önemli olan, ondan alacağımız çocuk."

"Ne kadar acımasızsınız," diyorum öfkeyle. "Sizin gibi zalimlerin eline düşmüş bir zavallı o... Ekilmeye hazır bir tarla sanki. Tohum atıyorsun; sonra vereceği ürünü alıp yüzüstü bırakıveriyorsun, öyle mi?"

"Tersi mi olsun istersin? Karşındaki hasmını neden savunduğunu anlamıyorum doğrusu."

"Ortada hasım falan yok Haşim Bey. Bu yaşananlar tümüyle benim dışımda kalıyor. Kuma konumunu da asla yakıştırmıyorum kendime. Hani kir tutmayan, üstü kaygan taşlar vardır... Ne dökersen dök üzerine, bulaştıramazsın. Beni de öyle düşün. Kuma diye, zorla giydirmek istediğiniz elbise, üzerimden kayıp ayaklarımın altına seriliveriyor."

Şaşkınlıkla bakıyor yüzüme. Kumalığın bundan ötesi nasıl olacak, der gibi. Söylediklerimden hiçbir şey anlamadığı belli.

"Yani," diyorum. "Sana çocuk verecek bir eş buldun; ama eskisini yitirdin. Bu elbise bana uymaz Haşim Bey!"

Allak bullak oluyor yüzü.

"Nasıl bu kadar rahat konuşabiliyorsun? Senden vazgeçebilir miyim ben?"

"Bu işe kalkışırken bana sordun mu? Sormadın. Çünkü yanıtımın ne olacağını çok iyi biliyordun. O yanıt değişmedi... Hayatından çıkmak, benim için hiç de zor değil."

"Dayanamam buna."

"Bu olasılığı baştan göze alman gerekirdi. Daha anlaşılır söylememi istersen, bu iş bitti Haşim! Yolun açık olsun. Doğacak boy boy çocuklarınla mutluluklar dilerim sana."

"Bak Piraye, önünde başım eğik. Ne söylesen kabulüm. Ama..."

"Bırak bunları," diye kesiyorum. "Erkek dediğin, başı öne eğik durmaz! Başını eğdirecek eylemlere de asla kalkışmaz."

"Aşağılıyorsun beni..."

"Bana göre en büyük aşağılanma, eşler arasındaki aldatma olayıdır. Kuma dediğin nedir? Aldatmanın bilineni, saklanmaya gerek duyulmayanı..."

"Olur mu hiç?"

"O halde söyle bakalım. Benim yerime senin çocuğun olmasaydı... Ve ben anne olabilme uğruna, hamile kalıncaya kadar, senin rızanla bir başkasıyla ilişkiye girebilir miydim?"

"Olmaz öyle şey!"

"Bence ikisi arasında en ufacık bir fark yok. Gece başını yastığa koyduğunda bir düşün istersen; haklı mıyım, haksız mıyım?"

Kararlılığım, şaşılacak derecedeki sakinliğim, bulunduğumuz şartlara zıt düşecek esprilerim karşısında umarsızca teslim oluyor.

"Peki, bundan sonra ne yapmayı düşünüyorsun?"

"Bu ev senin olduğu kadar benim de. İstanbul'da ya da burada olması fark etmiyor."

"Yani, İstanbul'a dönmüyorsun..."

Yüzünde beliren sevinç ifadesine izin vermiyorum.

"Şimdilik buradayım, ama bunun seni ilgilendiren bir yönü yok. İleriye dönük planlarım böyle olmasını gerektiriyor."

"Arada bir seni görebilir miyim?"

"Hayır."

"Kızımı?"

"İstediğin zaman görebilirsin. Şehriban, Dicle'yi getirir sana..."

Konuşmanın bittiğini anlatmak ister gibi ayağa kalkıyorum.

"Sanırım konuşulacak başka bir şey kalmadı."

"Boşanmayacaksın değil mi benden?"

Gülüveriyorum.

"Merak etme, onu da düşündüm. Ama zamanı var..."

Hey gidi Piraye, hey!

Bu durumlara düşeceğin, aklına gelir miydi hiç?

Gelmeliydi aslında!

Neyine güveniyordun? İstanbullu, okumuş bir gelin olmanın seni, acımasız törelerden uzak tutacağını mı sanıyordun?

Anadolu kadınının yazgısı diye dudak büktüğün, yalnızca onların katlanabileceği bir aşağılanma olarak gördüğün "kuma" gerçekliğiyle yüz yüze gelmeyi, asla aklına getirmiyordun, değil mi?

Büyük yanılgı!

Ne farkın ya da ne ayrıcalığın var onlardan? Hepinizin "kadın" olmayı bölüştüğünüzün farkında değil misin?

Biraz gerilere git istersen... Kendini Nâzım'ın kızıl saçlı Piraye'siyle özdeşleştirdiğin günlere.

Hiç hayıflanma, o şiirsellikten uzak düştün diye. Gözlerini aç ve o günlerde göremediğin gerçeği gör artık...

Nâzım da o sevda yüklü dizelerini eliyle bir kenara itip, daha sıcak bulduğu kollara koşmamış mıydı? Yere göğe sığdıramadığı Piraye'sini başka kadınlarla aldatmamış mıydı?

Haşim'in yaptığı, onunkinden çok mu farklı?

Kumalığı paylaşan diğerleri gibi, sen de bir kadınsın!

Nâzım'ın da Haşim'den farklı bir erkek olmadığı gibi.

Kendince tanrılaştırdığın, tapınmaktan gurur duyduğun putların, gerçekte basit birer taş parçası olduğunu ne zaman kavrayacaksın?

Ama, gönlün hâlâ gerilerde bir noktaya takılı kaldıysa eğer, sevinebileceğin bir gerçeklik duruyor orada.

İşte şimdi, Nâzım'ın kızıl saçlı Piraye'siyle tam olarak özdeşleştin.

Kutlu olsun.

✤✤✤

Dediğin oldu Ömer!

Temelleri İstanbul'da kalmış billur köşkünü ayakta tutamadı Piraye. Yerle bir, ayaklarının dibinde şimdi.

Üzerine yenisini inşa etmesi olanaksız. Böyle bir mucizeyi aklına bile getirmiyor. Yıkıntının ortasında, boğazına kadar gömüldüğü taş yığının arasından sıyrılmak çabasında.

Paramparça olmuş billur tanelerini eski yerlerine koyup, aynı görkemde bir köşkü yeniden yaratamayacağını çok iyi biliyor. Gene de yürekli.

Bu yürekliliğiyle, hiç yatışmayacak gibi görünen toz duman bulutunun üzerine, yalnızca kendisini barındıracak, küçücük bir kulübe kondurabilir mi acaba?

24

Kör bir kuyunun dibine vardıktan sonra, yitirilecek hiçbir şeyin kalmadığı bilinci, umulmadık bir güç veriyor insana.

Tırnaklarınla çentikler açıyorsun karanlık duvarların üzerinde... Kan revan içinde kaldığına aldırmadan, milim milim, düze çıkarmaya çalışıyorsun bedenini.

Can havliyle yarattığım minik çentiklerimin, içine düştüğüm çözümsüzlük dehlizinden çıkmamı sağlayacaklarından emin değilim. Ama, karanlığın ucunda beliriveren, güneş doğumu öncesinin gölgeli aydınlığını çağrıştıran cılız ışığa, sürünerek de olsa ulaşmak zorundayım.

Yaşamak... Yosun gibi, ot gibi... Ya da yediveren gülleri kıskandıracak verimlilikte. Her yönüyle, yalnızca beni ilgilendiren bir kavram. Onu sürdürmek ya da sonlandırmak bile bana kalmış.

Yaşatmak ise sorumluluğum! Dicle var geride... Ona can veren bedenim, onu yaşatmak için yaşamak zorunda...

✤ ✤ ✤

Planlarım doğrultusunda yaptığım ilk iş, Dicle Üniversitesi Dişhekimliği Fakültesi'ne gitmek oluyor.

Çalışmak istiyorum. İçinde boğulduğum bunalımlı ortamda bile ayakta durabileceğimi kendime kanıtlamak için. Siyah beyazdan katran karasına dönüşmüş dünyama biraz olsun renk katmayı umarak.

Tam da beklediğim gibi bir yanıt!

"Kadro yok. Kadrosuz çalışmayı kabul ederseniz..."

Neden etmeyeyim ki? Kısılıp kaldığım karanlık hücrenin köşesindeki çelimsiz ışığa dört elle sarılmaktan başka umarım var mı?

Hiçbir şeyin rastlantısal olduğuna inanmıyorum. Umut kapılarının birer birer yüzüme kapandığı bir sırada karşıma çıkan iş fırsatı, yepyeni bir pencere açtı önüme.

Her sabah kızımın kahvaltısını ellerimle yaptırdıktan sonra, onu Şehriban'ın güvenli kollarına teslim edip işime koşuyorum. Durup dinlenmek bilmeden, çevremdeki meslektaşlarımın sorumluluğundaki hastaların tedavilerini bile üstlenerek, soluk almamacasına, delice bir güçle akşam saatlerine kadar çalışıyorum.

Eve döndüğümde Dicle'yi kucaklayıp kokusunu içime çekmek, tüm yorgunluğumu unutturuyor bana.

O günden beri Haşim'le hiç karşılaşmadık. Hafta sonları Dicle'yi almaya geldiğinde, arabanın içindeki siluetini uzaktan uzağa görmem dışında.

Şehriban'la Dicle'nin arabaya binişlerini, Dicle'nin özlemle babasına atılışını kayıtsız kalmaya çabalayarak izliyorum.

Bu tablonun her hafta sonu yinelenmesine alıştım artık. Şehriban'ın her dönüşünde konaktan getirdiği, dedikodu kokan; etkilenmemeye çalıştığım haberleri kanıksadığım gibi.

Ne var ki, verdiği son haber, ardına sığındığım aldırmazlık zırhını delip geçmeye yetiyor.

Gözlerinde garip, öfkeyi çağrıştıran bir ifade var Şehriban'ın.

"Yeni gelin şehre gelmiş bu hafta," diyor.

Bana ne bundan? Haşim Ağa'nın karısı değil mi; gelecek tabii.

"Hamileymiş!"

İlk tepkim, istem dışı, Dicle'yi kucaklayıvermek oluyor. Sımsıkı sarılıyorum kızıma. Onun minicik yüreğine avutucu bir şeyler iletmek ister gibi.

Bana vurulan darbeyi kendi yöntemlerimle savuşturmayı başardım. Ama yeni tokatın Dicle'min suratında şaklamasını nasıl engelleyeceğimi bilemiyorum.

Asıl kumayı şimdi getirdin Haşim! Hem benim, hem de kızımın üzerine...

Beni karanlık kollarına çeken sızılı duygularımdan sıyrılıp; beynimin, mantıklı düşünmem gerektiğini fısıldayan akılcı köşelerine sığınıyorum.

Beklenen sonuç bu değil miydi? Neden ikinci kez evlenmişti Haşim? Neden yere göğe sığdıramadığı Piraye'sinin üzerine kuma getirebilmişti? Çocuk için! Tamam işte, istediklerine kavuştular sonunda... Üzerime gelen kumayı bile sindirip oturmuşken, bu durumu sorun haline getirmem anlamsız.

Hatta, çizdiğim krokiye işlerlik kazandırmak yolunda atacağım adımları çabuklaştırmam gerektiğini gösteren bu gelişmeye minnet bile duymalıyım.

Annemle babam, içinde bulunduğum durumu bilmiyorlar henüz. Ne köydeki yeni gelinden, ne de onun Artukoğlu ailesine kazandıracağı çocuktan haberleri yok.

Ama ablamla ilk günden beri her şeyi paylaşıyorum. Ona kalsa, burada bir dakika bile durmamam gerek. "Hemen atla gel," diyor.

Bense, bu iş için önümüzdeki yaz tatilinin uygun olacağını düşünüyorum.

Önce annemle babamı hazırlamam gerek. Alıştıra alıştıra anlatmalıyım onlara. Yaralı duygularını daha fazla örselemeden... Ablamdan sonra alacakları ikinci darbenin şiddetini biraz olsun azaltabilmek için.

25

Yaz başında, bana en zor dönemlerimde destek olan, ayakta durma gücü veren ama geçici bir süreyi kapsayacağını baştan bildiğim işimden ayrılıyorum.

Bu, beni ve kızımı İstanbul'a taşıyacak planımın ilk adımı.

Önce iki haftalık bir tatile çıkar gibi gideceğiz İstanbul'a. Gerekli gördüğüm altyapıyı hazırlamak, ailemi bu yeni konumla tanıştırmak için.

Sonra gelip eşyalarımı toplayacağım. Diyarbakır'la son buluşmamız olacak bu.

Şehriban, Dicle'yle beraber konağa gitme hazırlığında. Tatil öncesi, babasıyla ve konaktakilerle vedalaşacak kızım.

Biraz gecikiyor Haşim. Şehriban'la Dicle, yolun kenarında uzunca bir süre onun gelmesini bekliyorlar. Neden sonra gelip önlerinde duran arabaya binişlerini, bir sonu ya da sondan bir öncesini yaşamanın burukluğuyla izliyorum.

Yarım bıraktığım işimin başına dönüyorum yeniden. İki hafta için yeterli gördüğüm eşyalarımızı bavula yerleştiriyorum.

Şehriban'la Dicle, gidişlerinin üzerinden bir saat bile geçmeden dönüyorlar. Alışılmış bir durum değil bu.

Yanakları alev alev Şehriban'ın. Anlam veremediğim, heyecanlı bir hali var.

"Zühre doğurmuş!" diyor ateş saçan bakışlarıyla.

Bir anda algılayamıyorum söylediklerini. Dışa vurmasam da, kendi belirlediğim takvime göre böyle bir haberi beklemiyorum henüz.

"Erken doğum," diye ekliyor Şehriban.

Meraklı bakışlarımın anlamını çok iyi biliyor.

"Kız," diyor. "Gene bir kızı oldu Haşim Ağa'nın."

Aldırmaz görünmeye çalışarak omuz silkiyorum.

"Hastaneye gitti hepsi," diyor Şehriban.

İlk kez bir şey sormak gereksinimi duyuyorum.

"Doğumu burada mı yapmış?"

"Hayır. Normal zamanında olsa, hanımanne onu şehre getirecekti. Birden sancılanınca köyde doğuruvermiş. Ama..."

İçeriye girdiğinden beri soluk almadan konuşan; yaşadıklarını, gördüklerini, duyduklarını bir an önce bana iletmek için kendisiyle yarışan Şehriban birden susuveriyor.

"Ama," diye yineliyor. "Ebe yetişinceye kadar... Kordon boynuna dolanmış bebenin. Uzun süre öyle kalınca da... Sakat doğmuş! Boynundan aşağısı tutmuyormuş."

Ardı ardına, daha birini özümsemeden diğerini aldığım bu çarpıcı haberlerin dehşetiyle afallıyorum.

Şehriban ise, hiç yakışık almayan bir biçimde içindekileri dışa vuruyor.

"Allah'ın sopası yok! İşte böyle vurur insana, böyle verir cezasını. Ağlayıp dövünmesinler hiç... Ektiklerini biçiyorlar."

Çok kızıyorum.

"Sus," diyorum. "Söylediklerini duymamış olayım. Ne günahı var o masum bebeciğin?"

Bana aldırmıyor bile.

"Daha bu bir şey değil! Göreceksin... Öyle umulmadık gelişmeler yaşayacaklar ki, adlarını sürdürecek veliahtı istediklerine, isteyeceklerine pişman olacaklar."

Sırtımdan aşağıya doğru yabansı bir ürperti iniyor.

"Yeter," diye susturuyorum. "Ben bile bunları söylemezken, sana ne oluyor böyle? Haşim Ağa'nın nasıl yıkıldığını, kahrolduğunu düşünmüyor musun?"

"Senin yanına bir şeytan gerek abla," diye garip bir gülüşle yüzüme bakıyor. "Bu melek halinle, onlarla başa çıkacağın yok..."

26

Karmaşık duygular içinde iniyorum İstanbul'a.

"Sonunda gelebildin!" diyor ablam.

Bir an önce annemle ve babamla konuşmamdan yana.

"Dur biraz," diyorum. "Zamanı var."

Babam çıkardığı anlamsız seslerin iniş çıkışıyla, bize kavuşma sevincini yansıtmaya çalışıyor. Onu bu halde görmekten bir kez daha kahroluyorum.

Eski günleri çağrıştıran bir bütünlük içinde sofraya oturuyoruz. Damatlar olmasa da, üç torunun kazanımıyla avunmaya çalışarak.

Babamın yemeğini annem yediriyor. Onlardan yana bakmamaya çalışıyorum.

Yemeğin ardından, bu evin Piraye'si kimliğimle kahve yapmaya kalkıyorum. Mutfağa doğru yürürken, kasıklarımdan başlayıp tüm karnımı sarıveren şiddetli bir kasılmayla öylece kalakalıyorum.

"Neyin var senin?" diye koşuyor ablam.

"Geçer şimdi. Ne zamandır oluyor bu sancılar..."

"Deli misin sen? Neden bir doktora gitmedin?"

Yanıt verecek halde değilim. Bir koluma annemin, diğerine ablamın girmesiyle, yatağa kadar güçlükle yürüyorum.

Birazdan hafifliyor sancım.

"Geçti işte," diye gülümsüyorum. "Merak edilecek bir şey yok."

"Olmaz öyle şey," diyor ablam. "Yarın ilk iş doktora gideceğiz!"

✤✤✤

"Profesör ya da sosyete doktoru takıntılarını bırak," diyor ablam. "Benim doktoruma götüreyim seni. Göksel'in de, Gökçe'nin doğumunu o yaptırdı. Güvenilir bir doktordur."

Gidiyoruz.

"Kardeşimi getirdim Yılmaz Bey," diyor ablam. "Sizin emin ellerinize teslim ediyorum."

Yılmaz Bey önce şikâyetlerimi dinliyor. Doğum, düşük ve kürtaj sayımı soruyor.

"Kız kısırıyım ben," diyorum.

"O da neymiş öyle?" diye gülüyor.

Anlatıyorum.

"Demek tüpleriniz yapışıkmış," diyor. "Görelim bakalım."

Muayenenin ardından, "Ağrı şikâyetinizin önemli bir nedeni yok," diyor. "Biraz iltihap var. Güçlü bir antibiyotik tedavisiyle hiçbir şeyiniz kalmaz."

Ultrasona sokuyor beni.

"Evet," diyor. "Yumurtalık kanalları kapalı görünüyor. Ancak, ultrasonda bile göze çarpmayan noktalar olabiliyor. Bir de ilaçlı film çekmemiz gerek..."

Beraberce alt kattaki röntgen laboratuvarına iniyoruz.

Normal boyutların çok üstünde; büyük, iğnesiz bir enjektöre yağlı bir sıvı çekiyor Yılmaz Bey.

"Bu röntgen maddesinin yayılmasıyla ne var ne yok göreceğiz," diyor. "Yalnız baştan söyleyeyim, biraz acılı bir işleme hazırlıklı olun."

Röntgen masasının üzerine uzanıyorum. Doktorum yumuşak hareketlerle, elinden geldiğince canımı yakmamaya çalışarak uygulamaya geçiyor.

"Rahim ağzı biraz dar," diyor. "Bujiyle açmamız gerek. Derin nefes alın lütfen."

Birden, bedenimden bir parçayı söküp alıyorlarmış gibi, korkunç bir acıyla sarsılıyorum. Doğum sancısı bunun yanında hiçbir şey! Böyle bir acı olamaz! İçimde bir yerler parçalanıp, lime lime ediliyor sanki. Masanın üzerinde kasılıp kalıyorum.

Acının şiddetinden, gözümden yaşlar boşanıyor. Doğumda bile bağırmayan ben, haykırmamak için ellerimi ağzıma kapatıyorum; parmaklarımı dişliyorum, tırnaklarımı avucuma gömüyorum... Tüm hücrelerimden ter fışkırıyor.

"Biraz dayanmanız gerek," diyor doktor. "İlacın yayılması uzun sürebilir."

Ağrı şokuna girmek üzereyim. İçim çekiliyor. Bayılmamalıyım. Derin derin soluk alıp veriyorum.

"Bitti," diyor Yılmaz Bey sonunda. "İlacın yayılması tamamlandı. Şimdi filmimizi çekebiliriz."

Bundan sonrası kolay. Sıradan bir röntgen çekimi. Ama ben bitik durumdayım.

"Kalkabilirsiniz," diyor doktor.

Kalkamıyorum. Her tarafım zangır zangır titriyor.

Dışarıda bekleyen ablamı çağırıyor Yılmaz Bey. Onun yardımıyla, güçlükle doğrulabiliyorum.

"Bir saat sonra gelip sonucu alabilirsiniz," diyor Yılmaz Bey.

"Şu pastanede oturup bir şeyler içelim," diyor ablam. "Sen de biraz dinlenmiş olursun."

"İyi olur," diyorum.

Ayakta duracak halim yok.

İçtiğim koyu kahve, az da olsa kendime getiriyor beni.

"Böyle bir işleme ne gerek vardı," diye söyleniyorum. "İltihap varsa ilacını verir, olur biter."

"Öyle deme," diyor ablam. "Biraz acı çektin ama, kesin bir sonuç alacağız hiç değilse. Her neyse... Şimdi bunları bırak da söyle bakalım; kesin kararını verdin mi sen?"

"Verdim."

"Bu akşam annemlerle de konuşalım."

"Yalnız annemle! Babamı bu haliyle üzmeye gönlüm elvermiyor."

"Sen bilirsin. Planın nedir?"

"Eşyalarımı toplayıp, işlerimi bitirir bitirmez geleceğim. Bir ev tutarım..."

"Bizimle oturmayacak mısın?"

"Hayır. Şehriban, Dicle ve ben tek başımıza bir aileyiz zaten. Diyarbakır'daki düzenimizi burada da sürdürebiliriz."

"Muayenehaneyi açıp çalışmaya da başlayabilirsin artık..."

"Asla! Böyle bir şeyi aklıma bile getiremem. Her santimi babamın izlerini yansıtan o yerde elim tutmaz benim. Hem ona, İstanbul'a temelli geldiğimi de söylemeyebilirim. Evlerimiz ayrı olacak zaten. Belli aralıklarla Diyarbakır'dan geliyormuşum gibi uğrar, idare ederim."

"Boş oturmaktan sıkılmaz mısın?"

"Düzenimi kurunca, kendime göre bir iş bulurum; merak etme."

En ince ayrıntılara girecek kadar, her şeyi düşünmüş olmam ablamı sevindiriyor.

"İyi," diyor. "Önemli olan karar verebilmekti. Uygulaması kolay."

Bir saat sonra yeniden Yılmaz Beyin karşısındayız.

Yüzü gülüyor doktorumun.

"Harika bir sonuç," diyor. "Tüpler tam olarak kaynamamış demek; yalnızca yapışıklık varmış. İlacın geçişiyle açılıverdi. Yani bu röntgen çekimi, sizin için küçük bir operasyon yerine geçti. Onun için de acınız alışılagelenden çok oldu. Bu tür durumlarla, pek sık olmasa da, karşılaşabiliyoruz. Röntgen maddesi tıkalı olan yolları açabiliyor. Şu anda yumurtalık kanallarınız açık ve pırıl pırıl; gölge görünmüyor."

"Yani?"

"Hamile kalmamanız için hiçbir neden yok."

Bu sözleri algılayabilmem, algılasam da özümseyebilmem öylesine zor ki... Bir saat önce bedenimde duyduğum acıların benzerini, bu kez de beynimin derinliklerinde yaşamaktayım.

"Ha... Söylemeden geçemeyeceğim; *kız kısırı* gibi saçma sapan yakıştırmaları da kafanızdan silip atın. Sizin gibi aydın bir insanın ağzına hiç yakışmıyor."

Ablamla beraber muayenehaneden çıkıyoruz.

"Hemen boşan Haşim'den," diyor. "Karşına çıkacak, aklının yattığı ilk doğru insanla da evlen. Kucağında bir başkasından doğan çocukla karşısına geçtiğini düşün... Bundan iyi intikam olabilir mi?"

Ben daha iyi bir intikam yolu biliyorum ablacığım. Ama düşündüğüm şeyi gerçekleştirmek için artık çok geç...

Hemen o akşam, annemi aramıza alıp durumu anlatıyoruz ablamla.

Üst üste gelen acılardan kavrulmuş yüreği, umduğum kadar şiddetli tepki vermiyor. Hatta, İstanbul'a yerleşeceğimi, yakınında olacağımı düşünerek seviniyor bile.

Artık iç rahatıyla dönebilirim Diyarbakır'a.

Son kez! Vedalaşmak üzere...

27

Hafta sonunu beklemeden Dicle'yi almaya geliyor Haşim. Kızını özlemiş. Şehriban'ı da alarak konağa gidiyorlar.

Ben de toparlanmaya başlamalıyım artık. Fazla bir şey götürmeyeceğim buradan. Kişisel eşyalarım ve giysilerim... Şehriban'la Dicle'ninkileri de hesaba katarsam, gene de epeyce yükümüz olacak.

Yüklükten bavulları indiriyorum. En alta kışlıkları koymalı. Naftalinleyip kaldırdığım kazakları dolaptan çıkarıp, en büyük bavulun altına yerleştiriyorum.

Kapıda dönen anahtar sesi, bizimkilerin geldiğini gösteriyor.

Erken geldiler...

Şehriban, Dicle'yi kucağından yere bırakıp heyecanla bana koşuyor.

"Haşim Ağa'm aşağıda... Arabayı park edip gelecek o da."

"Nereden çıktı şimdi bu?"

"Bak abla... Yanlış yoldasın. Söylemedi deme. Zühre almış çocuğu gelmiş; yeşil gelin odasına yerleşmiş. Haşim Ağa'm da yanlarında."

"Bana ne bundan?" diye omuz silkiyorum.

"Böyle davranmak ne kazandırıyor sana? Başta Lamia Hanım, konaktakilerin ekmeğine yağ sürmekten başka? Meydanı boş bıraktın. Onların da istediği buydu zaten. Oysa Haşim Ağa'ma biraz yakın dursaydın, hırslarından deli olurlardı."

"İş bu noktaya gelmişken, bunları konuşmak anlamsız."

"Neden? Neden sen de, senin yüreğini yakanların içini eritmeyesin ki?"

Kapının zil sesiyle bölünüyor konuşmamız.

"Girebilir miyim?" diyor Haşim ürkek bir tavırla.

Sonra yanıtımı beklemeden, salona doğru yürüyor.

Karşılıklı oturuyoruz.

Son gördüğümden çok farklı bir görünümde Haşim. En az on yaş ihtiyarlamış, omuzları çökmüş; yüzüne karamsar bir ifade gelmiş oturmuş.

"Dayanamıyorum Piraye," diye orta yerinden giriyor konuşmaya. "Kaldıracağımın çok üzerinde bir yükün altındayım. Yaşadıklarım yetmezmiş gibi; bir de bakıma muhtaç, özürlü bir çocuğun yükü bindi omuzlarıma."

"Çocuk için üzüldüm," diyorum.

"Senin ahın tuttu!"

"Ben ah etmedim ama. Hiçbir günahı olmayan masumdan ne isteyebilirim ki?"

"Tanrı'nın takdiri belki de... Adını Kader koyduk. Kaderin bize oynadığı oyunun ürünü olarak karşımda duran kızıma daha uygun bir ad bulamadım ne yazık ki."

Halinden etkilenmemek elde değil. Ardı ardına gelen acıların ortasında umarsızca çırpınıyor.

"Seninle paylaşmak istedim," diyor. "Tek arkadaşım sensin çünkü..."

Sıcacık bir nefes gibi içime akıyor bu sözler. Daha önce aklıma gelmemiş bir gerçeği yansıttığından belki. Yatağını, sofrasını, yuvasını başkalarıyla paylaşsa da, arkadaşı olma ayrıcalığı yalnızca bana ait.

"Bu yaz fazla kalmadınız İstanbul'da," diyor.

"Tatil için gitmemiştim," diyorum kısaca.

"Tatil..." diye başını sallıyor. "Dicle'yle seni alıp tatile gidebilmek için neler vermezdim... Neyse, gerçekleşmeyecek hayallere kafa yormanın anlamı yok."

Dicle'yi kucağına alıp göğsüne bastırıyor. Birden aklına gelmiş gibi heyecanla konuşmaya başlıyor.

"Ama hep beraber yemeğe çıkabiliriz, öyle değil mi?"

Elindeki çay bardağını bana uzatan Şehriban'la göz göze geliyoruz. Şimdi sen buna da hayır dersin, der gibi sertçe bakıyor yüzüme.

"Diyarbakır küçük yer," diye gülüyorum. "Herkes durumumuzu az çok biliyor. Görenlerin yanlış yorumlamasını istemem."

Şehriban, Haşim'in yanında ilk kez söze karışma cesaretini buluyor kendinde.

"Kimin ne demeye hakkı var abla?" diyor. "Nikâhlı karısı değil misin Haşim Ağa'mın?"

Ani bir kararla doğruluyorum.

"Dicle'nin üstünü değiştir o halde," diyorum Şehriban'a. "Sen de güzel bir şeyler giyin. Yemeğe çıkıyoruz."

Haşim'in şaşkın, ama bir o kadar da sevinç içeren bakışlarını arkama alarak, salondan çıkıp hazırlanmaya gidiyorum.

Seyrantepe'de, geniş bir arazi üzerine kurulmuş, yeşillikler içinde şirin bir restoran.

Önce Dicle'yle benim oturmamıza yardım ediyor Haşim. Sonra, yanına Şehriban'ı alarak karşımıza geçip oturuyor. Onunla buraya gelmeyi kabul ettiğime hâlâ inanamıyor gibi. Gözlerinden taşıp bize ulaşan minnet dolu bakışlarıyla teşekkür ediyor bana.

Gözünü bir an bile üzerimizden ayırmadan, yediğimiz her lokmayla ilgilenerek; kendince, aradaki açığı kapatmaya çalışıyor.

"İyi akşamlar Haşim Bey!" diyen sesle başımı kaldırıyorum.

Nermin Hanım. Lamia Hanım'ın komşusu ve can dostu. Yanında da kocası.

"Siz buralara gelir miydiniz?" diyor kocası.

İkisinin de gözü Dicle'yle benim üzerimizde. Bizi suçüstü yakalamanın sevincini yaşıyor gibiler. İnceden inceye süzerek, konuşmayı uzatarak dedikodu malzemesi toplamaya çalıştıkları belli.

Şehriban durumdan hoşnut, anlamlı bir gülüşle bakıyor bana.

Bu umulmadık gelişme, benim de fazlasıyla hoşuma gidiyor doğrusu. Benzer gülüşle yanıtlıyorum Şehriban'ı. İkimiz de, Haşim daha eve dönmeden bu haberin Lamia Hanım'a ulaştırılacağını çok iyi biliyoruz.

Duyduğunda, Lamia Hanım'ın yüzünün alacağı şekli gözümün önüne getirmeye çalışıyorum...

Şehriban haklı galiba. Neden bunca zamandır böyle davranmadığıma hayıflanıyorum. Beni üzenlerin yüzüne düşüreceğim gölge uğruna, doğrularımdan biraz ödün versem ne çıkardı ki? Bunları giderayak düşünmekle çok mu geç kaldım acaba?

Nermin Hanım'la kocasının ardından sürüklenen düşüncelerim, beni Haşim'e çeviriyor.

"Şu tatil önerin," diyorum. "Hâlâ geçerli mi?"

Söylediklerimi algılamakta, algıladıklarına inanmakta güçlük çekiyor.

"Piraye!" diye haykırıyor. "Bana yeniden can verdiğinin farkında mısın?"

İstanbul'a dönüş için çıkardığım büyük bavulları öylece bırakıp, küçük bir tatil bavulu hazırlamaya başlıyorum.

Haşim, Dicle ve ben... Üçümüzün baş başa tatile çıktığını duyduğunda, Lamia Hanım ne düşünecek acaba?

İskenderun'un tatil beldesi Arsuz'da, daha önce Nurgül ve Emir'le beraber kaldığımız kıyı oteline yerleşiyoruz.

Adımımı attığım her yerde eski günleri anımsatacak bir şeylerle karşılaşmak yıpratıcı; ama, bu keyifli tatil ortamını kızımla paylaşmak da bir o kadar güzel.

Gözlerimiz aynı "keşke"lerde buluşuyor Haşim'le. Keşke o günlere dönebilsek... Keşke zamanı orada durdurabilsek de sonradan yaşadığımız olumsuzlukları ayıklama fırsatımız olsa, aynı yanlışlara düşmesek...

Her şeyi bir yana itip; biricik Dicle'leriyle beraber tatil yapan, tüm düşünce ve tasalarından arınmış, sorunsuz bir Piraye ve Haşim olarak şu birkaç günü değerlendirmeye çalışıyoruz.

Denizin, kumun, güneşin el ele vermesiyle oluşuveren büyülü çekim, bizi de birbirimize kenetleyiveriyor.

Denizin kollarında gerçek kimliklerimizden soyutlanıp, kumların sıcak koynuna bırakıyoruz çözümsüzlüklerimizi.

Dışarıdan bakanlar için, imrenilecek bir aile tablosunun pırıltılı renkleriyiz her birimiz. Geride kalmış kopkoyu gölgeyi ben bile göremiyorum şu anda.

Dicle için yorucu bir gündü. Sabahtan akşama denizle kumlar arasında bölüştürdüğü; oyun bahçesinde kaydırak ve salıncakla, babasıyla beraber oynadığı oyunlarla renklendirdiği saatler sonunda yorgun düştü minik kızım. Daha yemeğini bitiremeden sandalyenin üzerinde uyuyakaldı...

Onu bu halde bırakmaya gönlümüz razı olmuyor. Kahvelerimizi içip odamıza çıkıyoruz biz de.

Haşim kucağında taşıdığı Dicle'yi yatağına yatırıyor. Yastığın üzerine yayılmış saçlarını okşuyor...

Kızımızın uykuya teslim olmuş masum yüzünü hayranlıkla seyre dalıyoruz Haşim'le.

Dicle'nin aradan çekilip bizi baş başa bırakmasıyla oluşan ağır havayı dağıtma çabasındayım.

Balkona doğru yürüyorum. Haşim de peşimden geliyor.

Karşılıklı oturuyoruz. Ay ışığıyla gizemli bir söyleşiyi paylaşan denizin serin sularına dalıyor gözlerimiz. Usulca uzanıp elimi tutmak istiyor Haşim. Ani bir hareketle kalkıp içeriye geçiyorum.

Burada bulunuşumun tek nedeninin o olduğunu vurgulamak ister gibi, Dicle'nin yanına gidiyorum. Üstünü açmış kızım. Eğilip, minik bedenini pikeyle örtüyorum.

Haşim nasıl davranacağını bilememenin kararsızlığıyla, karşımda ayakta duruyor. Yumuşak bir hareketle kendine çekiyor beni. Öyle ki, karşı dursam bırakıverecek, ısrarcı olmayacak.

Aynı kararsızlığı paylaşıyorum onunla. Kollarından sıyrılmakla, ona sığınmak arasında gidip geliyorum bir an. Başımı omzuna gömüyorum... Özlemişim onu.

Yakıcı soluğunu boynumda hissetmek, beni kendime getiriyor. Bu sıcaklığı bedeninde duyan tek kadının ben olmadığım fikri düşüyor aklıma. Gün boyu bile bile kapıldığım büyülü çekimden sıyrılıp gerçeklere dönüveriyorum.

Deniziyle, güneşiyle, baş başa yenilen akşam yemeğiyle tatil keyfini kocamla paylaşmak, benim ayrıcalığımdı. Öteki kadın bunları yapabilecek durumda değildi çünkü. Ama Haşim'in soluğunu, sıcaklığını benim gibi o da duyabiliyordu. Bu noktada onunla eşitleniyorduk.

O kadına da aynı dokunuşlarla yaklaşmıyor mu Haşim? Onun saçlarına da yüzünü gömüp kokusunu almıyor mu?

Kocası tarafından aldatılmış, bu durumu sineye çekmiş, şu ya da bu nedenle beraberliklerini sürdüren kadınların duygularını çok iyi anlıyorum... Bir başka kadının varlığını bile bile, kocalarının eski sıcaklığını asla duyumsayamazlar. Şimdi benim olduğum gibi, işte böyle kasılıp kalıverirler.

Biraz uzaklaşıyorum Haşim'den. İlk kez gördüğüm birini tanımak istermiş gibi dikkatle bakıyorum yüzüne.

Gözlerinde eski Haşim'i çağrıştıran bir şeyler var. Aldatılmayı henüz tatmadığım o günlere çağırıyor beni. Eskilerin Haşim'inin eski Piraye'si olarak...

Başımı yeniden omzuna yaslıyorum. Sımsıkı yumuyorum gözlerimi. Kendimi kollarına bırakıveriyorum.

Kararsızlık anının ardından gelen sokuluşumu sevinçle karşılıyor. Onu, eski Haşim'le aldattığımın ayrımında bile değil...

Bir haftalık tatilin ardından, farklı kazanımlarla Diyarbakır'a dönüyoruz.

Dicle, annesinin ve babasının arasında pırıltılı sevinçler yaşadı. Haşim'se umduğunun ötesinde, bir daha asla gerçekleşmeyeceğini sandığı bir düşü paylaştı benimle.

Burada ayrılıyorum onlardan. Çünkü bunun, bir arada yaşadığımız son tatil olduğunu yalnızca ben biliyorum.

Haşim'e kalsa, birlikteliğimizi evde de sürdürecek. Ama buna izin vermiyorum. Bu kadarı yetmeli ona; yetinmeyi bilmeli.

Bazı akşam yemeklerinde bizimle oluyor Haşim. Karşı çıkmıyorum. Bu esnek davranışımın altında, konaktakilere meydan okumak yatıyor aslında. Haşim'in geç kaldığı geceler, yatmak için konak yerine muayenehaneye gitmesi karşısında nasıl bir tepki verdiklerini düşünmek bile yetiyor bana.

Dicle'yi istediği zaman görebiliyor Haşim. Gene de hafta sonları kızını konağa götürmeyi sürdürüyor. Torunlarını özlüyorlarmış onlar da...

Bu sayede, Şehriban aracılığıyla, son gelişmeler karşısındaki görüşlerini de öğrenmiş oluyorum.

"Madem bu noktaya gelecekti, ne diye üzdü oğlumu," diyormuş Lamia Hanım. "Baştan kabullenip otursaydı ya..."

"Belli etmemeye çalışsalar da; yaptığınız tatilden, Haşim Ağa'nın eve gidip gelmelerinden hiç hoşnut değiller," diyor Şehriban.

Onların hoşnutsuzluğu, sızılı bir keyif veriyor içime. Benden koparıp aldıkları Haşim'i onlardan çaldığım saatlerde, yüreğimi kavuran intikam ateşine birkaç avuç su serpmiş gibi oluyorum.

28

İstanbul'a gidecek bavullar öylece duruyor. Son gelişmeler, onları ortadan kaldırmamı gerektirmiyor. İçten içe, Haşim ayrımında olmasa da, hazırlıklarımı sürdürüyorum ben.

Yalnız, eski hızımı yitirdiğimi yadsımıyorum. Önceleri kucak kucak toplayıp bavula yerleştirdiğim eşyalar, günde birkaç parçayla sınırlı artık. Garip bir tembellik çöktü üzerime.

Bu konuda eskisi kadar gönüllü olmadığımı itiraf edemesem de, varacağım son durağın değişmediğini yineleyerek, kendimi oyalamaya çalışıyorum.

Yaptığım planlara işlerlik kazandırmak için ağırdan almanın ne sakıncası var ki? Diyarbakır'daki son günlerimi, aklımda kalmasını istediğim şekilde geçirme çabasındayım; hepsi bu.

Ne var ki, İstanbul'dan gelen bir haber, kararlarıma ivedilikle sahip çıkmama, onları hemen o an uygulamaya geçirmeme neden oluyor.

Telefonda hıçkırıklara boğuluyor ablam.

"Babamı kaybettik Piraye! Annemin kolunda yığılıp kalmış. Kalp krizi..."

Çökercesine oturuyorum koltuğa. Şehriban'ın telefonla Haşim'e haber vermesini kalın bir sis perdesinin ardından, sessizce izliyorum.

"Başın sağ olsun," diyor Haşim. "Çok üzüldüm."

Avutmak ister gibi sarılıyor bana.

"Cenaze ne zaman kalkıyor? Ben de geleyim seninle."

"Gerek yok."

Önerisini yinelemiyor. Annemle ablamın karşısına çıkmaktan çekiniyor gibi.

"Yarınki uçakla gideceğiz," diyorum.

"Yerinizi ayırtırım," diye başını sallıyor.

"Yalnız... Bilmen gereken bir şey var. Bu bizim İstanbul'a kesin dönüşümüz olacak."

Birden afallıyor. Bir süre, sözlerimi algılamaya çalışıyor.

"Ne demek oluyor bu?"

"Beni Diyarbakır'da tutan tek neden babamdı Haşim. Onun yitmesiyle bu neden de kendiliğinden ortadan kalkmış oluyor. Karşısında boynu bükük durmaktan kaçınacağım hiç kimse kalmadı artık..."

Hiçbir şey söylemeden dinliyor beni.

Kolundan tutup içeriye götürüyorum. Yarı hazır, dolmayı bekleyen bavullarımızı gösteriyorum.

"Zaten gidecektim," diyorum. "Bu haber, gidişimizi çabuklaştırdı; o kadar."

"Ama... Son günlerde yaşadıklarımız... Paylaştığımız tatil..."

Buruk bir gülüşle bakıyorum yüzüne. Şehriban'ın sözleriyle yanıt veriyorum.

"Nikâhlı karın değil miydim?"

Gitmiyor Haşim. Elleri iki yanına düşmüş, hızlandırdığım yol hazırlıklarını sessizce izliyor.

"Şu kitap kolilerini arkamızdan gönderirsen sevinirim," diyorum. "Yeterince yükümüz var zaten."

Başını sallıyor; yaşanacakları kabullenmiş gibi.

"Sen de mi gidiyorsun?" diyor Şehriban'a.

"Evet," diyor Şehriban gözlerini kaçırarak.

Bavullarımızı kapatıyoruz.

Odalara girip çıkıyorum... Son kez eşyalara göz gezdiriyorum. Almam gereken hiçbir şey yok. Hepsi, yaşanılmışlarla sarmaş dolaş, burada kalmalılar.

Evin anahtarını uzatıyorum Haşim'e.

"Bundan sonrası sana ait," diyorum. "Bu ev ve içindekiler benim için işlevini tamamladı."

Yeterinden fazla uzamış, zorlamalı ertelemelerle söndürülmüş bir oyunun son sahnesi... Bitiyor.

"Perde..." diyebiliriz artık.

Hoşça kal Diyarbakır...

Bedeninde özümseyemedin beni. Sende kalmamı sağlayamadın.

Gücünü benden yana kullanamadın.

Ama sana kızgın değilim. Koynundaki Dicle'den bir Dicle verdin bana. Sağ ol.

Gidiyorum...

Sağlıcakla kal.

Yerin geniş olsun...

Üçüncü Bölüm

1

Babamı toprağa verişimizin üzerinden bir ay geçti.

İlk günkü acı, varlığını aynı şiddette sürdürse, yaşayamaz insan. Yitirilenin ardından, yürekten kopup gelen haykırışlar önce yerini daha alçak seslere, sonra da gitgide kabullenişin sessizliğine bırakıyor.

Annem; isyan dolu, sevilenin yitirilmesini yadsıyan çığlıklarını içine gömmeyi başarabiliyor artık. Şimdilerde, geride kalanların yapmakla yükümlü sayıldıkları işlevleri yerine getirmeye verdi kendini. Dolapları elden geçiriyor, babamın giysilerini hayrına dağıtıyor...

"Lokma ısmarladım," diyor. "Babanızın kırkı için."

Asıl yapılması gerekeni sona saklıyor.

Muayenehanenin anahtarlarını bana uzatarak, "Git," diyor. "Babanın muayenehanesini aç. Onu yaşatacak, bizimle gönül beraberliğini sürdürecek tek şey bu..."

Hep baba kız, aynı yerde çalışmanın hayallerini kurmuştu babacığım. Olmadı. Ama şimdi, geç de olsa, isteğini gerçekleştirmek boynumun borcu.

Kısa bir süre önce beyaz örtülerin altına gömdüğüm, hayalet bir şehirle özdeşleştirdiğim babamın eski dünyasına yeniden can vermek, gene bana düşüyor.

Eşyaların üzerine attığım çarşafları toplayıp kapının önüne yığıyorum. Dolaba kaldırdığım kutuları açıp aletleri yerlerine yerleştiriyorum.

Sırtımdan inen yabansı bir ürpertiyle bakıyorum hepsine.

Canım babam! Burada beraber çalışamadık seninle ama; sen hep benim yanımda, benimle olacaksın; biliyorum.

Yaşamının anlamı, odak noktası muayenehanen, kaldığı yerden işlevini sürdürecek. İçin rahat olsun...

İçine girdiğim hareketli günlerin yoğunluğundan Diyarbakır'ı ve Diyarbakır'da bıraktıklarımı düşünmeye fırsatım olmuyor.

Önce muayenehaneyi elden geçirip, çalışılabilir hale getiriyorum. Günlerimi alıyor bu iş.

Ardından, ev konusu geliyor gündeme. Annem de ablam da beraber oturmamızdan yanalar.

"Ne gerek var," diyor annem. "Ayrı evlerde oturmak da nereden çıktı şimdi?"

"Güzel annem," diye gülüyorum. "Bu evden tek çıktım; üç kişi olarak döndüm. Sizin kalabalığınız kendinize yeter. Dicle, Şehriban ve ben başlı başına bir aileyiz zaten."

Günlerce, yakın çevremizdeki tüm sokakları karış karış geziyoruz Şehriban'la. Sonunda, muayenehaneye yakın, cadde üzerinde, üç oda bir salon, şirin bir apartman dairesinde karar kılıyoruz.

Burası bizim yeni yuvamız... Evimizi bir an önce temizleyip döşemek ve yerleşme çabasındayım. Düzenimizi tam olarak oturtalım ki, sıra muayenehaneye, çalışmaya gelebilsin...

2

Diyarbakır'dan döneli tam beş ay oldu.

Temelini İstanbul'da bırakıp uzak diyarlara taşıdığım, orada yerle bir olmasına tanıklık ettiğim köşkümün yıkıntısından toplayıp getirdiğim kalıntılarla yeniden, küçücük bir kulübecik olsun inşa edebildiğimi görmekten mutluyum.

Tüm taşlar yavaş yavaş yerine oturuyor. Diyarbakır'dakine benzer ev düzenimiz, çalışma ortamım, yakınlarımla olan paylaşımım tüm beklentilerime yanıt veriyor.

Dicle anaokuluna başladı. Teyzesinin yanında; yeni edindiği arkadaşlarıyla renklenen küçücük dünyasından hoşnut görünüyor. Bir de, babasının nerede olduğunu sorup, aldığı üstünkörü yanıtlarla yetinmediğini gösteren dudak büküşü olmasa...

Annem de yeni yaşantısına alışmış gibi. Ablam ve çocuklarla beraberliği, onlar için bir şeyler yapmaya çabalaması, karamsar düşüncelerden uzak tutuyor onu.

Annemle ve ablamlarla sık sık bir araya geliyoruz. Yitirilenin ve kendini bizden soyutlayanların yokluğunu daha az duyuyoruz artık.

Ama benim kendimi bulduğum, bir parçası olmaktan en büyük keyif aldığım yer muayenehanem. Hastalarımla baş başa kaldığımda, tüm dünyayı unutuveriyorum. Randevu defterim her geçen gün biraz daha kalabalıklaşıyor.

Burada da en büyük yardımcım Şehriban...

Sabahları evde kalmayı yeğliyor. Evdeki işleri yoluna koyup soluğu benim yanımda alıyor. Öğleden sonraları beraberiz. Telefonlara bakıyor, hastaları kabul ediyor, tedavi sırasında bana yardımcı oluyor.

Akşamüstleri onunla karşılıklı çay içmek, tüm yorgunluğumu unutturuyor bana.

Gene böyle bir akşamüstü, masamda oturmuş gazete okuyorum.

"Piraye Abla..."

Şehriban'ın sesiyle başımı kaldırıyorum.

"Bir konuğumuz var... Haşim Ağa'm!"

Aylardan sonra, hiç ummadığım bir zamanda onu karşımda görmenin şaşkınlığıyla, "Hoş geldin," diyorum.

"Hoş bulduk."

Yerimden bile kalkmadan, yalnızca elimi uzatıyorum. Tokalaşıyoruz.

Masanın karşısına, gösterdiğim koltuğa oturuyor.

"Hayırlı olsun muayenehanen," diyor.

"Sağ ol."

Omuzları çökmüş, yüzünde karamsar bir ifade...

"Piraye!" diyor. "Siz olmadan olmuyor. Yapamıyorum. Yaşamak tüm anlamını yitirdi benim için."

Kayıtsızca bakıyorum yüzüne.

"Çay içer misin?"

Yanıtını beklemeden içeriye sesleniyorum.

"Şehriban, bize çay getirir misin?"

"Yapma Piraye," diyor. "Yabancı gibi davranma bana. Tükendim artık... Ölmeyi yaşamaktan çok istiyorum inan ki."

"Senin için ne yapabilirim?"

"Çok şey... Tabii istersen."

"Söyle bakalım..."

"Konaktan koptum. Gecelerimin çoğu muayenehanede geçiyor. Asla bağdaşamayacağım bir kadın, varlığıyla yokluğu arasında fark olmayan özürlü bir çocuk... Dayanacak gücüm kalmadı."

"Evet?"

"Kabul edersen, İstanbul'a gelebilirim."

Haşim'den asla beklemeyeceğim, umulmadık bir yaklaşım.

"Biraz geç olmadı mı?"

"Haklısın. Keşke en başta senin sözünü dinleseydim. Ama o kadar da geç kalmış sayılmayız; öyle değil mi? Sen, ben, kızım... Yeni bir başlangıç yapabiliriz, diye düşündüm."

"Buna evet dememi bekleyemezsin benden. Gördüğün gibi, yepyeni bir düzeni oturtmaya çalışıyorum. Bu noktaya dişimle tırnağımla güçlükle gelebilmişken... Yeni sarsıntıları kaldıracak gücüm kalmadı benim de."

"Biraz düşün Piraye. İçinde küçücük bir sevgi kırıntısı kaldıysa eğer... Biraz düşün."

"Düşünmeme gerek yok Haşim. Son sözümü söyledim ben. Bunun ötesinde, konuşulacak bir şey kaldığını sanmıyorum."

Başı önünde, uzunca bir süre düşüncelere dalıyor.

"Dicle nerede? Çok özledim onu..."

"Anaokulunda. Gidip görebilirsin."

Dicle söz konusu olunca, heyecana kapılıyorum birden.

"Son çektiğim fotoğrafları göstereyim sana," diye ayağa kalkıyorum.

İşte o anda...

"Piraye!" diye haykırıyor Haşim. "Hamilesin sen!"

İstemim dışında yakalanıvermenin şaşkınlığıyla duraklıyorum.

"Evet," diyorum iyice belirginleşen karnımı okşayarak. "Tam altı aylık. Üstelik cinsiyeti de belli: Erkek!"

"Harika bir müjde bu!" diye ışıldıyor gözleri.

Yerinden fırlayıp beni kucaklamaya davranıyor.

"Uzak dur benden," diye geri çekiliyorum. "Senin değil o çocuk!"

Gözleri yuvalarından fırlayacak gibi.

"Benden değil mi yoksa?"

"Bunu da söyleyebildin ha..." diye öfkeyle bakıyorum yüzüne. "Onu asla hak etmiyorsun; ama karnımdaki, ne yazık ki senin çocuğun."

"Bağışla beni Piraye," diye ellerime yapışıyor. "Şaşkınlıktan ne söylediğimi bilmiyorum ben."

"Dediğim gibi Haşim, bu çocuk yalnızca benim! Soyadından başka hiçbir şey veremeyeceksin ona."

Umarsız çırpınışlar içinde kıvranıyor karşımda.

Karşısına bir başkasından olan çocukla çıkmandan daha iyi intikam mı olur, demiştin ablacığım. Ondan da iyisini buldum ben. Kendi öz çocuğuyla alıyorum öcümü. Acıtarak, kanatarak... Tıpkı bana yaptığı gibi.

"Lamia Hanım'a da selamımı söyle," diyorum. "Kızı veren Allah, oğlanı da verir, derdi. Haklıymış. Ama kız kısırı olan birinin, bir daha asla doğuramayacağını söylerken yanılgı içindeydi. İşte kanıtı! Anlatırsın ona..."

Onun suskunluğu daha da kamçılıyor beni.

"Sen de kendine yeni bir yol çiz artık. İkinci karın sana boy boy çocuk verebilir. Benim gibi kız kısırları bile doğururken... Git, sana layık görülen, senin de seve seve koynuna aldığın o kadında ara mutluluğu."

"Yani, beni hiçbir niteliği olmayan o insanla bir ömür boyu beraberliğe mahkûm edebiliyorsun..."

Onun ince sitemlerini duyacak halde değilim. Yıllardır içimde biriktirdiğim kini dışa vurmanın sarhoşluğu içindeyim.

Gün benim günüm... Ben ne dersem o olacak!

"Oğlum doğar doğmaz boşanacağım senden."

Üst üste yaşadığı şoklardan sersemlemiş gibi.

"Yapma Piraye," diyor. "Bu durumdan haberim olmadan geldim kapına. Bir de verdiğin müjdeyle aydınlanıverecek, önümüze açılacak yeni ufukları düşün... Senin, Dicle'nin, benim ve doğacak çocuğumuzun geleceği senin ellerinde."

"Hepsini düşündüm ben... Seninle yeniden bir araya gelmemiz olanaksız."

Kısa bir duraklamanın ardından isyanla haykırıyorum.

"Sorunun asıl kaynağını neden anlamak istemiyorsun?"

Yanıt arayan gözlerle bakıyor yüzüme.

Görünmez bir el boğazımı sıkıyor sanki. Konuşamıyorum... Gücünü yitirmiş, titreyen bir sesle beklediği yanıtı veriyorum sonunda.

"Bir başka kadına dokunan parmakların, benim tenime bir daha asla değemez Haşim! Dayanamam buna; izin veremem... Anlamaya çalış."

Yıkılmış, bitik bedeniyle koltuğa çöküyor.

"Son sözün bu mu?"

"Bu!"

"Senden son bir şey isteyebilir miyim?"

"Neymiş o?"

"Oğluma benim adımı koyabilir misin? Onun Haşim Artukoğlu olmasına izin verir misin?"

"Hayır," diyorum kesin bir ifadeyle. "Sen demez miydin, çocuğun adını koymak, onu dokuz ay karnında taşıyan anasının hakkıdır diye... Ben de ona babamın adını vereceğim."

Biraz kırık bir ifadeyle bakıyor yüzüme.

O an yanına gitmek, başını ellerimin arasına alıp, içine sürüklendiği karanlıklardan çekip çıkarmak, göğsüme bastırmak için delice bir istek duyuyorum. Tırnaklarımı avucumun içine batırarak, duyduğum acıyla kendimi engellemeye çalışıyorum.

Böyle olması gerek, diye yineliyorum içimden.

Onun acılarla örselenmiş yüzüne, bir kez daha içinde kaybolmaktan korktuğum gözlerine bakmamaya çabalıyorum.

"Nasıl istersen öyle olsun," diyor buruk bir gülümsemeyle.

Elini uzatıyor. Son kez tokalaşıyoruz.

Omuzları geldiğinden de çökmüş, başı önünde çekip gidiyor.

Öcünü aldın Piraye.

Gururun ağır bastığı yerde, diğer tüm duyguların yerle bir olması kaçınılmaz belki.

Ama şöyle bir yokla kendini. Şu andaki zafer sarhoşluğundan sıyrıldığında da böyle gülebilecek misin?

Bu tür savaşımların kazananı olmayacağını bilmen gerek.

Yıkılmışlıkta, senin de ondan kalır yanın var mı?

3

Doğumuma az kaldı. Gün sayıyorum artık...

Muayenehaneden de vazgeçemiyorum ama. Ablamın ısrarları olmasa, son ana kadar çalışabilirim. Aldığımız ortak karara göre, gelecek hafta eve geçip, minik konuğumu bekleme sürecini başlatacağım.

Şehriban beni hiç yalnız bırakmıyor. Sabahtan akşama yanımda. Her hareketim onun kontrolü altında.

"Yalnızca bir saat," diyorum izin alır gibi. "Son alışverişler... Çok şirin bir tulum görmüştüm. Onu alacağım bebeğime..."

Bir tulumla kalmıyor tabii. Gördüğüm her güzelliği henüz doğmamış bebeğimle buluşturacak bir yığın paketle dönüyorum muayenehaneye.

"Şehriban..."

Ses yok.

"Şehriban..." diye yineliyorum.

Bekleme odasındaki koltuklardan birine oturmuş; donuk, boş gözlerle yüzüme bakıyor.

Elimdeki paketleri fırlattığım gibi yanına koşuyorum.

"Neyin var senin?"

Yanıt vermiyor. Omuzlarından tutup sarsıyorum.

"Ne oldu Şehriban? Konuşsana..."

Korkulu bir düşten ayılır gibi silkeleniyor.

"Haşim Ağa'm..." diyor.

"Ne olmuş Haşim Ağa'na?" diye haykırıyorum.

"Haşim Ağa'mı vurmuşlar gelin ablam!"

Şehriban'ın yanındaki koltuğa yığılıveriyorum.

"Nasıl olmuş? Yaşıyor mu? Anlat..."

"Köyde... Hasmının üzerine gitmiş. Şu arazi davası var ya... İşte o! Dur demişler, durmamış... Dur demişler, durmamış... Bile bile gitmiş üstlerine."

"Sonra..."

"Vurmuşlar. Dörtbir yandan ateş yağdırmışlar üstüne. Silahı yokmuş ağamın."

Sormaya korktuğum, yanıtını duyduğumda çıldıracağımı düşündüğüm şeyi söylüyor sonunda.

"İntihar etti ağam," diyor. "Bile bile gitti ölüme..."

Dörtbir yanımdan kurşun yağıyor üzerime...

Tüm bedenimde duyuyorum acısını.

Kan revan içindeyim...

Kendimden geçiveriyorum.

"Ne olur ablam uyan... Kendine gel."

Şehriban'ın sesi, uzaklardan gelen cılız bir yankı kulaklarımda.

Bana ait değilmiş gibi duran uyuşuk bedenimi güçlükle doğrultuyorum.

"Beni biraz yalnız bırak Şehriban."

"Ama abla... Bu haldeyken, olur mu hiç?"

"Beni benimle bırak dedim sana..."

Usulca dışarıya süzülüveriyor.

Kendimle hesaplaşmama kimse tanık olmamalı...

"Yaşamaktan çok ölmeyi istiyorum inan ki..."

Öyle demiştin Haşim. Dinlemedim seni. Duymadım, anlamadım.

Suçluyum.

Hep bir adım önde oldun benden, hep! Senden öcümü aldığımı düşündüğüm anda bile benden öndeydin.

İşte gene karşıma geçmiş, "Nasıl istersen öyle olsun," diyorsun. "Ama, ben de sana öyle bir ceza veririm ki..."

Verdin!

Bu yükle yaşamak cezaların en büyüğü değil mi?

Senin ölümündeki payımı düşündükçe, nasıl soluk alabilirim ben? Yaşama nasıl umutla bakabilirim artık?

Kendinle beraber beni de öldürdün Haşim. Beni de...

"Ablam benim," diye sarılıyor Şehriban.

Sözümü bu kadar dinleyebilmiş. Biraz önceki suçlayıcı ifadesinden sıyrılmış, beni avutmaya çabalıyor.

"Bitirme kendini ablam. Karnındaki çocuğu düşün..."

Bileklerime kolonyalar döküyor. Su içirmeye çalışıyor.

"Bırak beni," diyorum. "İyiyim ben."

Titreyen ellerimi karnımın üzerinde gezdiriyorum.

Duydun mu bebeğim? Babamız yok artık...

Şu çirkin yüzlü dünyaya daha güçlü doğmak zorundasın.

"Son bir şey isteyebilir miyim senden? Oğlumun adını Haşim koyar mısın?"

Gel artık bebeğim... Gel artık!
Daha fazla bekleyecek gücüm kalmadı.
Bak, baban da ben de sabırsızlıkla yolunu gözlüyoruz senin.
Gel artık Haşim Artukoğlu!
Babanın adını yaşatmak için gel artık...

Yazarın Notu

Piraye'yi yakın çevrenizde aramayın sakın!

Hem onun, hem de romandaki diğer karakterlerin hayal ürünü olduklarını belirtmeme, bilmem gerek var mı...

Ama uzak şehirdeki şarkının nihavent olduğunu söyleyen Nâzım Hikmet ve "Gözlerin hani?" diye soran Ahmed Arif gerçek.

Piraye'yi dizeleriyle buluşturdukları için bu iki değerli şairimize ve Nâzım Hikmet'i bir bütün halinde bizlere sunan Yapı Kredi Yayınları'na, bu sunuştan payını almış bir yazar olarak, minnet borçluyum.

Romanımı yazmak için beni yüreklendiren tüm Diyarbakırlı dostlarıma; gerçek bir açık hava müzesi konumundaki Diyarbakır'ı tarihi yönüyle tanımamda yardımcı olan ve değerli bilgilerini benden esirgemeyen Prof. Dr. Halil Değertekin'e de teşekkürlerimi iletiyorum.

Roman yazmak, ekip işi aslında.

Kendimi dış dünyadan soyutlayıp Piraye'nin dünyasına daldığım uzun süre içinde desteklerini her an arkamda hissettiğim yakınlarıma, dostlarıma ve bana inanan, bu inançlarıyla yoluma ışık tutan yayımcılarıma gönül dolusu teşekkürler...

Onlar olmasa, bu işin altından tek başıma kalkamazdım ben!

İzmir, 2003

Yazarın Yayınevimizden Çıkan Kitapları

Öykü

* Çikolata Kaplı Hüzünler
* Söylenmemiş Şarkılar
* Aşkın Sanal Halleri

Roman

* Piraye
* Eroinle Dans
* Yüreğim Seni Çok Sevdi
* En Son Yürekler Ölür
* İz

Mizah Öyküsü

* İster Mor İster Mavi
* Sol Ayağımın Başparmağı
* Türkiye Benimle Gurur Duyuyor!!!
* Oğlum Nasıl Fenerbahçeli Oldu?
* Fanatik Galatasaraylı
* Beşiktaş'ım Sen Çok Yaşa

Çocuk Öyküsü

* Sevgi Yolu
* Arkadaşım Pasta Panda
* Sokakların Prensesi Şima
* Aliş ile Maviş Dizisi

Çocuk Romanı

* Sokaklardan Bir Ali
* Beyaz Evin Gizemi
* Ah Şu Uzaylılar
* Sevgi Dolu Bir Yürek